Читайте романы
примадонны иронического детектива
Дарьи Донцовой

Сериал «Любительница частного сыска Даша Васильева»:

1. Крутые наследнички
2. За всеми зайцами
3. Дама с коготками
4. Дантисты тоже плачут
5. Эта горькая сладкая месть
6. Жена моего мужа
7. Несекретные материалы
8. Контрольный поцелуй
9. Бассейн с крокодилами
10. Спят усталые игрушки
11. Вынос дела
12. Хобби гадкого утенка
13. Домик тетушки лжи
14. Привидение в кроссовках
15. Улыбка 45-го калибра
16. Бенефис мартовской кошки
17. Полет над гнездом Индюшки
18. Уха из золотой рыбки
19. Жаба с кошельком
20. Гарпия с пропеллером
21. Доллары царя Гороха
22. Камин для Снегурочки
23. Экстрим на сером волке
24. Стилист для снежного человека
25. Компот из запретного плода
26. Небо в рублях
27. Досье на Крошку Че
28. Ромео с большой дороги
29. Лягушка Баскервилей
30. Личное дело Женщины-кошки
31. Метро до Африки
32. Фейсконтроль на главную роль
33. Третий глаз-алмаз
34. Легенда о трех мартышках
35. Темное прошлое Конька-Горбунка
36. Клетчатая зебра
37. Белый конь на принце
38. Любовница египетской мумии
39. Лебединое озеро Ихтиандра

Сериал «Евлампия Романова. Следствие ведет дилетант»:

1. Маникюр для покойника
2. Покер с акулой
3. Сволочь ненаглядная
4. Гадюка в сиропе
5. Обед у людоеда
6. Созвездие жадных псов
7. Канкан на поминках
8. Прогноз гадостей на завтра
9. Хождение под мухой
10. Фиговый листочек от кутюр
11. Камасутра для Микки-Мауса
12. Квазимодо на шпильках
13. Но-шпа на троих
14. Синий мопс счастья
15. Принцесса на Кириешках
16. Лампа разыскивает Алладина
17. Любовь-морковь и третий лишний
18. Безумная кепка Мономаха
19. Фигура легкого эпатажа
20. Бутик ежовых рукавиц
21. Золушка в шоколаде
22. Нежный супруг олигарха
23. Фанера Милосская
24. Фэн-шуй без тормозов
25. Шопинг в воздушном замке
26. Брачный контракт кентавра
27. Император деревни Гадюкино
28. Бабочка в гипсе
29. Ночная жизнь моей свекрови
30. Королева без башни

Сериал «Виола Тараканова. В мире преступных страстей»:

1. Черт из табакерки
2. Три мешка хитростей
3. Чудовище без красавицы
4. Урожай ядовитых ягодок
5. Чудеса в кастрюльке
6. Скелет из пробирки
7. Микстура от косоглазия
8. Филе из Золотого Петушка
9. Главбух и полцарства в придачу
10. Концерт для Колобка с оркестром
11. Фокус-покус от Василисы Ужасной
12. Любимые забавы папы Карло
13. Муха в самолете
14. Кекс в большом городе
15. Билет на ковер–вертолет
16. Монстры из хорошей семьи
17. Каникулы в Простофилино
18. Зимнее лето весны
19. Хеппи–энд для Дездемоны
20. Стриптиз Жар–птицы
21. Муму с аквалангом
22. Горячая любовь снеговика
23. Человек–невидимка в стразах
24. Летучий самозванец
25. Фея с золотыми зубами
26. Приданое лохматой обезьяны

Сериал «Джентльмен сыска Иван Подушкин»:

1. Букет прекрасных дам
2. Бриллиант мутной воды
3. Инстинкт Бабы-Яги
4. 13 несчастий Геракла
5. Али-Баба и сорок разбойниц
6. Надувная женщина для Казановы
7. Тушканчик в бигудях
8. Рыбка по имени Зайка
9. Две невесты на одно место
10. Сафари на черепашку
11. Яблоко Монте–Кристо
12. Пикник на острове сокровищ
13. Мачо чужой мечты
14. Верхом на «Титанике»
15. Ангел на метле
16. Продюсер козьей морды

Сериал «Татьяна Сергеева. Детектив на диете»:

1. Старуха Кристи – отдыхает!
2. Диета для трех поросят
3. Инь, янь и всякая дрянь
4. Микроб без комплексов
5. Идеальное тело Пятачка
6. Дед Снегур и Морозочка
7. Золотое правило Трехпудовочки
8. Агент 013
9. Рваные валенки мадам Помпадур

А также:

Кулинарная книга лентяйки

Кулинарная книга лентяйки–2. Вкусное путешествие

Кулинарная книга лентяйки–3. Праздник по жизни

Простые и вкусные рецепты Дарьи Донцовой

Записки безумной оптимистки. Три года спустя. Автобиография

Дарья Донцова

эксмо
Москва
2011

В мире преступных страстей
Виола Тараканова

УДК 82-3
ББК 84(2Рос-Рус)6-4
Д 67

Оформление серии *В. Щербакова*

Серия основана в 2000 году

Иллюстрация на обложке *В. Остапенко*

Донцова Д. А.

Д 67 Приданое лохматой обезьяны : роман / Дарья Донцова. — М. : Эксмо, 2011. — 384 с. — (Иронический детектив).

ISBN 978-5-699-46646-7

Я, Виола Тараканова, никогда не проверяю карманы своего бойфренда Юры Шумакова, не залезаю в телефон и не интересуюсь прошлым любимого мужчины. Его бывшая герлфренд сама нарисовалась на пороге моего дома! Насмерть перепуганная Оля Коврова рассказала: шефа и бухгалтера фабрики мягких игрушек «Лохматая обезьяна», где она служит секретаршей, отравили, и теперь ее обвинят в убийстве, ведь чай подавала именно Оля! Пришлось нам с Юрой разбираться в этой истории. Отправившись домой к отравленной бухгалтерше, я узнала, что ее сын Никита тоже мертв. А вскоре была убита и девушка Никиты Похоже, преступление вовсе не связано с плюшевыми зайцами, свиньями и лохматыми обезьянами!

УДК 82-3
ББК 84(2Рос-Рус)6-4

ISBN 978-5-699-46646-7

ГЛАВА 1

Если любимый неожиданно отключил мобильный и не отвечает на ваши настойчивые звонки, не волнуйтесь. Не допытывайтесь, где и с кем он провел целый день, не реагируя на звонки, потому что, если в конце концов вы все узнаете, можете разволноваться еще больше.

Я посмотрела на часы. Так, уже вечер, а от Юры ничего. Похоже, он не только забыл, что мы собирались пойти в кино, но и начисто выбросил из головы Виолу Тараканову, ни разу не звякнул ей.

Вот только, пожалуйста, не надо считать меня истеричной особой с замашками домашнего тирана! Я не принадлежу к категории женщин, которые встречают припозднившегося мужа на пороге со скалкой в руке и с нежным вопросом на устах: «Где шлялся, скотина?!» Я никогда не роюсь по карманам Юры, не читаю смс-сообщения в его сотовом, не лезу в электронную почту. Кое-кому я могу показаться равнодушной: почему бы не выяснить, где и с кем провел время муж?

Ну, для начала, мы с Юрой Шумаковым не женаты, а просто живем вместе в моей новой квартире.

Многие женщины, гордо вскинув голову, говорят: «Штамп в паспорте ничего не меняет! У нас гражданский брак, я не хочу оформлять отношения, это пустая формальность». Уж простите, но я не верю подобным заявлениям. Их делают те, чей партнер, несмотря на долгую совместную жизнь, так и не произнес заветных слов: «Дорогая, выходи за меня замуж». Если мужчина любит женщину, он по-настоящему живо поведет свою избранницу под венец.

Можете смеяться сколько угодно, но процедура росписи здорово дисциплинирует большинство парней, они сразу понимают, что вот теперь они настоящие мужья, и становятся главой семьи. Если ваш любовник после пары лет самого тесного общения так и не подарил вам обручальное кольцо, то сомневаюсь, что это украшение вообще появится на вашей руке. А уж если вы родили ему ребенка и все равно остались безмужней, то вам следует оставить все надежды на брак. Я не хочу сказать, что брак по залету хорошая вещь, но когда вам поют песню: «Ну какая тебе разница? Зачем нам штамп? Я признаю малыша и без оформления отношений», — это означает лишь одно: ваш Ромео боится брать на себя ответственность, ему гораздо комфортнее ощущать себя свободной птицей.

Многие представительницы слабого пола отчего-то стесняются своего желания иметь законного мужа. Они теряются, услышав от милого друга заявление о неминуемой гибели любви под печатью загса, и смущенно говорят: «Ну конечно, я абсолютно счастлива, мне не нужна встреча с теткой, которая торжественно произнесет: «Объявляю вас мужем и женой!» Ваш друг шумно выдохнет и возрадуется: его свободе ничто не угрожает, он не связан по рукам и ногам и в любой момент может уйти. Но на самом-то деле каждой из нас хочется признаний в любви, цветов и, конечно, белого платья, праздника, подарков. Просто одни честно озвучивают желание стать законной супругой, а другие изображают равнодушие. Вот только чем чаще они повторяют: «Счастье не зависит от штампа в паспорте!» — тем меньше я им верю.

Мне Юрий Шумаков пока не сделал предложения, поэтому я не считаю себя его женой. Я любовница, или герлфренд. Вот уж несуразное слово, которое в переводе обозначает: женщина-друг. Тут же вспоминается поговорка: «Собака — лучший друг человека», — и напрашиваются соответствующие ассоциации.

Ладно, вернусь к карманам Шумакова и его мобильнику. Я не проявляю любопытства не потому, что мы не расписаны. Если в понедельник в моем паспорте появится отметка из загса, я не стану во вторник, среду и последующие дни недели обнюхивать мужа и осматривать его пиджак в поисках чужих волос. Мне такое поведение кажется смешным и глупым. Ну, найду я в телефоне сообщение вроде: «Дорогой, вспоминаю нашу встречу и дрожу от счастья. Твоя Маша». И что? Что делать с этой информацией? Сунуть трубку под нос изменнику и грозно спросить: «Ты ходишь налево?» А вдруг я услышу: «Да. Прости, дорогая, я запутался, никак не пойму, кого больше люблю, тебя или Машу»? И опять же — дальше что? Куда деваться, узнав неприглядную правду?

Я вздохнула и встала с дивана. Пойду выпью кофе. На улице дождит сентябрь, вот на меня и напала хандра. Вместо того чтобы философствовать на пустом месте, лучше заняться работой. Срок сдачи рукописи в издательство давно прошел, редактор Олеся оборвала все телефоны Арины Виоловой (под этим псевдонимом я, Виола Тараканова, известна как писательница), но мне не пишется, концы с концами не сходятся, отсюда и плохое настроение. Я вполне довольна нашими отношениями с Юрой, и то, что он пока не сделал предложение, меня вполне устраивает. Один раз я уже побывала замужем и не хочу повторения печального опыта.

Я включила кофемашину и уставилась на тоненькую струйку коричневой жидкости, льющуюся в чашку.

Шумаков сотрудник МВД, занимается нелегкой, подчас опасной работой, его могут в любое время суток вызвать на службу, и Юра не всегда имеет возможность позвонить домой. Но он в курсе моих личностных особенностей. Я самозаводящаяся система, мне в голову частенько лезут глупые мысли. Все начинается со взгляда на часы и вздоха: уже вечер, а Юры нет. Бедняжка, он так много работает, наверное, у него сегодня трудный день. Шумакова вызвали «на труп», он осматривает место преступления, а там возможны неожиданности: в шкафу спрятался бандит, он достает пистолет и... Когда около полуночи живой и невредимый Шумаков вваливается в квартиру и начинает наглаживать котопса[1], ко мне уже можно вызывать бригаду реанимации.

Сначала Юра посмеивался надо мной, потом стал сердиться и сказал:

— Давай договоримся. Если ты в течение дня получаешь от меня пустые смс-сообщения, то это значит, что я жив, здоров и невредим, просто у меня нет времени на досужие разговоры.

---

[1] История появления котопса у Виолы Таракановой рассказывается в книге Дарьи Донцовой «Муму с аквалангом», издательство «Эксмо».

И теперь, взглянув на мобильный, я слегка успокаиваюсь.

Но сегодня ни одного сообщения с одиннадцати утра не было. Сотовый Юры молчит, к рабочему телефону он не подходит, подкрадывается ночь, и котопес давно дежурит у двери.

Странное животное, похожее одновременно на кота и собаку, я привезла из Греции. Котопес существо апатичное, его любимое занятие сон. Еще он обожает поесть и совершенно мне не мешает — не пристает, не лезет с ласками, не требует, чтобы я бросала ему мячик или трясла перед его мордой метелкой из птичьих перьев, безропотно пользуется туалетом, не капризничает и выглядит здоровым. Идеальное домашнее животное, больше смахивающее на ожившего плюшевого зайку. Но вот странность: меня, хозяйку, которая его кормит, котопес воспринимает индифферентно. Сижу я дома — хорошо, ушла — еще лучше. А Юру он несется встречать со всех четырех лап. Более того, ближе к вечеру котопес принимается слоняться в прихожей и не покидает ее до тех пор, пока Шумаков не войдет в дверь. Нелегальный эмигрант из Греции явно любит Шумакова, а ко мне, похоже, не испытывает даже намека на нежность.

Резкий звонок мобильного заставил меня вздрогнуть. Я схватила телефон и, не взглянув на дисплей, воскликнула:

— Юрасик!

Но из трубки ответил звонкий женский голос:

— Вас беспокоят из шоу Андрея Балахова. Можно Арину Виолову? Говорит редактор по гостям.

Я уже несколько раз бывала участницей популярной передачи и сразу вспомнила милую рыжеволосую девушку с пирсингом в носу, кучей колечек в ушах и гроздьями браслетов на руках. Редактора по гостям зовут Полей, она очень приятная. Однажды у нас с ней приключилась смешная история — мы одновременно сломали каблуки у туфель.

— Полиночка! — обрадовалась я. — Как дела?

— Извините, — откликнулась звонившая, — но Полина уволилась. Года два назад или меньше, не помню.

— Жаль, — расстроилась я.

Договорившись с редактором о съемке, я отложила телефон и решила еще разочек выпить кофе. И тут опять раздалась мелодичная трель. На сей раз кто-то звонил в дверь.

Я поспешила в прихожую и по дороге столкнулась с котопсом, который почему-то не стал встречать Юру, а шмыгнул в гостиную.

Как всегда, не посмотрев на экран домофона, я крикнула:

— Опять ключи забыл? Ну, кто из нас Машарастеряша? — И распахнула дверь.

На пороге стояла симпатичная молодая женщина — шатенка с карими глазами и стройной фигурой. Вероятно, незнакомке было лет тридцать, от нее пахло духами, на плечах кожаная косуха, на ногах джинсы и изящные ботильоны.

За моей спиной раздалось странное шипение, я обернулась. Котопес высовывался из-за угла и, недвусмысленно подняв верхнюю губу, скалил мелкие неровные зубы и фыркал. Не знаю, что меня больше удивило — появление женщины или впервые продемонстрированная агрессия котопса.

— Ты Виола Тараканова? — забыв поздороваться, спросила незнакомка. — Привет!

Она протянула мне коробочку шоколадного «Ассорти» и добавила:

— Это к чаю.

— Добрый вечер, — осторожно ответила я, пытаясь сообразить, кто она такая, эта неизвестная мне визитерша.

Я не горю желанием заводить близкие отношения со всеми соседями, успела познакомиться лишь с немногими, да и то случайно. Может, дама в джинсах живет на третьем-пятом этаже и хочет одолжить соль? Хотя нет, ради такого случая не наденут кожаную куртку. Или это фанатка писательницы Арины Виоловой? Тоже маловероятно: я не эстрадная певица, у меня нет сумасшедших поклонников, способных без приглашения ввалиться в мой дом.

— Не узнала? — открыто улыбнулась незнакомка. — Я Оля Коврова. Ну, впустишь меня или начнешь ногтями щеки от ревности царапать?

— Кому? — заморгала я. — Тебе или себе? И кого мне ревновать?

— Юрку, — отрубила Ольга.

Я постаралась сохранить нейтрально-вежливое выражение лица.

— Шумакова?

— Его самого, — кивнула Коврова. — Не бойся! Все прошло и быльем поросло.

Котопес зафыркал еще громче. Я была безгранично благодарна зверушке, которая пыталась напугать нахалку, и решила притвориться дурой:

— Что поросло быльем?

— Да ладно тебе! — махнула изящной ручкой нежданная гостья. — Небось давно мою фотку нашла и глаза мне выколола. Не ревнуй. Наши отношения с Шумаковым остались в прошлом. Я от него ушла, потому что жить с ментом невозможно. Мне нужен настоящий муж, а не виртуальный. Юра долго дергался, звонил мне, потом перестал. Я окольными путями выяснила: мой бывший бойфренд живет сейчас с Виолой Таракановой, она же писательница Арина Виолова, и обрадовалась, что у него все хорошо.

— Ага, — растерянно кивнула я. — А зачем ты приехала на ночь глядя? Хотела убедиться в семейном счастье прежнего любовника?

— Он на тебе женился? — поразилась Оля. — Вы расписались в загсе?

Ну, а теперь признайтесь, кто из вас, очутившись в подобной идиотской ситуации, ответит «нет»? Я даже не успела продумать, что сказать, как мой рот сам открылся и я ляпнула:

— Да, конечно, мы сыграли свадьбу. А ты как думала?

— Ну надо же! — восхитилась Ольга. — Помнится, как-то я подслушала Юркин разговор с его теткой Варварой... ну, ты ее знаешь, раз вы свадьбу устраивали.

— М-м-м, — промычала я, не имевшая понятия, что у Шумакова есть тетя по имени Варвара.

— Так вот он ей сказал: «Варя, бабы, с которой я захочу жить до старости, никогда не будет». Я тогда поняла, что Юрка — дохлый вариант. И слиняла. А ты молодец! Че, забеременела, да? Когда прибавления ждете?

Я спокойно выслушала ее и ответила:

— Извини, я очень занята. Была рада познакомиться. Как-нибудь в другой раз поболтаем.

Коврова вцепилась в косяк:

— Вечно я глупости говорю и с людьми отношения порчу... Не сердись!

Я пожала плечами:

— Мне и в голову не придет злиться на постороннего человека.

— Мы же с тобой почти родственницы, — возразила Оля. — Спали с одним мужиком!

Я не нашлась что ответить, а Коврова тарахтела:

— Пойми, у меня никого нет, ни мамы, ни сестры, а подруги — стервы. Остались только Юрка и ты. Беда у меня, я от милиции сбежала! Небось менты уже ищут! Домой не могу пойти. Впусти, пожалуйста, мне больше негде спрятаться. Юрка единственный близкий и родной человек. Ой, как все плохо!

Гостья закрыла лицо руками и неожиданно горько заплакала. Я посторонилась.

— Входи, снимай туфли. Ванная справа, полотенце для гостей розовое, голубые не бери, они наши. Умывайся и проходи на кухню.

Через четверть часа, когда Оля со спокойным видом приняла из моих рук чашку, я спросила:

— Что ты сделала? Украла в магазине шмотку?

— Начальника своего отравила, — поежилась Коврова. — Насмерть! И еще бухгалтера. В общем, два покойника.

Из моих рук выпала вазочка, курабье разлетелось по полу. Ольга вскочила и бросилась подбирать печенье, одновременно она частила:

— Ты не так все поняла. Ой, я дура, нормально объяснить ситуацию не могу. Никого я не травила! Это менты так решить должны! Они непременно меня заподозрят!

Я плюхнулась на стул и приказала:

— Немедленно внятно и членораздельно изложи события.

Коврова высыпала останки печенья в помойное ведро и ввела меня в курс дела.

Оля работает секретарем у директора фабрики

игрушек Николая Ефимовича Ускова. Когда она два года назад пришла наниматься на службу, производство представляло собой мастерскую, где несколько женщин шили уродцев из ткани. Почему Усков решил производить плюшевых мишек, собачек и зайчиков, Ольга понятия не имела. Не знала она и того, чем занимался Николай Ефимович раньше. Сама она пыталась пробиться в фэшн-бизнес, хотела стать манекенщицей, но не прошла ни по росту, ни по внешности. Поняв, что звезды подиума из нее не получится, Коврова решила стать модельером, однако у нее снова ничего не вышло, хотя девушка окончила училище, получив диплом швеи. Несколько лет Ольга переходила из одного ателье в другое, нигде подолгу не задерживаясь. Мало иметь желание конструировать одежду, очевидно, еще необходим и талант, а добрый ангел явно не поцеловал Олечку при рождении. В конце концов Коврова сдалась. Работать на чужого дядю, сидеть за машинкой и строчить за маленький оклад бесчисленные блузки ей не хотелось, и Ольга задумала кардинально изменить свою судьбу. Она выбрала карьеру секретаря, но не желала молча приносить на подносе чай-кофе и исчезать аки тень. Нет, Ольге хотелось стать правой рукой босса, незаменимым человеком, этаким серым кардиналом. Ну и, конечно, мысли о фэшн-бизнесе не покидали темноволосую голову красавицы. Оля начала обивать пороги гламурных изданий. И о чудо! Фортуна наконец-то улыбнулась Ковровой: ее взяли секретарем в одно из самых значимых на российском рынке изданий, пишущих о моде. Девушка потерла руки и начала активно о себе заявлять.

Когда она первый раз без приглашения вмешалась в совещание журналистов и высказала свое мнение: «А по-моему, для съемки на обложку модель лучше одеть не в серое платье, а в джемпер», — присутствующие сделали вид, что не услышали ее замечания. Но на второе выступление Ольги главный редактор отреагировала жестко: уволила ее, благо секретарша еще находилась на испытательном сроке.

Любой другой человек учел бы свою ошибку и постарался не повторить ее, но Коврова, пристроившись в следующий «глянец», рангом пониже, снова принялась высказывать свое мнение, когда его никто не спрашивал. В результате трудовая книжка девушки пестрела фразой «уволена по собственному желанию», и больше ее ни в один журнал на собеседование не приглашали. Потенциальных работодателей пугал тот факт, что Коврова больше двух месяцев нигде не задерживалась.

Год Оля просидела без работы. В конце концов, чтобы не умереть с голода, она, забыв все свои амбиции, порылась на сайтах и нашла объявление: «Требуется швея с опытом. Пошив игрушек».

Поплакав от унижения, Ольга напудрила нос и отправилась по указанному адресу. Ей позарез нужны были деньги, и она согласилась бы мастерить даже плюшевых крокодилов.

ГЛАВА 2

Предприятие размещалось в двух комнатушках в большом офисном здании. Не успела Оля расстроиться, что фабрика «Лохматая обезьяна» похожа на контору «Рога и копыта», как получила новый повод для печали.

— Все ставки уже заняты, — смущенно заявил директор, лысый толстяк, сильно смахивающий на медвежонка Винни-Пуха, — уж извините.

— Но я к вам ехала через весь город! — возмутилась Оля. — Увидела объявление в Интернете. Почему вы не удалили с сайта запись о вакансии?

Директор выпалил:

— Это моя вина! Замотался и не успел. Вы в другой раз предварительно созванивайтесь.

Коврова возмутилась.

— Я договаривалась о встрече!

— С кем? — удивился владелец конторы.

— С вашей секретаршей, — гордо подняв голову, произнесла Оля. — Та велела мне явиться в понедельник к полудню. Сказала: «Николай Ефимович будет на месте, с ним и поговорите».

— У меня нет помощницы, бюджет не позволяет ее нанять, — признался Усков. — Наверное, вы ошиблись номером. Над вами пошутили.

Ольге стало себя жаль. Вот до чего ее жизнь довела — даже в артель по пошиву плюшевых уродцев и то не берут! Она попыталась справиться с накатившим отчаянием. А Николай Ефимович участливо произнес:

— Не переживайте, вам еще повезет. Все будет хорошо.

Теплые слова неожиданно подействовали хуже ругани, Оля всхлипнула и зарыдала.

Усков переполошился, предложил посетительнице воду из графина, вытащил из недр стола побелевшие от старости конфеты и окаменевшее печенье, включил чайник. Но Ольга никак не могла успокоиться. В конце концов директор, вспотевший и красный, вдруг сказал:

— Все-таки, пожалуй, я могу взять секретаршу. Оклад будет невелик, но я оплачиваю бюллетень, отпуск и даю премию по итогам года. Коллектив у нас душевный, мы тут как одна семья.

Ольге внезапно стало смешно.

— Предлагаете мне место секретаря?

— Да, — храбро ответил Николай Ефимович. — Можете приниматься за работу. Только сначала нужно съездить в магазин и купить вам стул и стол. Моментик...

Усков порылся в карманах, достал портмоне, отсчитал купюры и протянул их Ковровой со словами:

— Прямо сейчас отправляйтесь. И поторопитесь, попросите, чтобы мебель доставили к вечеру.

— Дайте лист бумаги, — потребовала Оля.

— Зачем? — удивился Усков.

— Напишу расписку на выданную сумму, — пояснила она.

Николай Ефимович замахал руками:

— Ангел мой, я вам верю! Промокните глаза и действуйте.

Самое смешное было в том, что в шарашкиной конторе, где шили косорылых кошечек и прочих зверушек, Ковровой удалось целиком и полностью удовлетворить свои амбиции. Через месяц Николай Ефимович и шагу не мог ступить без новой помощницы.

Оле сразу стало ясно: Усков только внешне похож на Винни-Пуха, у него нет ни грамма хитрости, присущих этому персонажу. Усков по характеру скорее поросенок Пятачок, наивный и по-детски восторженный. Сказать кому-нибудь «нет» Николай Ефимович был неспособен, поэтому сотрудницы вертели им как хотели, а магазины, куда глава фирмы сдавал продукцию, забирали кроликов-ежиков-обезьян по демпинговым ценам.

Сначала Оля приуныла, решив, что скоро контора лопнет и ей придется искать другую работу. Потом ей неожиданно стало жаль шефа. Николай

Ефимович очень расстраивался из-за бизнеса, постоянно глотал валидол и спрашивал:

— Ну почему у меня так плохо идут дела?

Коврова, давшая себе слово молчать и ни во что не вмешиваться, держала язык за зубами, повторяя про себя, словно мантру: «Мое дело получать жалкие копейки и искать хорошее место работы. Фабрика для меня лишь временный аэродром».

Через месяц запас буддистского оптимизма иссяк, и она спросила Ускова:

— Неужели вы не видите, что вас обворовывают и в грош не ставят?

— Кто? — опешил Николай Ефимович.

— Все! — жестко заявила Оля. — Тетки-швеи, жабы в торговом центре и распрекрасный бухгалтер Виктор.

— Это невозможно! — замахал руками Усков. — С Витюшей мы с детства соседи по даче. Разве он станет близкому человеку вредить? Мотористок я сам нанимал, с каждой побеседовал. Хорошие женщины, семейные, с детьми. Ни пьяниц, ни, упаси боже, наркоманок среди них нет. Что касаемо закупщиков, то я с ними не первый год работаю, как-то неудобно заявить старым знакомым: «Теперь берите партию лохматых обезьян на десять процентов дороже». Согласись, это не по-товарищески.

Коврова с жалостью посмотрела на Николая Ефимовича. За время скитаний по модным журналам она усвоила простую истину: дружба дружбой, а прибыль врозь. Трудно отыскать человека, менее подходящего на роль хозяина фабрики, пусть даже такой крохотной, как мастерская по пошиву зверей, чем Николай Ефимович. Странно, что, пережив перестройку, лихие девяностые и разбойничьи нулевые годы, Усков сохранил веру в людей и доброту.

— Что-то вы плохо выглядите... — пробормотала Оля, растерявшись от такой наивности, — весь бледный, прямо синий.

— Язва шалит, — пояснил Николай Ефимович. И вдруг потерял сознание.

Коврова отвезла директора в больницу, пообещала ему приглядеть за производством и развила бурную деятельность.

Через две недели Николай Ефимович вернулся на предприятие и был сконфужен переменами. Во-первых, Оля уволила его дачного соседа Виктора. Вместо него теперь работала Антонина Михайловна Кириллова.

— Боже мой, — залепетал Усков, оттягивая узел галстука, — но как же... Витя... он... Как я ему в глаза посмотрю?

— Это ему вам на глаза нельзя показываться! — отрезала Антонина Михайловна, шлепая перед Усковым на стол гору папок. — Сейчас объясню механику мошенничества вашего приятеля...

Не успел Николай Ефимович осознать, что милый соседушка нагло запускал руку в его карман и имел от этого неплохой барыш, как позвонила еще одна его знакомая, хозяйка детского магазина «Зайка», и заворковала:

— Коля, я согласна. Теперь берем ассортимент за номером сто пятьдесят по триста рублей. Надеюсь, ты на нас зла не держишь. О’кей?

— О’кей, — в полуобморочном состоянии прошептал Усков, который до сих пор получал от «Зайки» по восемьдесят целковых за набор «Семья мишек», проходивший под номером «150».

Проглотив сообщение директрисы, Усков удивленно посмотрел на Олю. А та заявила:

— Сволочь она, эта «зайкина» владелица. Я не поленилась к ней в торговый зал наведаться. «Семью мишек» отпускают покупателям по 700 рублей. Это как?

— Уф... — выдохнул Николай Ефимович. — Не может быть! Ты не ошиблась? Катенька постоянно твердила: «Мишутки плохо идут, приходится их удешевлять, сейчас выставила набор за девяносто рубликов. Моего навара мизер».

Бухгалтер Кириллова подняла на лоб очки:

— Последнее дело верить людям на слово. Все лгут! Пересмотрите свои жизненные позиции.

Николай Ефимович растерялся, сказать на это ему было нечего. И следующую новость о том, что все швеи уволены, а на их место взяли студенток, желающих подработать, перенес стоически.

Когда Антонина Михайловна, новый бухгалтер, удалилась, Николай Ефимович сказал Оле:

— Наверное, она права, мне следует измениться. Но, боюсь, у меня это не получится!

— Ничего, — утешила шефа Оля, — я не дам вас в обиду.

Прошло два года. Фабрика Ускова стала прибыльным предприятием и из дешевого офисного здания переехала в более приличное место. Количество швей увеличилось, но они теперь получали не фиксированный оклад, а работали на сдельной оплате.

Оля вертелась как белка в колесе. Договорилась с производителем из города Шалово о поставке дешевой ткани. Фурнитуру для игрушек клепали инвалиды, которым лишняя копейка была в радость. Набивочный материал Оля разыскала в Псковской области, там синтепон отдавали по бросовой цене. Расходы на производство игрушек упали, а поставлять в магазин их стали дороже.

Дальше — больше. Оля договорилась с кинотеатрами. Она заранее узнавала, когда на экраны выйдет новый мультфильм, и в спешном порядке на фабрике изготавливалась партия игрушек в виде главных героев фильма и сдавалась администрации кинозалов. Расчет Ковровой был гениально прост. Любой ребенок, уходя домой, захочет получить игрушку, повторяющую персонаж только что просмотренной сказки. В плюсе оказывались все. Родители отстегивали не очень обременительную сумму, Ускову плыла прибыль, владельцы кинотеатров получали свой навар.

Год назад Николай Ефимович сделал Коврову совладелицей фабрики, и Олечка стала трудиться с утроенной энергией.

Это, так сказать, присказка. А вот и сказка.

Сегодня с утра день начался необычно. Едва Ольга пришла на работу, как в кабинет к Ускову, не поздоровавшись с секретарем, пробежала потная, растрепанная, в мятом платье бухгалтер Антонина Михайловна. Коврова удивилась.

У Кирилловой есть сын Никита, настоящее материнское горе. Юноша безобразничает, пару раз его задерживала милиция. Никита курит, пьет, не желает учиться в медицинском колледже и хамит матери. Кириллова отличный специалист, такого возьмут в любое место, но Антонина Михайловна устроилась к Ускову. Почему она выбрала скромное предприятие, имея возможность возглавить отдел в крупной фирме? Ответ прост: за большой оклад потребуют двадцать пять часов в сутки сидеть на службе — у владельцев финансово успешных предприятий свой отсчет времени. А еще руководители таковых полагают, что за пятницей следует понедельник, понедельник и снова понедельник. Суббота с воскресеньем в графике не предусмотрены.

До перехода на фабрику «Лохматая обезьяна» Кириллова работала как раз в таком месте. За сыном ей не удавалось приглядывать, и в конце концов Антонина сообразила: она потеряет парня, тот станет алкоголиком, не ровен час потянется к наркотикам, свяжется с дурной компанией. Бухгалтер перешла на фабрику игрушек и ровно в шесть, что бы ни случилось, убегает со службы. Живет Антонина в двух шагах от офиса, за Никитой она теперь глядит во все глаза. И надо признать: он стал потихоньку исправляться — учится и даже делает домашние задания. Но Кириллова не теряет бдительности.

Атонина тщательно следит за собой, до сегодняшнего дня Оля всегда видела ее аккуратно причесанной, в отглаженной одежде. А сейчас у дамы был такой вид, словно она спала в офисе. Кириллова просидела в кабинете шефа полчаса, потом выскочила и крикнула: «Ровно час, только час! Вернусь через час, и будь что будет!»

Оля еще больше удивилась. Что произошло со всегда тихой, спокойной Кирилловой? Может, ошибка в финансовых документах? Но долго размышлять ей на эту тему не пришлось, из кабинета выглянул Усков.

— Меня не беспокоить ни по каким вопросам! — приказал он. — У нас есть лимон?

— Нет, — ответила Оля.

— Сбегай купи, — велел начальник, — я жду посетителя. Надо будет чай заварить. Очень крепкий. Очень-очень! Принесешь лимон, ко мне не лезь. Сиди в приемной, а клиента, мужчину, впусти.

Ольге просьба про крепкий чай не показалась странной. Усков всегда пил с клиентами почти чифир, напиток, по цвету напоминающий нефть. А в одиночестве хлебал жиденькую заварку. Почему он так поступал, Оля не знала, да ее это и не особенно волновало. Некоторые любят селедку с вареньем, другие закусывают молоко соленым огурчиком. У Ускова имелась и другая причуда: на работу он всегда приезжал со спортивной сумкой, то есть носил здоровенную торбу, а не портфель. Что он там хранил, помощница не интересовалась.

Оля сгоняла за лимоном и через пару минут после возвращения увидела посетителя — усатого, бородатого, с буйными кудрями мужчину в очках с затемненными стеклами. Ковровой стало смешно — дядька походил на пуделя. Он противным писклявым голосом произнес:

— Я к Ускову.

Затем распахнул первую дверь в кабинет директора, громко постучал по второй, пропищал:

— Здравствуйте... — и, судя по скрипу, открыл вторую створку.

— Заходите! — крикнул Усков, и стало тихо.

Еще через минуту Николай Ефимович вышел в приемную, взял у Ольги поднос с «чифирем» и исчез в кабинете. Спустя мгновение появилась Кириллова, которая так и не удосужилась причесаться. Антонина Михайловна молча юркнула к Ускову. В ту же секунду начальник позвонил секретарше с приказом: «Сбегай, краса ненаглядная, купи нам пиццу и сразу подавай в кабинет. Мы хотим перекусить».

Оля поспешила исполнить поручение. Ресторанчик, где обедали сотрудники, находится близко. Секретарша взяла «Маргариту», вернулась и, как было велено, вошла в кабинет.

Перед глазами предстало ужасное зрелище.

Антонина Михайловна лежала на полу, свернувшись клубочком. Ее глаза остекленели, из приоткрытого рта вытекла пена. Николай Ефимович полулежал в своем кресле, запрокинув голову, лицо исказила судорога. Даже абсолютно далекому от медицины человеку стало бы понятно: Усков и бухгалтер скончались. А посетитель, чье имя Ольге осталось неизвестным — тот самый усатый, бородатый, кудрявый «пудель», — исчез.

Коврова попятилась к двери. В первый момент ей захотелось заорать и убежать прочь. Но потом она сообразила: на столе одна полная и одна пустая чашка. Присутствующие отравились чаем. Почему Ольга заподозрила именно отравление? Внезапная кончина может иметь множество причин, обыватель скорей уж подумает про инфаркт с инсультом. Вот только какова вероятность, что сердечный или мозговой удар произойдет одновременно у двоих людей, выпивших чай?

Оля пришла в ужас. Кто заваривал чай? Кто отдал поднос в руки Ускова? Кто, в конце концов, гонял за лимоном? На все вопросы был один ответ: Коврова. И как поступят менты, увидев натюрморт с чайником? У Оли не возникло сомнений: ее арестуют, а затем посадят.

Одурев от страха, секретарша решила действовать. На трясущихся ногах она забегала по кабинету, собрала посуду, тщательно протерла столик, отнесла чашки на кухню, вымыла их и спрятала в шкаф. Потом взяла полотенце и тщательно протерла в кабинете Ускова все поверхности: столешницу, ручку двери, телефон, стену у входа...

— Зачем? — не выдержала я, прервав ее рассказ.

Оля захлопала длинными ресницами:

— Ты же пишешь детективы! Про отпечатки

пальцев слышала? Я решила представить дело так: меня сегодня в офисе вообще не было!

Я попыталась вразумить Коврову:

— Очень глупый поступок. Криминалистов всегда настораживает отсутствие отпечатков.

Ольга искренне удивилась:

— Почему?

Я встала и включила кофемашину.

— Да потому что ты служишь на фирме, часто заходишь к начальнику, в его кабинете просто обязаны остаться твои «пальчики». Если следов нет, значит, их специально уничтожили. И кто, а?

— Убийца, — тихо сказала Оля. — Вошел, напоил всех отравой и скрылся. Я абсолютно ни при чем.

— А кто вымыл посуду? — напомнила я. — Следователь сразу поймет: дело нечисто.

— Уж не дура! — приосанилась Оля. — Я коньяк с бокалами оставила. Всем будет ясно — их убил алкоголь. Пусть так подумают! Вот.

Я не сдержала эмоций:

— Нет, ты точно дура. Вдруг они на самом деле умерли от коньяка? Почему ты решила, что яд в чае?

Коврова стукнула ладонью по подлокотнику кресла.

— Усков любит народ алкоголем угощать, и никогда проблем не было. И гостям наливал, и сотрудникам предлагал по чуть-чуть, граммов по сорок. Скажу ментам, что меня вообще сегодня на работе не было. Заболела и осталась дома!

— У фабрики свое здание? — спросила я.

Она вздохнула.

— Нет, столько денег мы еще не заработали, арендуем офисное помещение в большом бизнес-центре.

Я мрачно посмотрела на бывшую любовницу Шумакова.

— Там, наверное, есть охрана, камеры?

— У главного входа стоят парни в форме, — согласилась Оля. — Из-за них арендная плата выше.

У меня заболела голова.

— Милиция возьмет запись с камеры наблюдения и увидит, как ты явилась вовремя на службу, выбегала за лимоном, а потом унеслась. Возьмут на анализ коньяк, содержимое желудков умерших и установят: отрава находилась в чае. Почему ты уверена, что яд подсыпал незнакомец? Он ушел, значит, жив. Ольга, что ты скрываешь?

Коврова заревела. И в эту секунду из прихожей раздался голос Юры:

— У нас гости? Ау, Вилка!

Через полчаса, когда Ольга повторила свой рассказ, Юра возмутился:

— Ты идиотка, да?!

Коврова принялась шумно сморкаться в бумажную салфетку, но Юра не остановился.

— Зачем ты сюда пришла?!

Оля перестала терзать нос и заявила:

— Ты для меня близкий человек, Юрашечка! Как родственник!

Я неожиданно ощутила укол ревности. Конечно, я понимаю, что до нашей встречи Шумаков вел отнюдь не монашеский образ жизни, но, согласитесь, не очень приятно слышать от симпатичной шатенки, что твой мужчина ее бывший любовник.

Юра почесал подбородок.

— Не надо лгать. Мы с тобой общались меньше трех месяцев. Познакомились в начале июня, а в середине августа ты от меня ушла, сказав на прощание: «Води за нос другую бабу. Не хочешь жениться, я найду нового парня».

Оля уперла руки в боки.

— А-а-а, ты думал, что нашел себе дармовую прислугу? «Оля, сделай обед... Оля, постирай... Оля, сиди тихо, я занят... Оля, мы еще мало знакомы, я не готов к походу в загс...» Найми домработницу и понукай ею! Я тебе не раба!

Шумаков побагровел, и мне стало понятно: он разъярен до предела. Похоже, Олечка обладает уникальным талантом себе вредить. Примчалась просить помощи у бывшего кавалера и моментально его рассердила.

Но тут Юра неожиданно улыбнулся:

— Понял твою позицию. Вот только о каких наших родственных отношениях может идти речь? И у меня возникли вопросы. Если ты совладелец фирмы, почему подаешь чай в кабинет босса? Десять минут назад ты уверяла, что дела на фабрике после твоего активного вмешательства в процесс руководства пошли расчудесно. Неужели у вас нет денег на девчонку с подносом? Не можете выделить ей скромный оклад? Я не говорю про красавицу-блондинку, имеющую в активе корону «Мисс мира», но неужели вы не наскребли даже на пенсионерку, которая была бы счастлива получать мизерную зарплату? Нестыковочка получается. Либо ты совладелица и на равных рулишь производством плюшевых свиней и зайцев, либо секретарша.

Коврова зашлась в плаче.

— Единственный родной человек... никого нет... предал меня... свою любовь... — произносила она в промежутках между рыданиями. — Кто говорил: «Олечка, ты мое ясное солнышко, ты лучше всех на свете»?

Я постаралась не измениться в лице. Оказывается, Юра способен на романтические признания! Мне он ничего подобного не говорил.

— Ты сообщила в милицию? — наседал на зареванную Олю Шумаков.

— Думала, ты мне поможешь, — прошептала Коврова, — сам всем займешься, расследуешь, найдешь убийцу.

— Нельзя брать дело, если в нем замешаны знакомые, — отрубил Юра. — Мой тебе совет: немедленно набери ноль-два и сообщи о случившемся. Причем расскажи всю правду. Ну, что перепугалась и надурила.

— Лучше я спрячусь, пока все не выяснится, — продемонстрировала характер страуса Ольга. — Ты меня ненавидишь! Хочешь отомстить!

В дверь позвонили. Я посмотрела на часы — кто может заявиться в такое время в гости?

— Поздно! — отчеканил Шумаков. — За тобой уже пришли с ордером на арест. Сейчас Вилка тебе сухарей насушит.

Оля взвизгнула и съехала под стол. По дороге прихватила чайную ложку и, уже сидя на полу, пообещала:

— Если выдадите меня, зарежусь!

— При помощи ложки тебе лучше повеситься, — фыркнул Юра.

— Перестань паясничать, — попросила его я. — И открой дверь. Сам знаешь, никакой милиции там нет.

ГЛАВА 3

Оля высунула голову из укрытия.

— Это не менты?

Я успокоила Коврову:

— Сама посуди — откуда они могли узнать, что ты здесь?

Незваная гостья зашмыгала носом:

— За мной следили.

Несмотря на неприятную ситуацию, мне стало смешно.

— Вылезай!

Коврова выползла из-под стола и села в кресло.

— Зачем Юрка меня напугал?

— Похоже, Шумаков на тебя обиделся, — ответила я. — Мужчины плохо переносят разрыв отношений.

Оля схватила из вазочки вафлю и заявила, захрустев ею:

— Он сам виноват! Вот тебя повел в загс, а меня нет!

Я уже успела забыть про свое вранье и на секунду опешила. Продолжить разговор на эту тему нам не удалось. В кухню уверенным шагом вошла мадам, здорово смахивающая на полковника из провинциального гарнизона. Незнакомка была полной, краснолицей, с небольшими усиками над верхней губой, голубыми глазами навыкате и сизым носом. Вероятно, дама не чуралась выпивки и острой закуски.

— Ну-ка, дайте мне чаю! — без всяких предисловий распорядилась она. — Живее!

Мне очень не по душе такие люди. Столкнувшись с женщиной-гренадером в общественном месте, я сочла бы за благо отойти в сторону, поскольку не люблю бурных скандалов и войн. Но если хамка решила распоряжаться в моем доме, она непременно получит отпор.

Детство писательницы Арины Виоловой прошло не в известном поселке Переделкино, где кучкуются литераторы всех мастей, и не в подмосковном местечке Снегири, отданном элите балета вкупе с примами драматических театров. Я жила в бедном районе типовых пятиэтажек, моим воспитанием занималась тетка Раиса. Хорошее, доброе, вечное она сеяла в моей душе в промежутках между запоями. Лет с пяти я усвоила простую истину: если не имеешь родителей, старших братьев-сестер, то научись сама давать в нос обидчикам. В детстве я была жесткой, даже непримиримой. И хорошо, что на моем жизненном пути встретилась Тамара, ее мать сильно меня изменила[1]. Но некоторые навыки, в особенности если вы приобрели их с пеленок, автоматически вспоминаются при нажатии на больную мозоль.

Я встала и гаркнула:

— В чем дело?

— Не ори! — добавила децибел в голос незнакомка. — Чаю хочу! Устала. Долго ехала.

— Вы кто? — легко перекричала я тетку. — С какой стати ввалились в мой дом?

«Полковник в юбке» села на стул.

— Замолчи. Я приехала к своему племяшу. А вот ты кто? Очередная его баба? Ну и сиди тихо, когда хозяйка прибыла.

Я отчеканила:

— Произошла ошибка. Меня зовут Виола Тараканова, это мой дом, здесь хозяйничаю я.

— Юрка, подь сюда! — завопила тетка. — Хорош фигней заниматься!

Я опешила, и тут появился Шумаков.

— Тетя Варя, — заискивающе произнес он, — не размахивай саблей.

---

[1] История жизни Виолы Таракановой подробно рассказана в книге Дарьи Донцовой «Черт из табакерки», издательство «Эксмо».

Мы с теткой одновременно указали друг на друга и так же одновременно спросили:

— Это кто?

Юра шаркнул ножкой.

— Давайте я вас познакомлю. Тетя Варя, это — Вилка. Вилка, это — моя тетя.

Я с трудом выдавила из себя:

— Очень приятно.

— Квартира чья? — не сдавалась Варвара.

Шумаков открыл рот, но я его опередила:

— Моя.

— Че, правда? — уже тише спросила Варвара.

Юра кивнул:

— Да.

Тетка зацокала языком.

— Ну Надька, ну дрянь! Она в Москву ездила, я ей велела тебе банку огурчиков передать. И че ты думаешь? Вернулась Надюха назад и блеет: «Варь, Юрка разбогател несметно, дворец купил многокомнатный. Прежнюю халабуду сдает, новый его адрес жилец мне не дал. А огурцы передать обещал». Ты получил баллон с закусью?

— Нет, — односложно ответил Юра.

— Так я и думала! — разозлилась Варвара. — Народ вокруг вороватый, совесть совсем потерял! Сожрал тот гад чужие огурчики и не подавился. То-то у мужика глаза бегали, когда я ему сегодня конкретно сказала: «Говори Юркин адрес, иначе не уйду!»

Шумаков встал за моим стулом.

— Тетя Варя, ты приехала внезапно. Почему не предупредила? Могла позвонить, ведь знаешь номер моего мобильного. Зачем было тормошить квартиранта? Странно, что он тебе мой новый адрес сообщил, Петр Николаевич не из болтливых. Ты рисковала остаться на улице.

Варвара раскатисто рассмеялась:

— У меня и пирамида Хеопса заговорит, я умею с людями беседовать. Ну и че бы ты мне, племянник, сказал, когда б услышал от тетки: «Мы приехали за покупками, приюти на недельку»? Че бы выдумал? Заболел, мол, лежишь под уколами? В командировке в Кукуеве? Рад меня приютить, да самого в Москве нет? Мобильные хитрые, не поймешь, в какой город трезвонишь! Не корчись, знаешь ведь, я правду завсегда в глаза выдаю. Ты бы от меня точно избавился. Снимай, мол, Варвара, комнатенку, отстегивай рубли. Только они у меня из-за свадьбы наперечет. Вот я и подумала: если неожиданно подвалить, то все срастется — Юрка будет дома и, хоть свою тетку недолюбливает, на улицу ее не выпрет.

Я невольно засмеялась. Варвара совершенно права. Ну-ка, положа руку на сердце, признайтесь: вы обрадуетесь, когда узнаете, что из провинции в Москву, этак на недельку, спешит сестра матери? Ладно, предположим, вы испытываете к тете нежные чувства. А ваш муж? Запрыгает он от счастья, услышав о визите дубля тещи? А свекрови вашей понравится такой расклад? Она с цветами встретит родственницу невестки? И потом, где семь дней, там и десять, четырнадцать, месяц, полгода... Так что провинциалы зачастую думают: чтобы получить приют у московской родни — лучше свалиться ей на голову селевым потоком, то есть внезапно и резко.

Шумаков закашлялся, а Варвара повернулась ко мне:

— Не хотела тебя обидеть. У Юрки вечно бабы меняются, поэтому я тебя и огорошила. Не таи зла. Давай начнем сначала. Меня зовут Варвара Михайловна Шумакова, лучше тетя Варя. Я приехала с дочкой Нинкой и ейным женихом Генкой. Свадьба у нас намечается. Не скажу, что шибко довольна зятем — зарабатывает он мало, пиво хлещет, своего угла нет. Но Нинке к тридцатке подвалило, лучше уж Генка, чем никто, поэтому я и согласилась на их бракосочетание. Два года уж вместе живут, хватит им по сараям прятаться.

Только сейчас, после Варвариного спича, я заметила еще две маячившие на пороге фигуры. Нина и Геннадий, похоже, были немые.

— Раз квартирка твоя, ты имеешь право нас вон погнать, — вещала Варя. — Не обижусь, на чужих сердца не держат.

Юра как-то странно посмотрел на меня, я встала и пошла к холодильнику, говоря по пути:

— Идите в ванную. Юра вам даст полотенца. Нину и Гену мы устроим в гостевой, а вас, Варвара, разместим в кабинете.

— А я? — пискнула Оля. — Домой не пойду! Здрассти, тетя Варя, не помните меня? Я с Юрочкой жила, а вы проездом в Турцию у нас на день остановились.

— Всех шалав в памяти не удержать, — откликнулась Варвара. — Что мне теперь, с каждой любезничать? Неправильно ты, Виола, придумала. Мы с Нинкой вместе ляжем, а Генку хоть в сортире устраивай.

— Мама, — пролепетала дочь, — ну пожалуйста!

— Девушка до свадьбы в одной постели с женихом не спит, — отрубила Варвара. — Грешно!

Юра хмыкнул:

— Я плохо тебя понял и Нина с Геной не жили два года вместе?

— Да, только моя дурочка очень долго с красавчиком ходит и на свадьбу не намекает, — важно кивнула Варвара. — Хорошо у нее мать есть, а то осталась бы без штампа в паспорте.

— Значит, она не девушка, — подвел итог Шумаков, — и может делить койку с гражданским мужем.

— Супругами становятся через загс, — отчеканила Варя. — Не спорить!

— Не надо маме перечить, — попросила Нина, — иначе у вас на кухне целой посуды не останется.

— Верно, доча, — похвалила мать. — Или будет по-моему, или никак.

— А никак это как? — тут же спросила я.

Варвара показала пудовый кулак.

— Вот так! Имей в виду, я с норовом. Завсегда свою точку зрения отобью.

Шумаков застонал, Нина закрыла глаза, Геннадий замер столбом — похоже, впал в гипнотический транс. Я вытащила из-за холодильника швабру и заявила:

— Варвара, запоминайте! Вы у меня в гостях. А я тоже с характером, физической силой, связями и деньгами. Начнете скандалить и драться, моментально получите по шее и окажетесь за решеткой. Лучше зароем топор войны и попробуем общаться по-человечески.

— Чего? — слегка сбавила тон тетка.

Я улыбнулась и оперлась на швабру.

— Интеллигентный человек должен быть вежлив и приветлив с окружающими, не стоит всем навязывать свое мнение.

— Я брехать не приучена, — надулась гостья, — живу по правде, говорю ее в лицо.

— Тогда уходите, — пожала я плечами. — Мне, если по правде, не хочется находиться рядом с вами даже час. Снимайте комнату и делайте там что хотите. Так что либо ведите себя здесь прилично, либо уматывайте.

— Уж и пошутковать нельзя, — залебезила Варвара. — Где, говоришь, полотенчико взять? С тобой лаяться не хочу, ты мне по душе пришлась. А вот Нинка моя родная дочь, и только матери решать, с кем ей спать.

Когда все гости разместились по своим углам, я сказала Юре:

— Ты ничего не говорил про тетку.

Шумаков вздохнул:

— Теперь понимаешь почему? Мама у меня совсем другой была. А Варвара — атаман. Она сестру так запилила, что та в шестнадцать лет в Москву удрала. Я надеялся, что Варя никогда с тобой не столкнется. Или, во всяком случае, вы не пересечетесь в ближайшие лет двадцать.

Я отвела взгляд. Ну и как следует понимать последнее заявление милого друга? Юра намерен жить со мной до березки на могиле, не оформляя брака? Ведь на свадьбу принято звать родственников, даже если те не умеют себя прилично вести. Или Шумаков не собирался приглашать Варвару на торжество? Впрочем, у меня совсем нет желания выходить замуж, поэтому нечего заниматься пустыми рассуждениями. Лучше свести беседу к нейтральным темам.

— Где живут твои родичи? — поинтересовалась я.

— В Бортникове, — улыбнулся Юра, — это небольшой городок в двухстах километрах от столицы.

— Зачем ехать в Москву за покупками? — вздохнула я. — Сейчас везде все есть.

Шумаков открыл бар и вытащил бутылку коньяка.

— В Бортникове так принято: платье, фату, кольца приобретать в столице.

— Думаю, здесь вещи будут такие же, как в райцентре, только дороже, — улыбнулась я.

— Правильно, — кивнул Юра. — Но там считают: если затарился в Москве, то соседи тебя будут считать богатым человеком. Приобрел такие же шмотки в Бортникове — ты нищета страшная, не жди к себе уважения.

— Глупо, — констатировала я. — Варвара мне показалась не особо обеспеченной женщиной.

— Мужа тетка давно похоронила. Да он ей в помощники и не годился — пил целыми днями, деньги у нее таскал, — разоткровенничался Шумаков. — Варя директор школы. Можешь мне не верить, но ее уважают. Она держит учеников в ежовых рукавицах, ни наркомании, ни пьянства, ни второгодников в школе нет, а педколлектив ходит строем и с песней.

— Да уж! — вздохнула я. — Извини, конечно, но твоя тетя плохо владеет литературным русским языком. Как ей удалось стать учительницей?

— Бортниково не Москва, — напомнил Юра. — Варвара преподавала домоводство, ну и постепенно благодаря бойцовскому характеру выбилась в начальство. У нее в школе почти стопроцентная успеваемость, дети боятся директрисы до дрожи. Но тетя Варя человек справедливый: когда одна из выпускниц, золотая медалистка, вдруг срезалась из-за робости на вступительных экзаменах в МГУ, тетка понеслась к ректору на прием, и в результате девушка все-таки стала студенткой. Много ты знаешь директрис, способных на такой поступок?

— Пожалуй, нет, — признала я.

Юра зевнул.

— Она тиран, деспот, грубиянка, хочет, чтобы все поступали правильно, а как правильно — знает лишь она одна. Но, в отличие от подавляющего числа педагогов, ей не плевать на детей. Если какой-нибудь пятиклассник прогуляет школу, тетя Варя пойдет к его родителям и велит выпороть парня. Она совсем не Макаренко, но ее методы работают. В бортниковскую школу рвутся чуть не со всей области. Родителей не волнует, что Варвара не очень грамотно говорит. Зато их дети будут под бдительным присмотром.

— Ясно, — промямлила я.

— Она здесь долго не пробудет, — успокоил меня Шумаков. — Больше чем на семь дней Варвара школу ни за что не бросит. Помотается по магазинам и уедет. Надеюсь, ей не придет в голову затеять пир в Москве.

Я испугалась и эхом повторила:

— Пир в Москве?

Шумаков засмеялся.

— Это наивысший пилотаж проведения свадьбы для бортниковского люда. Родители снимают в Белокаменной кафе, усаживают гостей в автобусы, привозят в столицу, веселятся, а утром, опохмелившись, дуют назад.

— Четыреста километров мотаться туда-сюда ради сомнительного удовольствия поесть салат «оливье»? — оторопела я. — В Бортникове нет ресторана?

— Целых пять, — пояснил Юра. — Но там гулять не престижно. А если тебе кричат «горько» в стольном граде, пусть и в забегаловке на московских задворках, это... это... нет, не подберу сравнения. Круче лишь поехать отдыхать с президентом. Слушай, я еще вот что хотел сказать... У меня с Ольгой ничего особенного не было, никаких серьезных отношений. Я сразу понял: она абсолютно не мой человек, и быстро ушел от нее.

Во мне немедленно ожило злорадство.

— Оля утверждала обратное: она сама тебя бросила, потому что ты постоянно пропадал на работе. Но все равно надо ей помочь. Мы, как известно, в ответе за тех, кого приручили.

— Ага, — кивнул Юра, — согласен, если приручил, то да. Но я не собираюсь отвечать за того, кто мне навязался.

ГЛАВА 4

Около десяти утра Юра с переночевавшей у нас Олей уехали в управление. Шумаков уговорил Коврову честно рассказать, что случилось в офисе фабрики игрушек. Я обрадовалась, что одной заботой стало меньше, и села за рукопись. Полчаса грызла ручку и в конце концов выдала вдохновенный абзац: «Зимнее солнце ярко освещало труп молодой женщины, которая, несмотря на жаркую погоду, вышла из дома не в босоножках, а в коротеньких сапожках. Капли дождя падали на лицо и, стекая по щекам убитой, исчезали в обивке дивана».

Сначала рожденный в муках текст показался мне замечательным. Но потом я засомневалась. Если в романе зима, то почему жарко? Тело вроде находится на улице, так откуда там диван? Ладно, слава богу, что я не вырубаю слова на камне, легко исправлю ошибки. На переделку ушло четверть часа. Теперь начало детектива читалось на одном дыхании. «Стояла жара. Кто-то из москвичей выбросил на улицу диван, и сейчас на нем лежало тело мужчины, которого переехал самосвал».

Вновь возникли сомнения. Зиму я вычеркнула, дождь убрала, но каким образом бедный мужик очутился на диване? Его же переехал самосвал!

Бедолагу отбросило ударом, перевернуло и уложило на подушки... Я молодец! Моему редактору Олесе понравится бодрое начало. Она не любит, когда в криминальном романе действие разворачивается вяло.

Не так давно я, поругавшись с гаишником на трассе, примчалась домой и вдохновенно написала двадцать страниц про службу ДПС. Но Олеся Константиновна недрогнувшей рукой вымарала их из книги, сказав: «Эта вставка не имеет ни малейшего отношения к развитию сюжета».

Вообще-то редактор, как всегда, оказалась права. Меня порой заносит не туда, всю правду о гайцах народ расчудесно знает и без творений Арины Виоловой. Но сейчас я умница! В первом же абзаце убила женщину! Хотя на диване-то лежит мужчина...

Пришлось еще раз перечитать текст. Так кто у меня труп? Он или она? Пожалуй, надо пойти на кухню и побаловать себя капучино...

Не успела я ткнуть в клавишу кофемашины, как в кухню вошла Варвара и с порога речитативом завела:

— Вилка! Юра сказал, ты писательница?

— Да, — гордо ответила я.

— Значит, начальников над тобой нет? — продолжала Варя.

Я засмеялась и, вспомнив, что вчера мы перешли с тетушкой Шумакова на «ты», сказала:

— Ошибаешься, руководителей у меня полно. Редактор, главный редактор, самый главный редактор, еще более главный редактор, суперредактор, начальник финансового отдела, хозяин издательства. Добавь до кучи директоров книжных магазинов, журналистов и читателей. Неслабая компания получается, и у каждого свое мнение о творчестве Арины Виоловой.

— Че, они проверяют, сколько времени ты сидишь у стола? — поразилась Варя.

— Конечно, нет, — вздохнула я. — Слава богу, так далеко никто не смотрит. Мне просто нужно сдать рукопись вовремя.

— Можешь в понедельник погулять, а во вторник побольше нацарапать? — оживилась Варвара.

— В принципе, да, — кивнула я.

— Тогда помоги нам с платьем, — попросила гостья. — Я Москву знаю плохо, в метро запутаюсь, таксист нас обманет, повезет кругом, чтобы побольше денег с провинциалов стрясти. А у тебя наверняка машина есть. Только не ври! Я видела ключи в прихожей. Бензин оплачу.

Не знаю, как вам, а мне, услышав чью-то просьбу, трудно ответить «нет».

— Ну... понимаешь... — замямлила я, — мне же надо работать...

Варвара склонила голову к плечу.

— Вижу, тебе влом по городу таскаться. Думаешь поди сейчас: вот противная баба, привязалась репьем! Но чем быстрее я Нинке платье добуду, тем скорее вон уберусь. В твоих интересах мне пособить. Одни мы десять дней проколупаемся. А с тобой — вжик — и мы в магазине. Второй раз вжик — мы уже в ювелирном. Третий вжик...

— Собирайтесь, — приказала я.

— Главное — подобрать хороший инцидент, — довольно усмехнулась Варя. — Готовые мы давно, Нинка с Генкой в прихожей топчутся. Мне лишь чапки натянуть, и айда. Давай, поспеши, сама нас задерживаешь.

Я порысила в ванную и живо привела себя в порядок. Варвара гениальный манипулятор. Ведь я не собиралась плясать под чужую дудку. Но не прошло и десяти часов после появления в моем доме тетушки, а я уже в ритме польки бегу к ключам от машины. Может, попытаться хоть чуть-чуть набрать очки? Сказать Варе, что она не к месту употребила слово «инцидент»? По логике должно было прозвучать — «аргумент».

— Куда едем? — спросила я, когда компания разместилась в автомобиле.

— В салон свадебных платьев на Скандальной улице, — объявила Варя.

Я постаралась не рассмеяться — хороший адрес для магазина, где продают одежду для новобрачных... Включила навигатор.

— Следуйте прямо. Через сто метров поверните налево, — четко произнес женский голос.

— Это кто? — всполошилась Варя.

— Где-то баба сидит, — предположила Нина.

Я указала на прибор:

— Не волнуйтесь, это всего лишь автоматический Иван Сусанин, он нас до места доведет.

— Интернет, что ли? — спросила Варвара.

Я решила не вдаваться в подробности:

— Вроде того.

Некоторое время мы ехали молча. Потом с заднего сиденья раздался приятный баритон:

— Разрешите спросить?

Надо же! Гена-то умеет говорить!

— Если он Иван Сусанин, то... — продолжал жених.

— Замолчь! — приказала Варя. — Без тебя нервно.

Геннадий проглотил язык. Я решила приободрить парня.

— Понимаю ваш невысказанный вопрос. Если он Иван Сусанин, то не крутимся ли мы, как поляки, в непролазной чаще? Я пошутила, навигатор замечательная штука.

— Ваще я про другое размышлял, — еле слышно произнес Гена. — Сусанин был мужчиной, а коробка почему-то женским голосом вещает.

— Хорош трендеть! — гаркнула Варвара. И добавила чуть потише: — Измучилась я вся. Вдруг платья дорогущие?

— Кто вам посоветовал этот магазин? — спросила я.

— Соседка, — ответила директриса школы. — Она дочь замуж весной отдавала.

— Надо было спросить, сколько стоит наряд невесты, — продолжала я.

— Катька сказала: миллион отдала, — вздохнула Варя.

От неожиданности я отпустила руль. Потом схватилась за баранку и уточнила:

— Рублей?

Варвара хмыкнула:

— Чего ж еще? Уж не луковых головок!

— Мам, она набрехала, — пискнула Нина. — Откуда у Катьки такой капитал?

— С каким-то москвичом спит, — вздохнула Варя. — Поговаривают, он олигарх с рынка, три палатки держит.

— Сомневаюсь, — кашлянул Гена, — Катя страшная.

— Наврала она, — повторила Нина. — Хотела, чтоб все завистью изошли. Потому и ценник у доченьки с платья не срезала. Видела я ту бумажку! Десять тысяч синей ручкой написано и еще два ноля черной прималевано.

— Доберемся и увидим, — вполне мирно сказала Варвара.

Я не принимала участия в беседе, хотя меня

немало удивило поведение незнакомой Кати. Если она приврала по поводу цены свадебного наряда, то зачем отправлять соседку в тот же салон? Правда моментально выплывет наружу.

Не успели мы войти в помещение, заставленное манекенами в белых нарядах, как появился парень и затараторил, словно сорока:

— Здравствуйте. Меня зовут Эдуард. Спасибо, что выбрали наш салон. У нас лучшие платья по лучшей цене. Лучшим клиентам лучшая скидка! Лучшие клиенты сегодня вы.

— Замолчь! — велела ему Варя. — Весь мозг сразу уболтал.

Но Эдик оказался крепким орешком. Слова потенциальной покупательницы он проигнорировал и застрекотал с удвоенной силой:

— Понимаю ваше нервное состояние. Как вас величать?

— Варвара Михайловна, — бормотнула тетка.

Эдик нежно прикоснулся к ее плечу.

— Варварочка, доверьтесь мне и будете самой привлекательной невестой. Как вам вариант «Осень патриарха»?

Широким жестом продавец указал на нечто несуразное. Я замерла, приоткрыв рот. Неужели найдется хоть одна девушка, желающая это приобрести?

Широкая белая юбка походила на гигантский абажур. Сходство с ним ей придавала не только форма, но и обильная бахрома. Ткань, натянутая на каркас, блестела и переливалась множеством не совсем аккуратно приклеенных блесток; подол платья, густо утыканный крошечными бумажными розочками, сильно смахивал на венок, который наши люди, начисто забыв, что церковь не приветствует в светлую праздничную неделю после Пасхи посещение кладбищ, вешают на оградки могил. Сверху невесте предлагался корсет, расшитый атласными шнурами, хотя столь глубокое декольте у невинной девушки не только неуместно, но и неприлично. А еще невесте нельзя будет дышать, иначе ее бюст просто выпадет наружу.

— Боже! — воскликнула Нина. — Ну и ну!

Я выдохнула. Похоже, у дочки Варвары есть вкус. Она не желает напоминать очумевшего от счастья дембеля, разукрашенного аксельбантами из веревок, а также походить на помесь абажура и похоронного венка.

— Какая красотища! — продолжала Нина. — Мама! Вот оно!

Эдуард изобразил удивление.

— Мама? Невероятно! Я думал, эта девушка ваша подружка, а вы, чуть ее постарше, решились на замужество. Сейчас модно расписываться после двадцати пяти. Да ладно, не шутите!

Меня столь откровенная лесть рассмешила, но Варвара покраснела и вдруг, кокетливо поведя плечами, выдала:

— Ну, я ее рано на свет родила. Сколько, мил человек, стоит «Осень патриарха»?

— Договоримся, — легкомысленно отмахнулся Эдуард. — Я настолько поражен вашей красотой, что скину цену. Но вы сначала получше изучите ассортимент.

— Мама! Хочу это! — заканючила Нина. — Оно мне снилось!

— Больно голое, — усомнилась Варвара, — нецеломудренное. Батюшке в церкви не понравится.

Гена откашлялся.

— Да попу это по барабану! Он Наташу Малышеву обвенчал и не чихнул, хотя даже жених покраснел, когда невесту увидел. А Макс в стриптиз-клубе охранником стоит.

— Точно! — запрыгала Нинка. — Натка в ботфортах к алтарю пошла, юбка по самое не хочу и грудь, как на подносе.

— К «Осени патриарха» я подберу накидку, — пообещал Эдуард. — В подарок от фирмы. И туфли подходящие у нас есть. Вуаля!

Движением фокусника продавец извлек словно из воздуха коробку, снял крышку и достал обувь. Я снова потеряла дар речи.

Белая лодочка имела мысок, украшенный брошью, в центре которой горел «рубин» размером с мой кулак. Но главная красота таилась в каблуке. Обычную тонкую шпильку заменяла фигурка тучного амура в стыдливой набедренной повязке. Глаза у вестника любви тоже пламенели красными камнями. Очевидно, создатели обувки считали амурчиков альбиносами.

— Мама... — зашептала Нина. — Ой! Мамочка! Таких ну ни у кого не видела! Ваще!

— Вчера поступили, — потер руки Эдик, — это эксклюзив. Их заказывала на свадьбу дочь... Ой, молчу, это секрет... Ну очень-очень-очень богатая девушка заказывала. Да обувщик ошибся размером — требовался тридцать седьмой, а он прислал сорок второй.

— Как раз по мне! — ахнула Нина.

Да уж, дочь Варвары совсем не Золушка. Впрочем, мне не следует ехидничать — сама не могу похвастаться крохотной ступней.

— Еще есть сумочка, — словно змей искуситель, вещал продавец. — Вуаля!

Теперь в руках парня очутился амур-альбинос побольше, около двадцати сантиметров высотой. А вокруг шеи у него болтался шелковый шнур.

Эдик ловко повесил сумку на свое плечо. Я вздрогнула. Полное ощущение, что продавец придушил уродца с луком и теперь тащит его в качестве охотничьего трофея домой.

— Как она открывается? — заинтересовался Гена.

Эдик нажал на уши пластикового амура, и тот широко разинул рот.

— Много туда, конечно, не положишь, — признал продавец, — но ведь в клатчах картошку не носят, а носовой платок уместится. Ну, типа слезы смахнуть, когда уезжать из ресторана пора настанет.

Нина умоляюще посмотрела на мать.

— Ну хорошо, — сдалась Варвара. — Только неправильно с бухты-барахты первое попавшееся хапать. Надо по магазину побродить, с людьми посоветоваться.

Эдик сделал приглашающий жест.

— Прошу, наш шоурум открыт круглосуточно. Кофе, чай, конфеты?

— Скока стоит угощение? — предусмотрительно поинтересовалась директор школы.

— Помилуйте! — закатил глаза Эдик. — Категорически бесплатно, от всей души и гостеприимства.

— Тогда неси все, — милостиво разрешила Варя, — мы проголодались.

ГЛАВА 5

Около часа мы бродили между манекенами, и я с удивлением констатировала: «Осень патриарха» — не самый страшный вариант. «Мечта витязя» и «Принцесса из страны карамели» оказались еще ужаснее.

— Твое мнение? — спросила Варя, когда мы завершили осмотр.

Нина дернула меня за рукав.

— Вилка, — прошептала она, — я тебя так люблю!

— «Осень патриарха» лучший выбор, — почти не покривила я душой.

— Ой! Мамочка, берем, да? Да? — начала теребить родительницу Нина.

— Скока стоит? — сурово спросила директриса бортниковской школы.

Эдуард потер ручонки.

— Пятьсот тысяч.

— Офигел? — прищурилась Варвара.

Эдик подбоченился.

— Эксклюзивная модель! Второй подобной во всем мире нет! Ручная работа дома Диор. Сшито Армани и Валентино.

Я приблизилась к наряду, заглянула внутрь и воскликнула:

— Там ценник! Сделано в Индии!

— Верно, — не смутился Эдик, — собрали на тамошней фабрике, так сейчас все делают. Хорошо. Четыреста.

— Ты обещал мне персональную скидочку, — напомнила Варя.

Цена упала еще на полтинник.

Тетушка потерла руки и ринулась в бой. Мы с Ниной и Геной стояли смирно в сторонке. Дилетантам лучше не лезть на поле, где рубятся профессионалы.

Минут через сорок вспотевшая и растрепанная Варвара похлопала еле стоящего на ногах Эдика по плечу и велела дочери:

— Нина, иди, примерь. А ты, мил человек, напиши для нас на ценнике: «Полтора миллиона рублей». Это для соседки, пусть сдохнет от зависти.

Невеста взвизгнула и улетела в кабинку.

Дальнейшее действо разворачивалось со страшной скоростью. Платье хорошо сидело, туфли не жали ногу, сумка идеально легла на плечо. В порыве необузданной щедрости Эдик подарил невесте фату на специальном обруче и пару шпилек с декоративными головками в виде букетиков, чтобы прикрепить кусок тюля к волосам. Покупку поместили в картонный ящик, мы уселись в машину, без единой проблемы добрались до дома. И тут у меня ожил мобильный.

— Вилка? — застонали из трубки.

Я, наблюдая за тем, как Гена несет к подъезду наряд, подтвердила:

— Да. Слушаю. Кто говорит?

— Оля, — заплакали в телефоне. — Меня арестовали. Отвели в камеру. Слышишь? Здесь мобила плохо фурычит.

— В СИЗО разрешены сотовые телефоны? — удивилась я.

— Забудь про глупые вопросы и помоги! — зарыдала в голос Коврова. — Юрка сумел-таки мне отомстить. Он давно выжидал момент и, пожалуйста, — подговорил приятелей, а те меня на шконку запихнули.

Я удивилась. Ну откуда молодой, не имевшей судимости женщине знать словечко «шконка», которым уголовный мир именует спальное место на зоне? Хотя я же в курсе, что оно означает... А Ольга некоторое время тесно общалась с Юрой, вот, наверное, и услышала от него...

— Никогда не живи с ментами! — стонала Коврова. — Они подлые!

— Шумаков не станет мстить бывшей подруге, — защитила я любимого.

Оля перестала хныкать.

— А ты откуда знаешь? Вот расплюешься с ним, тогда и побеседуем.

— В чем тебя обвиняют? — спросила я.

— Ни в чем! Вилка, умоляю, помоги. Они меня убьют! — зачастила Коврова.

— Кто и почему? — холодно поинтересовалась я.

— Менты, — снова заплакала Ольга. — Им надо дело закрыть, иначе по шапке от начальства получат. Я у них единственная подозреваемая.

— Зачем лишать жизни женщину, которой предстоит ответить за совершенное преступление? — не поняла я. — Наоборот, ее надо хорошо кормить и вовремя спать укладывать. Тогда ты окажешься в суде и выслушаешь приговор, а следователь получит премию за удачно завершенное дело.

— Никаких улик против меня нет, — затарахтела Оля, — только их домыслы. Я знала, что так будет, поэтому и примчалась к Юрке, сказала ему: «Дорогой, давай забудем прошлые обиды. Прости меня за все плохое. Я была с тобой слишком капризна и груба, ты имел полное право уйти от такой бабы. Но сейчас помоги!»

Меня охватило удивление. Коврова забыла, что я присутствовала при беседе? Ничего подобного она не произносила!

— Ты ж сама убежала от Шумакова! — воскликнула я.

— Ну... вообще-то нет, — призналась Ольга. — Я тебе сказала неправду. Очень стыдно, когда мужик уходит. Ничего особенного, просто хотела казаться лучше.

— Что тебе от меня надо? — остановила я бормотание экс-любовницы Юры. — Излагай!

Собеседница всхлипнула и доложила:

— Единственная подозреваемая по делу — я. Ничего конкретного против меня нет, лишь тупые заявления типа: «Она стерла отпечатки пальцев». А пусть докажут, что их я стерла! Может, настоящий убийца постарался!

Я не выдержала и прервала врунью:

— Ты мне в деталях описала, как орудовала тряпкой.

— Вот-вот, — простонала Оля, — я тебе доверилась, ты растрепала Юрке, а он обрадовался, звякнул своим, и меня заперли. Подлый мент!

Меня охватило раздражение.

— Не стоило обращаться к Юре, если ты считаешь его подлецом. А историю с уничтожением отпечатков пальцев ты повторила сама, когда пришел Шумаков.

— Я думала, он поможет. А родной человек меня топит! — взвизгнула Ольга. — Ногой на макушку наступает. И в дерьмо окунает. Меня надо отпустить! Но у них никого другого нет на подозрении. Если меня в камере придушат, дело закроют из-за смерти единственного подозреваемого. Так часто поступают.

— Ну, это ты перехватила, — вздохнула я.

— Нет, — опять принялась всхлипывать Оля, — помоги мне. Ну какие у меня причины для убийства?

— Ты хотела стать единоличной владелицей фабрики игрушек, — ответила я.

В трубке повисла тишина. Затем Коврова промямлила:

— Вилка, я не компаньон Ускова.

— То есть? — не поняла я.

— Я служила у Николая Ефимовича секретарем, — зачастила она, — подавала чай-кофе, резала сыр на бутеры, выполняла мелкие поручения.

— Вчера вечером ты говорила иное, — напомнила я.

— Хотела произвести впечатление, — без всякого стыда расписалась в обмане Ольга. — Вот поставь себя на мое место. Пришла к бывшему бойфренду, столкнулась там с его очередной бабой. И что ж, объявить правду: я никто, звать меня никак, дальше мытья чашек в убогой дыре я не продвинулась?

Я не поверила своим ушам.

— Но ты очень подробно рассказала о том, как вытащила производство из болота!

— Да, я не раз думала, как можно помочь фабрике, — подтвердила Коврова, — делала Ускову предложения, но тот отказался. Отвечал: «Меня устраивает, как идет дело». Николай Ефимович был боязливым человеком, такой миллиардов не заработает.

Я вздохнула.

— Вероятно, Усков не хотел получать супердоходы. Большие деньги это, как правило, и большие проблемы. А врать нехорошо.

— Кто бы говорил! — отбила мяч Ольга. — Сама с ходу набрехала, что Юрка с тобой расписался, вы сыграли свадьбу и ты знаешь тетю Варю. И чего? Живенько выяснилось, что Варвара в глаза тебя не видела!

Я притихла. Коврова совершенно права. Но у меня есть оправдание — мне очень не хотелось выглядеть в глазах экс-любовницы Шумакова очередной его забавой. От моей лжи никому плохо не стало.

— Ну зачем мне людей травить? — ныла между тем Оля. — Надо искать того, кому Антонина

Михайловна насолила. Усков был хорошим дядькой, тихим, людям дорогу не перебегал. Он случайно погиб, явно хотели убрать Кириллову. Я тут посображала и дотумкала, почему и кто на Кириллову обиделся. Она...

— Давай сюда, сука, — донесся из трубки грубый голос.

— Вали на..., — ответила кому-то Ольга.

— А.....! А.....! — прогремел хриплый бас. — Вот...! ...!

Я занервничала.

— Оля! Что у тебя происходит?

Ответа не последовало. До моего слуха долетел странный звук, отдаленно напоминающий бульканье, затем понеслись частые гудки. Я порылась в телефоне в папке «Принятые вызовы», нашла номер сотового, которым воспользовалась Коврова, и набрала его.

— Абонент недоступен, — сообщило приятное сопрано.

Конечно, аппарат пронесли в камеру нелегально. В основном доставкой трубок за решетку занимаются адвокаты или те, кому по долгу службы вменяется следить за арестованными. Постоянно включенным сотовый держать не станут и его отключат от сети при малейшем шуме из коридора. Мне не следует нервничать. Но вопреки логике в душе поселилось беспокойство, и я без особой надежды на успех попыталась соединиться с Юрой.

Шумаков неожиданно сразу снял трубку и вполне мирно спросил:

— Как дела?

Я сначала порадовала его новостями.

— Отлично. Платье для свадьбы куплено, осталось приобрести кольца, выбрать макияж с прической, ну и несущественные мелочи. Думаю, за пару дней мы управимся и тетя Варя отбудет в Бортниково.

— Супер! — возликовал Шумаков.

Я сочла момент благоприятным и спросила:

— Как там Оля?

— Ее задержали, — коротко сообщил Юра.

Забыв, что Шумаков меня не видит, я кивнула.

— Да, знаю. Она мне звонила. Сейчас расскажу...

Надо отдать Юре должное — он гениальный слушатель. Шумаков не станет вас перебивать, в процессе беседы не выпалит: «Ты уже в пятый раз об одном и том же талдычишь!» Нет, он сплошное внимание. Зато потом, когда собеседник выговорится и устанет, майор разразится серией вопросов. Но сейчас, узнав, о чем мы говорили с Олей, Шумаков мрачно буркнул:

— Уточню. — И сразу отсоединился.

Я глянула за окно автомобиля. Над Москвой повисла серая сетка дождя. В такую погоду не особенно хочется гулять. Лучше завалиться на диван, взять шоколадку, включить диск с любимым фильмом и, закутавшись в теплый плед, в сотый раз радоваться, как герои романтической комедии ловко справляются со всеми жизненными неурядицами. Но мне дорога к удовольствию заказана — в моей квартире уже орудует тетя Варя. Сильно сомневаюсь, что дама со столь активной жизненной позицией разрешит мне предаться ничегонеделанию. Ну и куда податься?

Я посмотрела в зеркало, поправила волосы, подкрасила блеском губы и поехала в центр, к большому дому, где в одном из кабинетов сидит мой милый друг. Шумаков имеет право на обед, и я приглашу его в ближайшее кафе. Хорошо бы Юру до моего приезда не отправили куда-нибудь по делам...

В небольшую забегаловку Шумаков вошел с таким суровым выражением лица, что я сразу сказала:

— Прости, решила сделать тебе сюрприз. Мы так редко обедаем вместе! Не могу даже вспомнить, когда вот так сидели вдвоем за столиком. Не хотела нарушить твои планы.

Юра изобразил радость:

— Нет, нет, тебе пришла в голову отличная идея.

— Что случилось? — не выдержала я, когда Юра начал сосредоточенно выковыривать из горы листьев салата крохотные кусочки курицы. — Зачем ты заказал «Цезарь»? Там же есть нечего, сухари да зелень.

— Аппетита нет, — чуть помедлив, ответил Шумаков. — Коврову ранили.

Я уронила вилку.

— Она жива?

— Пока да, — нахмурился Юра. — Ее ударили заточкой в спину. Того, кто Ольгу порезал, не нашли — народу в камере толпа, но, как водится, все разом ослепли и оглохли.

— Оля предполагала подобное развитие событий, — пробормотала я, — поэтому и позвонила мне. Она выживет?

Шумаков дернул плечом.

— Состояние тяжелое, она без сознания, в реанимации.

— Почему ее арестовали, если нет прямых улик? — налетела я на него.

— Задержали, — поправил Юра, — в соответствии с законом.

— Причина? — наседала я.

Шумаков отодвинул тарелку, возмущенно заметив:

— Нарежут силоса, швырнут два грамма курицы, навалят сухого хлеба, а ты плати, как за целого бройлера! У Ковровой не было при себе паспорта. Выясняли ее личность. И, кстати, у нее нашли пакетик с марихуаной. Пусть спасибо скажет, что не обвинили в наркоторговле.

Я прищурилась.

— Ты серьезно?

Шумаков взял чашку.

— Угу. В Москве лучше носить в сумочке документы, а не травку. И вообще...

Юра замолчал и стал сосредоточенно насыпать в кофе сахар. Наклонил над чашкой дозатор один раз, второй, третий, четвертый и возмутился:

— Кто эту шутку придумал? Плюет всего по грамму песка.

— Ты лучше скажи, кто решил запихнуть в камеру ни в чем не повинную женщину, — отрезала я. — Фактически обрекли ее на смерть. Кстати, Оля думает, что ты ей мстишь.

Юра поставил сахарницу в центр стола.

— Назови хоть одну причину моей неприязни к Ковровой!

Я вспомнила аргументы девицы:

— Мужчины плохо относятся к бывшим любовницам.

Юра оперся локтями о стол.

— Мы были вместе совсем недолго. Коврова не мой человек, у нас с ней не было ничего общего. Ольга тоже считала необеспеченного мента неудачной партией. Мы разбежались. Ни детей, ни совместной собственности не имели, ничего не делили. Она мне не нужна, а я — ей. Никаких чувств я к Ковровой не испытываю — ни злости, ни ревности. Мне по барабану, как она живет. Но поскольку все же некоторое время я считал Олю близким человеком, посоветовал ей поступить правильно. И отвел к Мише Лаврову. Сам занялся делами, а потом позвонил Лаврову, хотел узнать, что там вообще есть по убийству на фабрике игрушек. Мишка выдал такую инфу, что я до сих пор в трансе. Знаешь основную ментовскую заморочку?

— Уточни, какую из многих ты имеешь в виду? — улыбнулась я.

Но Шумаков не улыбнулся в ответ.

— Когда ежедневно сталкиваешься с убийцами, то рано или поздно начинаешь думать, что в каждом человеке скрыт преступник. Гляди, по улице идет тетка...

Я посмотрела в большое окно.

— С тремя сумками и ребенком?

Юра кивнул.

— И вполне вероятно, что она придушила свою свекровь. Мотив? Да полно! Тесная квартира, капризная старуха, бабы не смогли поделить мужа и сына. Или вон тот мужик с цветами... Спешит сейчас к любовнице, его счастью мешает опостылевшая жена, и он собрался ее придушить. При определенных обстоятельствах любой может стать убийцей.

— Это уже шиза! — остановила я Шумакова. — Лучше сходи к психотерапевту, иначе заработаешь нервный срыв.

— Не, — усмехнулся Юра, — я сам справился. Запретил себе подобные мысли, и все. В момент, когда Ольгу встретил, я как раз усиленно над собой работал, потому так и вышло.

— Как? — не поняла я.

Шумаков откинулся на спинку стула и начал рассказ.

Когда Юра понял, что профессиональное недоверие сильно мешает его и без того не очень счастливой личной жизни, он дал себе честное слово никогда не подозревать партнерш в нехороших поступках, не проверять их, не копаться в их прошлом, не всегда быть милиционером, а хоть час в день жить как обычный парень, у которого нет возможности выяснить подноготную своей спутницы.

Коврова появилась в жизни Юры внезапно. Роман был коротким, пара рассталась, и до сегодняшнего утра Юра не сомневался, что Оля — неудачливая модель и плохая секретарша, не отличается особым умом, бесцеремонно лезет в чужие дела, излишне болтлива, поэтому подолгу ни на одной службе не задерживается.

Но следователь Михаил Лавров за короткое время выяснил другое. Оказывается, Ольга Коврова имела диплом медсестры, трудилась в больнице и подрабатывала сиделкой. Вроде ничего особенного, средний медперсонал получает небольшую зарплату, а многие люди нанимают тяжелобольным родственникам няньку. За год до встречи Ковровой с Юрой на нее пожаловалась Арина Расковалова, бизнес-леди, которая пригласила медсестру к своему парализованному отцу Антону Борисовичу.

Расковалова была довольна выбором, никаких претензий к сиделке не имела, но на всякий случай она установила дома скрытую видеокамеру.

А через три месяца после прихода Ковровой в дом Антон Борисович скончался. Арина насторожилась. Врачи не прогнозировали скорый летальный исход, наоборот, твердили: приготовьтесь к тому, что ваш отец проведет в состоянии овоща не один год.

Расковалова еще раз тщательно просмотрела запись последнего дня жизни Антона Борисовича и отметила одну странность. Ольга каждый день делала старику уколы и всякий раз прямо в спальне открывала коробку с ампулами, отламывала кончик одной перед инъекцией. Но за десять минут до того, как пенсионер перестал дышать, Коврова вошла в его спальню с уже заготовленным шприцем. Что-то в картинке показалось Арине необычным. Бизнесвумен проглядела все глаза, прежде чем сообразила: все три месяца медсестра пользовалась инсулиновыми шприцами, а последнюю инъекцию сделала из большого, похоже, даже не одноразового, десятикубового.

Расковалова — хозяйка огромного предприятия. Она понимала, чем чревато ложное обвинение. Поэтому Арина не помчалась с пленкой сразу на Петровку, наняла частного детектива и велела ему тщательным образом изучить прошлое Ольги. Получив его отчет и приложив к нему видеозапись, Расковалова явилась к одному из своих высокопоставленных приятелей.

ГЛАВА 6

Детектив раскопал удивительные сведения. Оказывается, все подопечные Ольги Ковровой благополучно отправились на тот свет. Что в этом необычного? Конечно, сиделку не наймут к абсолютно здоровому старику. Ясное дело, медсестра заботилась об умирающих. Но почему-то больше трех месяцев никто из паралитиков, за которыми она ухаживала, не прожил. Получалась странная закономерность — тяжело больные люди кое-как скрипели до появления Ковровой, и доктора, как правило, говорили родственникам: «Мужайтесь, вам предстоят не самые лучшие годы и сколько их впереди: три, пять, шесть — никто не знает». Но стоило Ольге переступить порог квартиры, как больные уходили на тот свет.

Учитывая факт близкого знакомства Расковаловой с высшим руководством МВД, никого, наверное, не удивит тот факт, что началось следствие. Дознаватель Олег Минков жестко побеседовал с Ковровой, как следует запугал ее, пригрозил: «У нас много улик, есть видеосъемка, на которой видно, как ты ввела яд Антону Борисовичу. Лучше признайся в содеянном, меньше получишь от судьи».

Оля вяло отрицала свою вину, плакала, а потом потеряла сознание. Минков потер руки, поняв, что девушка испугана. Сейчас она проведет ночь в камере, впадет в еще больший ужас, а утром язык у нее развяжется. Не такие люди ломались, понюхав воздух СИЗО!

Но в десять часов перед Олегом предстала другая женщина. Коврова выглядела уверенно и сразу заявила:

— Никаких улик против меня нет. Почему я принесла лекарство в большом шприце из кухни, а не набрала препарат, как всегда, в спальне? Арина забыла купить шприцы нужной емкости, а когда я спохватилась, Расковалова уже уехала на работу. Мне пришлось взять из своей сумки многоразовый шприц — я всегда ношу его с собой на всякий случай. Я прокипятила шприц в кастрюле и наполнила его на кухне. Если нести инструменты в спальню и там вытягивать раствор из ампулы, стерильность нарушится. Меня так учили! Где кипятила, там и лекарство набрала, не отходя от плиты. Больше не скажу ни слова, мне положен адвокат.

Дознавателю оставалось лишь грызть от злости карандаш. Минков понял, что более опытные сокамерницы научили Коврову правильному поведению.

Спустя короткий срок Ольга очутилась на свободе — против нее не было реальных улик. На слова Минкова: «Поверьте, Коврова — «ангел смерти»! Многоразовыми шприцами давно никто не пользуется!» — начальство не обратило внимания. Да еще приятель Расковаловой некстати лишился высокого милицейского поста, давить на следствие стало некому.

Олега Минкова заело. Он знал, что в среде медработников встречаются люди, прибегающие к эвтаназии. Одни делают больному смертельную инъекцию исключительно за деньги. Ведь не все родственники готовы терпеть дома тяжело больного человека. Парализованная бабушка превращается в обузу, от которой хочется избавиться. Некоторые внуки готовы изрядно заплатить за собственную свободу. Но есть другая категория медиков, так называемые «ангелы смерти». Этим врачам и медсестрам жаль умирающего, они убивают из, так сказать, гуманных соображений, берут на себя роль бога, полагая, что имеют право решать, когда чужой душе отлететь на небеса.

«Ангел смерти» никогда не польстится на деньги, не поставит в известность о своих действиях родственников и не спросит больного о его желаниях. Если «ангел смерти» посчитал недужного готовым уйти в мир иной, он выполнит задуманное. И в большинстве случаев преступление остается незамеченным, кончина очень больного человека совсем неудивительна.

Никто из коллег не прислушался к словам Минкова. Коврова жила бедно, в ее квартире не нашлось ничего ценного. В сумочке действительно обнаружился допотопный стеклянный многоразовый шприц, но он был простерилизован, токсикологический анализ ничего не дал. В организме Антона Борисовича выявили коктейль из сильнодействующих лекарств, но ведь Раскովалов каждый день получал большое количество уколов. Короче говоря, Ольга вылезла сухой из зловонной лужи...

Юра налил чай из френч-пресса в чашку.

Я скорчила гримасу.

— Ну и что? У нас пока еще существует презумпция невиновности. Коврову не осудили, и с огромной долей вероятности Арина Раскովалова просто хотела отомстить хоть кому-нибудь за кончину любимого папы. Сколько раз на тебя накидывались родственники жертв, крича: «Вы пособники убийцы! Специально его не ловите! Получаете от киллера деньги за бездеятельность и сдаете дело в архив!»

Юра отхлебнул из чашки.

— Ну да, чего только в момент стресса не вопят. Пару раз мне даже по морде от людей доставалось. Отлично помню, как пришел в один дом с плохой вестью. Терпеть не могу сообщать родителям о смерти детей, но иногда приходится это делать. Выдавил из себя слова сочувствия, тупо пробурчал: «Примите наши соболезнования, постараемся найти преступника». Глупее фразы не придумать! Как будто пойманный уголовник мальчишку вернет... Но ведь надо же хоть как-то мать утешить. А она ко мне подскочила, со всего размаха оплеуху отвесила и начала царапаться. Вообще-то такое называется нападением при исполнении служебных обязанностей.

— Надеюсь, ты не потащил несчастную за решетку? — испугалась я.

— Хорошего же ты обо мне мнения! — укоризненно покачал головой Юра. — Конечно, нет. Сделал вид, будто ничего не произошло. Но дослушай про Коврову. Она после случая с Антоном Борисовичем ушла из больницы. Раз восемь меняла место работы.

— Ну и что? — не сдалась я. — Девушка пережила нервное потрясение и решила уйти из медицины.

— Она точно переполошилась, — согласился Юра. — И с той поры заводила интимные отношения лишь с сотрудниками милиции. Но долгой любви ни с кем не получалось, со мной тоже. Думаю, Оля так перепугалась, что хотела иметь при себе мужика, который в случае претензий со стороны закона сумеет ей помочь.

— Ну ты даешь! — засмеялась я. — Просто наверняка девушке нравятся мужчины в форме.

— А особенно она их полюбила после ночи, проведенной в камере, — буркнул Юра. — Ни к чему при тебе вспоминать подробности наших отношений, но... Понимаешь, она раза по три в день говорила: «Милый, ты же меня выручишь, если я попаду в беду? Не бросишь?» Я считал ее слова кокетством, полагал, что она хочет услышать, как все бабы: «Дорогая, можешь рассчитывать на меня, в тяжелую минуту я тебя не оставлю». Но, оказывается, проблема была зарыта на другой грядке.

— Ты считаешь Ольгу убийцей? — прямо спросила я. — Полагаешь, она была «ангелом смерти»? Но согласись, сделать из жалости смертельную инъекцию и отравить группу людей — не одно и то же. Где мотив? Если ты думаешь, что Коврова получит бизнес Николая Ефимовича, то ошибаешься — она на фабрике плюшевых мишек всего лишь работала секретаршей. Оля лгала про долевое участие в успешном бизнесе и о том, как затеяла реорганизацию предприятия. Хотела произвести на меня впечатление.

— Знаю, — отмахнулся Юра. — Коврова вообще врунья. Купит в переходе у метро сумку за двести рублей и ну говорить: «Эксклюзивная модель! Из Парижа!»

— Не одна Оля в этом замечена, — вздохнула я. — Погуляй по сайтам типа «Одноклассники», «В контакте» и прочим социальным сетям, полюбуйся на фото. Все сняты на фоне шикарных машин и домов. В особенности меня умилила одна девушка. Она стояла возле четырехэтажного здания, на дверях которого висела вполне читаемая табличка «Гостиница «Урюпинская», а текст под картинкой гласил: «Я возле своего коттеджа в Швейцарии».

Юра отодвинул френч-пресс.

— Не знаю, какой у Ковровой мотив, но она лжет, как дышит. Это и послужило основным поводом для нашего расставания. Я постоянно ловил ее на мелочах. Купит пельмени, сварит и стрекочет: «Весь день лепила, у плиты прыгала». Ерунда, а неприятно.

— Не работает! — отрезала я. — Все врут, но пельмени с убийством и рядом не лежали.

Шумаков промокнул салфеткой губы.

— Слушай дальше. Оля долго пыталась устроиться на хорошую работу, и в конце концов ей повезло. Попала на ресепшен в редакцию модного журнала. На мой взгляд, ей там предложили царские условия: приличный оклад, соцпакет, возможность покупать одежду и косметику по сниженным ценам. Коллектив хороший, начальница беспроблемная, в офис следовало приезжать к полудню. Сладкий пончик! Не укладывание шпал, не уход за паралитиками. Ольга походила туда четыре месяца и — устроилась к Ускову. Бросила выигрышное место, стала работать на дышащей на ладан фабрике, потеряв в деньгах и статусе. Почему? Что заставило ее так поступить?

— Не знаю, — растерялась я.

— А у меня есть ответ, — кивнул Юра. — Ей требовалось попасть именно к Николаю Ефимовичу. Она давно замыслила убийство. Доказательств нет, но поверь: я не ошибаюсь.

— Знаешь, как ситуация выглядит со стороны? — усмехнулась я. — Ты пытаешься отомстить девушке, с которой у тебя не сложились отношения, выискиваешь повод. Вместе с Усковым погибла еще Антонина Кириллова. Оля прибежала к тебе за помощью. И теперь я понимаю, что ее испугало. Коврову уже один раз подозревали в убийстве, и она предполагала, какой будет реакция ментов, — следователь сделает запрос о личности секретарши и, не особенно мучаясь, запихнет ее в камеру. Что и произошло. Неужели тебе не жаль Ольгу? Ты проверил ее биографию, она на самом деле одинока?

— Да, — коротко ответил Юра, — никого родных нет.

— Вот видишь, — вздохнула я. — Да, Коврова врунья. Но что она получит после смерти Ускова и остальных?

Шумаков был вынужден признать:

— На первый взгляд ничего. Но я не копался в деле тщательно. Не имею права — был хорошо знаком с фигуранткой.

Я начала вертеть в пальцах чайную ложечку.

— Почти каждой женщине трудно просить у бывшего парня помощи. Нам, наоборот, хочется продемонстрировать прежнему любовнику, что, расставшись с ним, мы живем распрекрасно, богаты и счастливы. Раз уж Оля тебя нашла, значит, ей было очень-очень плохо. Ты многократно повторял: нельзя тупо упираться в одну версию. Хорошо, Коврова под подозрением. Но вдруг она ни при чем? Надо внимательно изучить биографии Кирилловой и Ускова. Кстати, вспомни рассказ Оли: в кабинете находился мужчина, который исчез, оставив два трупа. Вероятно, таинственный гость и есть убийца.

Юра кивнул.

— Сейчас Миша Лавров пытается выяснить личность незнакомца, но зацепок нет. Может, Коврова что-то еще о нем вспомнит, но она в реанимации. Однако это еще вопрос: а был ли вообще тот мужик? Ольга и тут могла набрехать.

— Чем отравили Кириллову и Ускова? — не успокаивалась я.

— Ядом, — не моргнув глазом, ответил Юра.

Ну надо же! А я-то предполагала, что они лишились жизни, понюхав одеколон «Шипр»... У Шумакова замечательная манера делиться информацией. Часто на мой вопрос по телефону: «Ты где едешь?» — Юра спокойно сообщает: «По шоссе».

— Яд бывает разный, уточни, — велела я.

— Эксперт предположил, что змеиный, вот только не выявил, чей именно. Содержался он в коньяке. Кстати, у Ускова на шее есть маленькая ссадина, и криминалист сначала насторожился, но потом понял: мужчина расчесал укус насекомого.

Я выразила восторг:

— Ваш специалист великолепен! Смог по содержимому желудков, где, кроме спиртного, еще плескался чай, определить, в какую жидкость подлили отраву!

Юра почесал подбородок.

— Вообще-то в бутылке на столе осталась выпивка, ее взяли на анализ. И чайком баловался лишь директор, бухгалтер не пригубила ни глотка. Все вещи из кабинета исследуются. Это займет немало времени. Погоди-ка!

Юра схватил мобильный.

— Миша, что там по Кирилловой — Ускову? Ага, ну извини.

Я сочувственно покосилась на Шумакова.

— Он тебя послал?

Юрасик потер лоб.

— Точно. Как собака гавкнул: «Я отдаю токсикологу коробочку с надписью «Пастилки ментоловые». Работы до неба. Не мешай! Будет что интересное, расскажу! Следующая на очереди пустая спортивная сумка из кабинета Ускова. Повторяю: «Пустая. Но, вероятно, что-то в ней найдем. Не ешь мне мозг, займись своим делом».

Пару секунд я молчала, потом дернула Юру за руку.

— Ну? Ты понял?

— Что? — заморгал Шумаков.

Я ощутила себя самой умной блондинкой на свете.

— Милый, вспомни рассказ Ольги. Она перемандражировала, решив, что начальники умерли, отведав чай. Коврова тщательно вымыла сервиз, но не тронула коньяк.

— Она вытерла бутылку! — уточнил Юра.

— Хорошо, — кивнула я, — но зачем ей возиться с чашками и оставлять спиртное? Есть лишь один ответ на этот вопрос.

— Она не знала, что в коньяке яд, — пробормотал Шумаков.

— Точно! — обрадовалась я. — Отравительница

первым делом утащила бы алкоголь и бокалы. Оля же поторопилась убрать сервиз. Могу сделать еще одно предположение.

— Говори! — приказал Юра.

— Коврова не подавала коньяк, — отчеканила я. — Алкоголь ее не беспокоил, она волновалась лишь из-за чая, который приготовила лично. Оля говорила, что Усков охотно угощал коньяком посетителей и сотрудников. Он не алкоголик, просто лакомка. Оля специально оставила фужеры, желая, чтобы все подумали, что отрава там. И не заподозрили, что яд был в чае.

— Глупая идея, — изменил своей привычке не перебивать собеседника Юра. — Первое, что сделает бригада, возьмет алкоголь на анализ. Однако здорово ее от страха переклинило! Наверное, все же рыльце у Ольги в пушку, что-то она натворила нехорошее. Может, запихнула яд в бутылку и прикинулась белой козой.

Но я с ним не согласилась.

— Пузырь могли притащить посетитель или главбух.

— Как правило, гостей угощает хозяин кабинета, — возразил Шумаков.

— Но не исключен и обратный вариант: выпивку выставил посетитель, — стояла на своем я. — В коньяке был яд. Если напиток принадлежит Ускову, то как он туда попал?

Юра вздохнул.

— Допустим, он сам и положил. Нет. Не получается. Если ты решил отравить людей, то сам из той же емкости пить не станешь. Другой человек яд добавил.

— Верно, — кивнула я. — Наличие яда в коньяке оправдывает Николая Ефимовича и Антонину Михайловну — они-то умерли!

— Угу, — кивнул Шумаков.

А я понеслась во весь опор:

— Некто зарядил бутылку и угостил их. Киллер охотился лишь на одну жертву, вторая погибла случайно.

— Что снова возвращает нас к Ковровой, — кивнул Юра. — Она легко могла напихать в бутылку яд, потом изобразила панику, помыла сервиз и примчалась к тебе в надежде, что я ее отмажу. Хитрый расчет: раз она оставила коньяк, значит, невиновна.

— Слишком умно для Ольги. Поверь, она была по-настоящему напугана, когда ворвалась в квартиру, — не согласилась я. — Надо понять, откуда в офисе взялась выпивка. Можешь спросить у Лаврова, что было у Ускова в офисном баре? Оля говорила про привычку начальника всех угощать коньяком. Он в баре какой марки? Такой же, как и в отравленной бутылке?

Юра молча потыкал в кнопки своего телефона и сказал в трубку:

— Миша, вы обыскали кабинет Ускова? Не помнишь, какое у него бухло имелось?

Я уставилась на Шумакова. Очень часто люди покупают выпивку оптом, берут сразу четыре-пять бутылок, выигрывая в цене. Коньяк не кефир, он от времени не испортится. Правда, вопреки расхожему мнению, спиртное не станет лучше, хранясь на полке. Коньяк стареет и делается благороднее, исключительно находясь в бочке, хотя не скиснет и в стекле. Если Лавров обнаружил в баре еще парочку полных, идентичных открытой бутылке емкостей, следовательно, убийцу надо искать в окружении Николая Ефимовича. Черт возьми, я опять вернулась к Оле...

Пока в моей голове роились разные мысли,

лицо Шумакова медленно вытягивалось, а в глазах появился злой блеск.

— Что-то не так? — тихо поинтересовалась я, когда Юра швырнул на стол трубку.

— Лавров у нас спихотехник, — зашипел любимый, — ему бы поскорее дело закрыть и руки умыть. Заявил сейчас: «Не лезь, куда не просят. Если защищать всех, кого перетрахал, жизни не хватит! Мне все уже ясно, именно Коврова траванула шефа — чего-то они там не поделили. Ну не рассчитала малек. Думала, начальник в одиночку кирнет, а тот с собой в чистилище бухгалтершу прихватил. Не марайся в этой истории, тебе не в плюс. Сиди тихо, не вякай. Я своих не сдаю. Знаешь, че Коврова сказала, когда ее задержали? «Я позвоню Юрию Шумакову, он мой гражданский муж. Я из ваших». Отлично, да? Ольга в больнице, авось не выживет. Тебя я выручу, а ты мне потом поможешь. Все путем. Не ищи геморроя на свою голову».

— Отличное выражение про геморрой и голову, — только и сумела сказать я.

Шумаков взорвался.

— Точно! У Лаврова вместо башки задница! Поэтому он так и сказанул! Мишка идиот, все это знают. И он Коврову утопит.

— Так помоги ей, — произнесла я.

Юра сморщил нос.

— Дело поручено Лаврову. На каком основании я-то полезу? Говорил уже, Мишка любит сразу разобраться. Чик, брык, и готово. Он мастер так все вывернуть, что любой судья ведется. Лаврова начальство обожает. Еще бы! У него лучший процент раскрываемости!

— А ваш шеф никогда не интересовался, каким образом Михаил нарабатывает сей процент? — вздохнула я.

Юра помрачнел.

— Если я проявлю активность, Мишка доложит о моих отношениях с Ольгой, и окажусь я в том месте, где на самом деле бывает геморрой.

— Ладно, — кивнула я, — пусть Олю осудят, если она, конечно, выживет после ранения. А тебе не жаль ее? Знаешь, как бы я поступила на месте Лаврова?

Шумаков начал барабанить пальцами по столу, а я продолжила:

— Сначала бы изучила офис на предмет бутылок. Параллельно основательно проверила биографии Антонины Михайловны и Ускова. Директор милый человек, он, вероятно, случайная жертва, а объект нападения бухгалтер.

Юра встал.

— Хорошо. Через некоторое время я сброшу тебе эсэмэской адрес Кирилловой, съезди к ней. А я займусь офисом.

Я не поверила своим ушам.

— Мы будем вдвоем вести расследование? Ты нарушишь инструкцию? Затеешь частное разбирательство?

Юра кашлянул.

— Вроде того. Извини, если тебе неприятно, но нас с Ольгой все же кое-что связывало, и ей сейчас действительно не на кого рассчитывать.

— Я совсем не ревнива, — поспешила я заверить Шумакова. — А ты демонстрируешь настоящий мужской характер.

— Что-то в этом деле не складывается, — протянул Юра. — Не хочу, чтобы Лавров сделал из Ольги козла отпущения. Если не захочешь мне помогать, то не надо!

Мне стало обидно.

— Вообще-то именно я настаивала на поисках настоящего убийцы.

Шумаков протянул мне руку.

— Работаем в паре?

Я кивнула, вложив в его ладонь свою.

— Да. Можешь на меня полностью рассчитывать.

Внезапно Юра помрачнел.

— Буду объективен. Если Ольга все же виновата, ей придется отвечать перед законом. Я не стану покрывать преступника, кем бы он мне ни приходился в прошлом или настоящем. Начнем плясать от печки. Проверим жертв.

ГЛАВА 7

Антонина Михайловна жила в обычной блочной девятиэтажке, которая оказалась зажатой между парочкой современных башен. Я поднялась в ободранном лифте на нужный этаж и нажала на звонок. Через пару минут стало понятно — дома никого нет. Решив так просто не сдаваться, я побеспокоила соседей.

Не успел мой палец вдавить коричневую пупочку, как давно не крашенная дверь распахнулась, и грубый голос громко произнес:

— Чего еще?

Я быстро оглядела крепко сбитую девицу, одетую в карикатурно узкую и неприлично короткую даже для домашней одежду. Она была в стрингах и в некоем подобии распашонки, вероятно, верхней части шелковой пижамы (нижнюю красавица забыла надеть), которая плохо сходилась на груди. Из пупка девицы торчала клипса в виде цветка, а волосы у нее были розово-голубого цвета.

— Чего тебе еще? — повторила хозяйка. — Не надоело шляться? Опять счетчики проверяете? Уже говорила: я снимаю двушку, дергайте за неуплату хозяина, он от меня сполна бабла имеет. Какие претензии?

— Не имею ни малейшего отношения к Мосэнерго, — миролюбиво ответила я. — Ваши счета за газ, телефон и коммунальные услуги находятся вне сферы моих интересов. Я пришла к Никите Кириллову, сыну Антонины Михайловны, а его нет. Не знаете, куда мог подеваться парень?

Если вы хотите узнать от соседей правду, начинайте издалека. Пусть девушка не знает, что на самом деле объект моего интереса — мать юноши.

— А что он натворил? — внезапно обрадовалась соседка. — Его посадили? Вы из милиции?

Я улыбнулась и уклонилась от прямого ответа на вопрос.

— Вашей догадливости можно позавидовать.

— Хочешь кофе? — неожиданно по-свойски предложила розово-голубая Мальвина.

— Не откажусь, — кивнула я.

Квартира соседки Кирилловой выглядела так, словно здесь час назад орудовала банда воров.

— Не обращай внимания, — бросила девушка, заметив мой изумленный взгляд, — вчера с концерта около пяти утра приехала, некогда было убирать.

Я посмотрела на лежащие посреди кухни туфли на головокружительной платформе и спросила:

— Ты, наверное, певица?

— Марина, — представилась соседка. — У меня свое шоу, танцы с элементами акробатики. Народ в экстазе! Выступления расписаны на полгода вперед, денег получаю лом. Черт!

Споткнувшись о небольшой кофр с косметикой, Марина едва удержалась на ногах, но не выронила кружку с кофе.

— Не все любят вести домашнее хозяйство, — вздохнула я, — найми помощницу.

Марина скорчила гримасу.

— Ей платить надо. Печенье будешь?

Я кивнула, она открыла кухонный шкафчик, приговаривая:

— Точно помню, было оно у меня...

Мои глаза еще раз окинули кухню-столовую, туфельки с пятнадцатисантиметровой платформой, одежду в блестках, разноцветной кучкой лежавшую на табуретке. Я отхлебнула жидкий кофе. «Танцы с элементами акробатики» — это явно стриптиз. Марина пляшет в ночных клубах, но ее заработков не хватает на горничную.

— Никита Антонину придушил? — вдруг спросила она и плюхнула в центр стола жестяную коробку с дешевыми бисквитами.

Я вздрогнула.

— Придушил? Ты подозреваешь сына в убийстве матери? Почему?

Марина попыталась откусить печенье, не справилась с твердокаменным лакомством и принялась размачивать его в кофе, одновременно тараторя:

— Стены здесь бумажные. Сколько живу, столько они орут друг на друга. Каждое утро и вечер такие концерты закатывают! И всегда одно и то же. Антонина вопит: «Немедленно собирайся на занятия!» А сынишка ей в ответ матом. Сначала они визжат, затем мебелью швыряются. В конце концов мать парня выпихивает и сама уходит. И тут начинается самое интересное.

Марина захихикала, быстро проглотила размякшее печенье и продолжила:

— Только мадам за порог, Никитон через десять минут дома. Наверное, спать укладывается, потому что тихо становится. Затем к кадру девчонка приваливает. Около полудня от них травкой тянет — вентиляция здесь плохая, воздух между квартирами гоняет. Когда ко мне гости заглядывают, Антонина мигом в дверь колотит и орет: «Марина, прекратите курить! Если хотите дымить, отправляйтесь на балкон. Вся ваша вонь у меня!» Спрашивается, при чем тут я? Архитектор козел!

Я с интересом слушала эмоциональный рассказ Марины. Один раз она не выдержала и ответила соседке:

— Антонина Михайловна, не лезьте в мою жизнь!

И тут Кириллову понесло по кочкам, она стала свои принципы высказывать. Мол, все обязаны работать, а не развлекаться. Трудиться надо на благо общества, а не задом на сцене крутить. Марина проститутка и хамка. Ей, Кирилловой, в ее возрасте недосуг было плясать, она на «отлично» училась.

Марина выслушала скандалистку и сказала:

— Не тратьте зря запал, лучше за Никитой смотрите! Он у вас занятия прогуливает и травой балуется.

Кириллова обомлела:

— Врешь!

Марина ухмыльнулась.

— Можете проверить. Завтра не ходите на службу, а зайдите ко мне. Вам все станет ясно.

— Спасибо, — тихо поблагодарила Антонина Михайловна.

Во вторник бухгалтер притаилась на кухне у стриптизерши. Как на грех, Никита в тот день решил погудеть с размахом. Он не завалился, как обычно, на боковую, вернувшись домой после ухода матери, а сразу привел девчонку. Сначала Марина с изрядной долей злорадства наблюдала, как вытягивается лицо Антонины Михайловны. Бедную Кириллову парализовало от звуков и запахов, которые летели из ее квартиры. Никита и девчонка после баталии в постели закурили «козьи ножки» и начали обсуждать свои проблемы.

— Хорошая у тебя хата, — одобрила гостья.

— К ней мать прилагается, блин, — выразился юноша. — Надоела, сил нет!

— Че ты за мужик, бабу обломать не можешь? — заржала девчонка. — Вмазал бы ей пару разов, и все. Как получит по носу, спорить побоится.

— Просто мечтаю от нее избавиться, — откровенно признался Никита. — Вернусь домой и думаю: «Хоть бы мутер под машину попала! Или убил бы ее кто в темном углу!» Андрею из моего класса повезло. У него предки в машине с эстакады слетели.

— Ну хватит! — перебила его девушка. — Мы че, только о твоей мамаше говорить будем? Или другая программа намечается?

Довольно посмеиваясь, парочка ушла из кухни.

— Как хорошо слышно... — пролепетала Кириллова. — А ведь они не особенно громко разговаривали. Они там курят? Запах странный, не табачный.

— Это марихуана, — пожала плечами Марина. — Сейчас травку купить легко. Вас на сигаретах переклинило? А то, что Никита мечтает о вашей смерти, не напрягло? Достали вы его своим воспитанием!

Антонина Михайловна горько вздохнула.

— Одна парня тяну, хочу из него человека сделать, хорошую профессию дать. А Никита неблагодарный, учиться не желает, по утрам на занятия его не добудишься. Все бы ему по ночам в клубах прыгать да на проституток у шеста любоваться... Хочу как лучше... А он сопротивляется. Вот положит в карман аттестат, пойдет в институт, устроится на службу, заработает авторитет, получит пост начальника, тогда может позволить себе небольшой загул. Но не в шестнадцать же лет!

Марине стало смешно.

— А когда? В стариковские тридцать пять? Вы сами-то в клубе бывали? Там редко дедулек с бабульками встретишь. На пенсии уже не до веселья станет, в молодости погулять надо. Вы не правы, долбежкой и зудежкой ничего не добьетесь. Человек должен сам собой распоряжаться. Оставьте Никиту в покое.

Антонина Михайловна пошла к двери. Но вдруг обернулась и сказала:

— Знаешь, Марина, ошибка, которую ты по глупости совершишь в молодости, может напомнить о себе в тот момент, когда уже сама о ней позабудешь. Живешь хорошо, вполне счастливо, а она в дверь стучит: «Здравствуй, Тоня, вот она я». И вся твоя судьба наперекосяк пойдет. Не хочу, чтобы Никита совершил подобную ошибку, и тебе желаю не делать глупостей. За них потом придется расплачиваться.

Закончив рассказ, Марина пошла к чайнику, а я спросила:

— Они перестали ругаться?

Хозяйка квартиры оперлась о кухонный стол.

— На время Антонина попритихла. Никита поступил в училище. А потом заново у них баталии пошли. Тема та же: мать про учебу голосила.

И Никита дома ночевать перестал. Как вернется, у Кирилловых война орков с гномами. Пару раз я всерьез хотела ментов звать, до того они расходились. Антонина на Никиту орала, тот в ответ вопил. В конце концов по батареям народ стучать начинал. Тогда они громкость убавляли, но отношения продолжали выяснять. Но вот уже два дня тишина стоит. Кириллова на сына не нападает. Я решила, что тот снова спать не является. У соседей, словно в могиле, ни одного звука, и запахи никакие не ползут. Наверняка в их квартире пусто. А сейчас ты пришла. И что я могу подумать? Придушил сынок маму.

— Где учится Никита? — насела я на Марину.

Она ткнула пальцем в окно.

— Решил поближе к дому устроиться. На той стороне шоссе учебное заведение имеется. Лучший выбор для парня — медучилище. На сто девок два мужика. Говорю же, лучший выбор!

Я простилась со стриптизершей, перешла через дорогу и отправилась на поиски Никиты. В учебной части меня встретили любезно, а вот о студенте Кириллове заведующая Елена Константиновна высказалась без восторга.

— Сплошная головная боль от него! Прогульщик, лодырь, балбес, в голове одни гулянки. Сессии сдает на тройки, да и то их ему из жалости ставят. Отзывы по практике хуже некуда.

— Почему же Кириллова держат в училище? — удивилась я.

Елена Константиновна пригорюнилась.

— Распоряжение директора. Игорь Иванович велит брать мальчиков вне конкурса и приказывает их, несмотря ни на что, до выпускного дотягивать. Говорит: «У нас тут не женский монастырь, надо, чтобы и парни в аудиториях сидели». Вот мы и мучаемся. Девочки у нас хорошие, многие нацелены на медвуз. А с юношами беда.

Елена Константиновна посмотрела на дверь и понизила голос:

— Уж извините, но мужской пол здесь — сущие отбросы. Не попали в хорошие институты, испугались армии и кинулись туда, куда стопроцентно примут и отсрочку дадут. По идее, наши студенты после трех лет обучения должны идти работать в больницу медсестрами и медбратьями. Тут есть некоторая хитрость: время обучения засчитывается как трудовой стаж, поэтому, поступая в профильный институт, бывшие наши воспитанники имеют льготы. Да, они теряют несколько годков, но потом, если, конечно, захотят, непременно станут врачами. Вот только мальчики, похоже, здесь просто отсиживаются. Кое-кто, покинув нас, бежит в вузы совсем иной направленности, не имеющие ни малейшего отношения к лечению людей. Возьмем Ваню Рябинкина. Отсидел здесь на лекциях с сентября по июнь, и пожалуйста — прошел по конкурсу на экономический факультет МГУ. Зачем ему понадобилось наше училище? Требовалась тихая гавань, чтобы не забрали в казармы. Рябинкин с репетитором занимался и со второй попытки поступил в университет. И подобных ему много. Хотя бывают исключения. Например, Николай Пересветов. Поступил сюда от безнадежности, увлекся хирургией, теперь...

Я бесцеремонно прервала Елену Константиновну:

— Вернемся к Никите Кириллову.

— Из него ничего не выйдет, — вынесла вердикт зав. учебной частью, — он прогульщик и лентяй.

— Кириллов сейчас на занятиях? — спросила я.

— Несколько дней не показывался, — ответила женщина.

— Заболел? — уточнила я.

— Понятия не имею, — скривилась Елена Константиновна. — Заявится, потребую справку, посмотрю, что бездельник врать будет.

— Мальчик не посещает лекций, а вы не забеспокоились, — укорила я ее.

Елена Константиновна возмутилась:

— Мальчик?! Еще скажите — малыш... Никита здоровенный лось, на две головы выше нас с вами! И ничего с ним не случилось. Ники Малышевой тоже нет. Думаю, они вместе гуляют.

— Малышева — девушка Никиты? — уцепилась я за кончик тоненькой ниточки.

Елена Константиновна издала булькающий звук. Вероятно, это был смех.

— Девушка? Вот уж неподходящее слово для Ники! Они с Никитой не разлей вода, что, впрочем, не мешает им ругаться. Совсем стыд потеряли — дней десять назад подрались в компьютерном классе, стол сломали. Теперь жду, когда их родители ущерб возместят. Впрочем, на Малышеву надежды нет, у нее мать — алкоголичка. А Кириллова — приличная женщина, но пока сюда не спешит. Правда, Антонина Михайловна сразу деньги предложила, но я ей ответила: «Спасибо, конечно, да я не имею права наличными брать. Езжайте в магазин и привезите мебель».

— У вас есть адрес Малышевой? — перебила я заведующую.

Елена Константиновна положила ладонь на мышку, перевела взгляд на монитор.

— Улица Радько, дом пятнадцать. Здесь рядом, идите мимо супермаркета, увидите там у двери бабу в зеленой шубе, можете познакомиться. Это Алла, мамаша Ники. Она в магазине полы моет, если, конечно, трезвая, а с пьяных глаз у порога топчется, выпрашивает на выпивку. Одного не понимаю — почему ее директор не гонит?

— Номер квартиры подскажите, — попросила я.

— Там барак, — поморщилась заведующая. — Сама я в гости к Малышевой не заглядывала, но предполагаю, что отдельных апартаментов в здании не сыщется, коридорная система.

На улице неожиданно оказалось солнечно, дождь закончился, сентябрь решил порадовать москвичей бабьим летом. Улица Радько начиналась сразу за училищем, и я решила пойти пешком. Пусть машина пока постоит у дома Кирилловой, мне полезно прогуляться. На пути, как и обещала Елена Константиновна, оказался супермаркет. Возле стеклянных дверей маячило существо, облаченное в наряд из шкуры убитого чебурашки, который перед смертью позеленел от неведомой болезни.

Я поднялась по ступенькам и спросила у потерявшего человеческий вид создания:

— Вы Малышева?

— Не помню, — затряслась пьяница. — Дай на пиво!

— Где Ника? — задала я следующий вопрос.

— Кто? — икнула алкоголичка.

— Ваша дочь, — уточнила я, — Вероника.

Заботливая мамаша подняла руку, черными ногтями поскребла макушку и изумилась:

— Дочка? Моя?

— Твоя, — подтвердила я, решив больше не «выкать» тетке.

— Чтой-то не припомню, — прохрипела та, —

ваще из головы вымело. Недалеко я тут поселилась, за оврагом. Через лес надо перейти. Туда!

Я молча посмотрела в ту сторону, куда показала пьянчужка. Ни малейшего намека на лес в радиусе полукилометра не было и в помине. Автобусная остановка, ряд палаток с мелочовкой, дальше несколько двухэтажных домов.

Двери супермаркета раздвинулись, появилась черноволосая женщина с ведром и шваброй.

— Не пугай покупателей, Алла, — тихо сказала она. — Максим Львович рассердится. Ступай домой, проспись.

Малышева встряхнулась, словно облитая водой кошка, и заорала:

— Пошла вон! Стану я от чебуреков замечания слушать! Понаехали сюда из аулов... Я коренная москвичка, с пропиской. Максим Львович не меня, а тебя вон выставит. Хамло! Дай на пиво!

Последняя фраза адресовалась мне.

— Ничего не получишь, — отрезала я, — лучше послушай добрый совет: иди домой.

Алла шагнула в сторону, ударила ногой по ведру и завопила. Наверное, хулиганка надеялась, что емкость перевернется, но она почему-то даже не вздрогнула.

— Ой-ой-ой! — присела Малышева. — Я пальцы сломала! Щас пойду к Максиму Львовичу, расскажу, как на меня Курага Урюковна напала и ногу повредила! Нехай мне компенсацию платят! Тыщу рублей! Мало всем не покажется! Урою! Тебя, чебуречина, выпрут, денег не заплатят, — узнаешь, как на москвичей наезжать! Я не пьяная! На опохмел прошу с трезвых глаз!

Продолжая ругаться и твердо наступая на якобы поврежденную ступню, Алла влетела в магазин.

— Странно, что директор разрешает подобной нимфе разгуливать около супермаркета, — пробормотала я.

Уборщица оперлась о швабру.

— Нимфа? Скорей уж Алла козлоногий сатир или Бахус.

— Увлекаетесь древними легендами и мифами? — поразилась я.

Поломойка поправила платок.

— Считаете всех, кому не довелось родиться в Москве, идиотами? Или предпочитаете, как Алла, в отношении гастарбайтеров слово «чебурек»?

— Нет, я просто никак не ожидала услышать от вас про сатиров и Бахуса, — честно призналась я. — Вы филолог?

— Преподавала в институте древнюю литературу, — спокойно пояснила уборщица. — Я армянка, муж азербайджанец, жили мы неподалеку от Баку. В нашем городе много смешанных пар, никто о национальности не задумывался, а потом по телевизору кричать глупости стали. Свекровь на сына наехала: «Брось Ануш, она не нашей веры, найдем тебе мусульманку». Ибрагим с матерью поругался, и мы уехали в Ереван. А там совсем тихо, работы нет, в магазинах пусто. У нас двое детей, чем их кормить? Где учить? Ибрагим решил в Москву ехать, здесь у него родственник нашелся. Теперь муж на рынке, в овощной палатке работает. А я в супермаркете шваброй орудую. Дети в школу ходят. Нельзя на людей нападать, не от хорошей жизни мы на эмиграцию решились. Ибрагим дома в театре пел, у него хороший баритон, но в России его талант никому не нужен. Да и я как специалист по древней литературе тоже без надобности, своих хватает. Зато у вас полно вакансий чернорабочих. Чем Алла лучше нас? Мы не пьем, не курим, детей любим. Одна гордость у Малышевой — она москвичка. Только дочка ее постоянно голодной ходит.

— Вы знаете Нику? — обрадовалась я.

— Хорошая девочка, — кивнула Ануш.

— В медучилище о ней плохо отзываются, — вздохнула я.

Ануш опустила швабру в ведро.

— Там ребят не любят. Ника нормальная, ее жизнь с пьяницей озлобила. Гордая она! Зашла она как-то в подсобку, Аллу искала, я как раз обедать села. Вижу, Ника слюну сглатывает, предложила ей: «Садись со мной, на двоих супа хватит. Попробуй, я сама варю, в термосе из дома приношу. Не сомневайся, свежая курятина». Понимаю, голодная она. А Ника в ответ: «Спасибо, тетя Ануш, я сыта». Какое там! Глаза правду выдали, и я настояла: «Не побрезгуй, угостись!» Так она одну ложку проглотила, поблагодарила и ушла. Не хотела, чтобы ее нищенкой считали. Да вот и сама Ника!

Я обернулась. По ступенькам поднималась худенькая девочка в джинсах и майке.

— Добрый день, тетя Ануш. Вы мою мать не видели? — спросила она.

— Внутрь пошла, — ответила уборщица, — а тебя вот женщина ищет.

Ника вздрогнула, обхватила себя руками за плечи и выпалила:

— Я ничего не знаю!

Я ласково улыбнулась.

— Пока я ничего и не спрашивала.

Вероника покосилась на Ануш, старательно надраивавшую ступени.

— Давай отойдем, — предложила я. — Время обеденное, не хочешь перекусить? Я угощаю. Вон там кафе.

— Вы кто? — не пошла на контакт Ника и сама же ответила: — Елена Константиновна постаралась? Она давно твердит, что мою маму надо родительских прав лишить. Опоздали. Во вторник я стану совершеннолетней, восемнадцать исполнится. И меня кормить не надо, у нас дома полный обед — суп, мясо и компот!

Выпалив это, девушка сжала кулачки и гордо выпрямила спину. В моей душе моментально проснулось воспоминание...

Вот четырнадцатилетняя Вилка бежит по школьному коридору и налетает на завуча Григория Петровича, которого дети да и некоторые учителя не любили от всей души. За манеру быстро и много говорить короткими фразами и за редкостную тупость педагог заработал кличку Барабан. Наша классная руководительница, молодая Наталья Карловна, бегала плакать в туалет после того, как Барабан с элегантной простотой сказал вслух: «Учительнице замуж никогда не выйти. Ну кому они нужны? Да и в нашей школе нет ни одной симпатичной!»

Барабан хватает меня за плечи, разворачивает и цедит:

— Тараканова? Куда летим, сломя мозг?

Мне не удается скрыть радости:

— Домой, Григорий Петрович, нас отпустили.

— Домой? — повторяет Барабан. — И что тебя там ждет? Пьяная тетка! Ох, надо бы давно в отдел опеки сообщить, пусть вашей семьей займутся. Алкоголикам нельзя разрешать воспитывать детей, тебе будет лучше в интернате. Государство позаботится, хоть полноценно питаться станешь!

В советские годы из детей с тщанием взращивали патриотов. Я гордилась комсомольским значком и считала, что живу в лучшей стране на земном шаре. Но в нашу школу ходили на уроки одинаково одетые в коричневые пальто и обутые в темно-синие ботинки ребята из интерната. Больше всего на свете я боялась оказаться в их числе. А еще в душе бушевало негодование: по какому праву идиот Барабан осуждает Раису? Не так уж часто она напивается, всего раз десять в месяц. И не всегда до состояния камня. Кто его просит совать нос в чужую семью? К сожалению, я не могла высказать Барабану правду в лицо, поэтому, старательно изображая почтение, прошептала:

— Григорий Петрович, у нас дома борщ, котлеты и компот. Тетя Рая только что обед приготовила. Я побегу?

— Ступай, Тараканова, — кивнул Барабан. И бросил мне в спину отеческое напутствие: — Ох, предвижу твою судьбу печальную. Не выйдет из тебя толку! Умрешь под забором!

Мне стало так обидно! Аж до слез! И тут на помощь мне неожиданно пришел главный школьный хулиган Вася Кузьмин, который с любопытством подслушивал нашу беседу.

— Зато из вас, Григорий Петрович, вышел толк! — с несвойственным ему подобострастием воскликнул он.

Барабан, самодовольный болван, не почуяв подвоха, важно ответил:

— Да, Кузьмин, из меня вышел толк.

— Вышел... совсем весь, — нараспев произнес Вася, — а бестолочь осталась.

Я не дружила с Кузьминым, имела свою компанию, но в ту минуту чуть не бросилась мальчишке на шею с поцелуями...

— Вы мне теперь угрожать не сможете, — продолжала ничего не подозревавшая о моих мыслях Вероника. — До вторника потерплю, поговорю с вами, а потом имею полное право вас послать.

— Я ищу Кириллова, — мягко сказала я, — он не ходит в училище, и дома его нет.

Ника не стала любезнее.

— Я ему не сторож!

Я решила не обращать внимания на агрессивность девочки.

— Думала, вы друзья.

— Кто вам это сказал? — нахмурилась Малышева.

— Птичка напела, — улыбнулась я.

— Вот и сверните ей шею! — предложила Ника. — Чтоб в другой раз зря не чирикала. Я ваще с Кирилловым не общаюсь.

Девочка определенно не хотела продолжать разговор, но я постаралась продлить беседу.

— Почему? Он противный?

— Вам-то какое дело? Я не имею к Никите никакого отношения.

Я вздохнула.

— Жаль. Надеялась, что ты подскажешь, как лучше донести до него ужасную новость. Впрочем, будет ли она для него шокирующей?

Ника снова обхватила себя за плечи и затряслась.

— Колешься? — не выдержала я. — Или нюхаешь волшебный порошок?

— Если я из небогатой семьи, значит непременно наркоманка? — еще пуще обозлилась Малышева. Но пояснила: — Просто холодно в одной футболке. И че за весть?

— Антонина Михайловна умерла, — сказала

я. — По идее, Никите были обязаны сообщить, но, думаю, он пока не в курсе, что стал сиротой.

— Вау! — подпрыгнула Ника. — Тонька отвалила? Супер!

— Не принято так откровенно радоваться смерти другого человека, — не выдержала я. — Даже, на твой взгляд, противного.

— Вам и не представить, какая она была! — неожиданно разоткровенничалась Ника. — Что Никита ни сделает, все фигово. Ей ничего не нравилось. Орала на него, пощечины отвешивала. Красиво?

— Не очень, — признала я. — Но прояви хоть каплю сожаления.

Внезапно Ника попятилась.

— А как она померла? Упала и шею сломала? Или сердце отказало?

— Антонину Михайловну убили, — сказала я.

— Вау... — прошептала Ника. — Кто?

— Вот это я и пытаюсь выяснить, — ответила я.

— Вы из ментовки, да? — напряглась Ника. — Ничего не знаю.

— Давай пойдем выпьем кофе, — снова предложила я.

— Домой мне пора, — засуетилась Малышева. — Э... у меня... Короче, зачет скоро... по этой... ну... фармакологии, там латынь.

Последние слова девчонка договаривала, отведя глаза в сторону.

— Учеба — это главное, — кивнула я, — но, пожалуйста, если вдруг ты столкнешься с Никитой, попроси его позвонить. Вот моя визитка. Надо же сообщить Кириллову о смерти матери. Спасибо за помощь. Пойду дальше по делам.

С огромным трудом удерживаясь от желания обернуться, я зашла за супермаркет и через секунду очень осторожно высунулась из-за угла. Ануш старательно протирала большое окно, по ступенькам поднимался мужчина с маленьким мальчиком, а ярко-розовая футболка Ники мелькала уже на другой стороне дороги. Малышева спешила вовсе не в сторону родного барака.

Я помчалась за ней, держась поближе к домам и на ходу снимая ветровку. Курточка у меня волшебная, ее можно носить как на черную, так и на красную сторону. В момент разговора с Никой я была в ярком варианте, но сейчас сольюсь с толпой, одетой по-осеннему. Ветер пробежал по обнаженным рукам — под курткой у меня была лишь майка. Я побыстрее натянула верхнюю одежду. Да, Веронике Малышевой сейчас действительно холодно в футболке... Хотя, если учесть скорость, с которой девочка летит сквозь толпу, она давно вспотела.

Хлоп! Малышева буквально впрыгнула в подъезд. Я ринулась за ней, увидела за лифтом светлый проем, услышала новый хлопок и поняла: здесь есть «черный» выход. Мгновение понадобилось, чтобы выскочить во двор, плотно забитый машинами. Вдали маячили железные гаражи, выкрашенные в темно-зеленый цвет. Ника, уцепившись руками за прутья, лезла через забор, который высился вокруг небольшого двухэтажного здания из светлого кирпича. Будущая медсестра легко преодолела преграду и поспешила к ряду гаражей.

Я подлетела к ограде и увидела объявление «Детский сад № 8464/а. Родители! Прием детей строго до 8.00. Опоздавшие не впускаются. Запрещено перешвыривать воспитанников младшей группы через забор и подсовывать под ворота. В случае нарушения правил пользования детсадом родители будут наказаны возвращением детей домой. Навсегда!»

На секунду я опешила. Следует ли понимать, что малышей старшего возраста можно «перешвыривать через забор и подсовывать под ворота»? Интересно было бы взглянуть на мать с отцом, которые способны проделать это с крошкой...

Ника исчезла из поля зрения, и я поторопилась преодолеть ограду. Благополучно пересекла территорию сада и вышла к гаражам. Ряд зеленых домиков упирался в высокую бетонную стену. Без альпинистского снаряжения ее не преодолеет даже гимнаст Немов. Оставалось лишь удивляться, как же отсюда выезжают машины? Автомобилю не перескочить через забор. Значит, где-то есть дорога, но я ее не вижу. Как, впрочем, и девочку. Ника, вероятно, зарулила в какой-то гараж.

Я медленно пошла вдоль железных стойл. На воротах висели огромные замки. Некоторые особенно рачительные хозяева укутали их в полиэтилен, другие надели на запоры разрезанные пластиковые бутылки. Наконец почти в самом конце я обнаружила гараж, дверь в который оказалась чуть приоткрыта.

Затаив дыхание, я втиснулась внутрь и тут же услышала взволнованный голос Ники.

— Никитос! Хорош дрыхнуть! Дурак, да? Тя найдут! Вставай, надо придумать, что говорить ментам. Ну, ваще, я не верила! Ты с ума сошел? Тебя посадят в тюрьму. Эй, Никит, давай. Ну Никита... Никита... Чем набухался? Хоть сядь. Никитаааа... А-а-а!

В последнем вопле прозвучал такой ужас, что я, забыв о необходимости прятаться, бросилась в глубь гаража. Машины в отсеке не оказалось, крик несся из-за плотной занавески, которая отделяла часть помещения. Я отдернула брезент и увидела некое подобие комнатушки. У стены стоял небольшой топчан, в углу громоздилась этажерка, на ней тускло горела лампа. Еще здесь было продранное кресло и маленький черно-белый телевизор «Юность», стоявший на сложенных кирпичах.

Ника визжала, закрыв лицо руками. Я обняла ее.

— Тише. Что тебя испугало?

Малышева ткнула пальцем в кучу скомканных одеял на импровизированной кровати.

— Он там!

Я подошла к топчану, чуть наклонилась и зажала рот рукой. На подушке без наволочки лежала голова парня. Туловище до подбородка прикрывало одеяло, из которого торчала серо-желтая вата. Я не судмедэксперт, но даже мне стало понятно: Никита мертв.

В сложной обстановке всегда должен найтись человек, который сохранит присутствие духа. Нику трясло в ознобе, и я скинула куртку, набросила ее девочке на плечи и укорила:

— Уже осень, надо потеплее одеваться.

— Мама вещи пропила, — клацая зубами, ответила девушка, — все за водку спустила. Никита обещал, что скоро купит мне много-много всего. Ему деньги светили.

Малышева осеклась, потом неуверенно добавила:

— Он Антонину не убивал.

Я потащила Нику к выходу.

— Пошли.

— Куда? — растерянно спросила девочка.

— Выпьем горячего, — предложила я, вынимая мобильный.

— А Никита? — прошептала Ника. — Его нельзя здесь оставлять!

— Конечно, нет, — согласилась я, — уже звоню, куда следует. Сюда приедут специалисты, но им по пробкам тащиться около двух часов. Ты окончательно замерзнешь, еще заболеешь. Лучше посидим в тепле. Нас позовут, когда понадобимся.

Ника вцепилась в мое плечо.

— Спасибо! Мне очень страшно. Вы в милиции каждый день такое видите, а я боюсь.

Когда мы сели за столик в кафе и Ника начала жадно есть горячий суп, я осторожно завела беседу.

— Вообще-то я не служу в уголовном розыске. Пишу детективные романы.

— Типа писательница? — поразилась Малышева. — Я не люблю читать, лучше кинушку посмотреть, от книг у меня начинает голова болеть. И в них все плохо заканчивается.

— А Золушка? — возразила я. — С ней все хорошо вышло.

— Это сказка, — отрезала Ника. — Для маленьких и глупых. А в жизни все иначе. Как с Никитой. Я ему говорила: «Не будет хорошо». А он: «Не дрожи, футболисты не плачут. Нарублю баблосов, и мы с тобой поедем к черепахам».

— К черепахам? — удивилась я.

Малышева смущенно улыбнулась.

— Я передачу по телику видела про остров, где живут гигантские черепахи, на них можно верхом кататься. У меня мечта там побывать.

— Где Никита собирался найти денег? — спросила я.

Ника вытерла нос рукой, потом взяла салфетку и промокнула пальцы.

— Ему один дядька обещал.

— Просто так? — удивилась я. — В подарок?

Малышева с хлюпаньем проглотила последнюю ложку супа.

— За услугу. Правду хотите узнать? Бесплатно не расскажу.

Мне оставалось лишь удивляться титанической крепости нервной системы собеседницы. Совсем недавно Ника кричала в гараже от ужаса, а сейчас, деловито загибая пальцы, перечисляла то, что хочет получить от меня за откровенность.

— С вас куртка, свитер, джинсы, рубашка, кроссовки и три тыщи рублей.

— Хорошо, — согласилась я, — ты это получишь. А теперь говори!

— Че, я похожа на дуру? — уставилась на меня девушка. — Кино видела? Там один мужик сказал: «Сначала деньги, потом табуретки».

— Стулья, — машинально поправила я.

— Да хоть диван! — захохотала Ника. — Важен принцип.

— Поблизости найдется магазин одежды? — вздохнула я.

— Целых три, — заверила Малышева. — Прямо у метро.

ГЛАВА 9

Довольная донельзя Ника переоделась прямо в павильоне, где торговали одеждой. Старые джинсы и розовую футболку ей уложили в пакет.

— Здорово! — откровенно радовалась она. — Теперь мне тепло. Пошли назад, в то кафе, я еще чаю попью, с пирожным. Когда мне из милости чего предлагают, не соглашусь взять, а если за работу, то можно побольше получить. Правильно? Вам надо правду узнать? Платите.

Я не хотела злить Малышеву, поэтому кивнула. Интересный у девочки характер. То, что предложено от чистого сердца, она отвергла, но чужую тайну хочет продать. И, похоже, смерть Никиты ее больше не волновала. С другой стороны, где Нике было научиться благородству, интеллигентности. И как освоить науку любви, если перед глазами пример мамы-алкоголички, которая без зазрения совести пропивает единственную осеннюю куртку дочери?

Ника съела три эклера, выпила чай и заявила:

— Начинаю рассказ. Все по-честному.

— Сделай одолжение, — кивнула я.

— Вы вещи не отнимете? — вдруг забеспокоилась девочка.

Мое терпение лопнуло.

— Найду и раздену тебя? И съеденный обед тоже заберу?

Малышева засмеялась:

— Навряд ли. Прикольно! Надо запомнить.

— Говори по сути, — приказала я.

Ника сложила руки на столе и неожиданно складно, почти литературным языком изложила свою историю.

Никита и Ника познакомились в училище. Третьего сентября они сели за одну парту, а пятого отметили пивом начало страстной любви. Алле Малышевой, занятой исключительно поисками очередной бутылки, было все равно, где и с кем гуляет дочь. Сначала парочка весело проводила время в комнатушке в бараке, но потом соседки возмутились. «Шлюха! — орали они на Нику. — Вся в мать! Мужиков водишь! У нас здесь один сортир на всех! Заразы нам не надо!»

Переспорить разъяренных теток девочка не

пыталась, ей запросто могли надавать оплеух. Пришлось искать другое пристанище. Никита живо сообразил, что мама целыми днями на работе, и привел Малышеву к себе.

По сравнению с девятью метрами барака скромная двушка бухгалтерши показалась Веронике дворцом. У Никиты была своя комната, на двери которой висела табличка «Дуракам не беспокоить». Ванная, туалет и кухня тоже предназначались для пользования членов одной семьи. Ника размечталась, как уйдет от Аллы, выйдет замуж за Никиту, будет королевой принимать душ, не слыша стука в дверь и воплей: «Малышева, ты тут не одна! Вылезай, другим тоже мыться надо!»

В ее мечтах не нашлось места для Антонины Михайловны. А та озверела, когда поняла, что сын, вместо того чтобы посещать занятия, приводит в дом любовницу. Как только Кириллова не обзывала подругу сына! Никита в первый момент даже растерялся — он и не предполагал, что мама знакома с матерной лексикой. Правда, парень быстро пришел в себя и дал родительнице отпор.

Больше года Кириллова устраивала скандалы, а Ника с Никитой вынуждены были шляться по чужим подъездам и подвалам. Но потом случилось чудо. На парочку наткнулся сосед Никиты, тихий мужик, который сдавал свою квартиру. Что его понесло на чердак? Но дядька поднялся под крышу и чуть не наступил на рваный матрас, где лежали парень с девушкой.

Вечером того же дня сосед позвонил в дверь Кирилловых. Никита открыл и с порога кинулся в бой:

— Матери нет! Если вы пришли жаловаться, то чердак общий, а натреплете мамаше, про вас в налоговой узнают. Вы квартиру нелегально сдаете.

— Остынь, — коротко сказал мужик, — сам таким был. Дома родители на мозг капали: «Женись и спи с женой». А мне гулять хотелось. За фигом свадьбу играть? Держи ключи. У меня пустой гараж. Вас там никто не тронет. Только с электроплиткой поосторожней, пожар не устройте.

— Спасибо, — выдавил Никита.

— Танцуй, пока молодой! — отшутился мужчина.

Вот так у парочки появился «свой дом». Алла не замечала отсутствия дочери, а Антонина Михайловна продолжала пилить Никиту — у Кирилловой был менталитет циркулярной пилы. Она признавала лишь один метод воспитания — постоянные нотации.

— Скоро мне исполнится восемнадцать, и я уйду от матери на фиг, — сказал перед Новым годом подруге Никита.

— Куда? — резонно спросила Ника.

— Будем в гараже жить, — улыбнулся любимый.

— Там холодно, — поежилась девочка. — Вот бы Тонька умерла! Нам бы квартира досталась.

— Мать ничем не болеет, — пригорюнился Никита, — даже насморка у нее не бывает.

— Не повезло, — расстроилась Ника.

Но недавно Никита сказал Веронике:

— Скоро у нас будет куча денег!

— Сами нарисуем? — захихикала девочка. — Отпадно!

Кириллов приложил палец к губам.

— Тише. Не кричи. Мне пообещали заплатить за работу.

— Что делать надо? — оживилась Ника. — Листовки раздавать? Часы на дороге впаривать?

В «Быстроцыпе» бургеры продавать? Все уже перепробовали, миллиона не отвалилось.

— Велено Тоньку кое-чем угостить, но это секрет, никому ни слова, — предупредил Никита.

— Зачем ее угощать? — не поняла подруга. — И неужели за это бабло дадут?

Никита притянул Нику к себе и зашептал ей на ухо:

— Тонька одному мужику досадила. Он рассказал... Ладно, тебе это знать не надо. Здорово мамашка его достала! Умрет она, нам квартира и деньги достанутся.

Ника испугалась. Да, она сама желала, чтобы Антонина Михайловна долго не задерживалась на этом свете. Но одно дело — проклинать противную скандальную тетку, и совсем другое — убить ее.

— Не надо! — пискнула Малышева.

— Почему? — спокойно спросил Никита.

— Нехорошо это, — ответила Ника. — Поймают — посадят.

— Менты не захотят разбираться со смертью простой бухгалтерши, — парировал Кириллов, — и не смогут никого поймать. Мне мужик объяснил: они подумают, померла Тонька от инфаркта. И че? Тыщи людей от сердца откидываются. Зато нам квартира и деньги отойдут. А ей так и надо, есть за что. Сука она!

— Откажись, — ныла Ника, — мне страшно.

— Футболисты не плачут! — провозгласил свой любимый лозунг Никита. — Поздно, мне аванс дали. Триста евро. Пошли гулять.

Никита был нежадным — сводил любимую в кино, а потом купил два мобильных телефона и симки с самым дешевым тарифом.

— Когда ты ее будешь... того? — поинтересовалась Ника, когда они вернулись в гараж и освоили новые сотовые.

— Скоро, — сообщил кавалер.

— Ой, не надо... — начала новый раунд уговоров Ника.

— Самому плохо! Когда с тем мужиком говорил, все круто выглядело, а сейчас как-то страшно. Нехорошо мне... Лучше заткнись! — обозлился юноша. — Мне Тоньки с нравоучениями хватит.

— Ты меня не купил, поэтому не командуй, — огрызнулась Малышева.

Слово за слово, молодые люди поругались, и Ника убежала. Девушка обиделась на Никиту и решила выдержать паузу. Она не посылала ему эсэмэсок и твердо намеревалась не звонить милому. Малышева отлично знала: только дай слабину, разреши себя назвать дурой, проглоти обиду, и в следующий раз Никита распустит руки. Ника с пеленок жила в бараке и навидалась «семейного счастья»...

— Идиотки кругом, — излагала она мне сейчас свои жизненные принципы. — Муж ей нос сломает, а она уроду утром водку на опохмел выставляет. Со мной это не пройдет. Первая на поклон не потороплюсь. Мы с Никитой и раньше ругались, больше недели он никогда не выдерживал, прибегал с шоколадкой. Мне и в голову не приходило, что он... ну... короче, что и правда убьет мать.

— Когда ты встречалась с Кирилловым в последний раз? — спросила я.

— Пять дней назад, — отрапортовала Ника. — Чесслово! Можете проверить.

— Мне это удастся? — усомнилась я. — Ты прогуливаешь занятия, вот здесь сомнений нет.

В классном журнале против фамилии Малышева сплошные значки отсутствия.

Ника опустила глаза.

— Я записалась в школу стриптиза. Могу дать адрес. Я там с утра до ночи по ускоренной программе занималась. Вчера сдала экзамен, меня в клуб взяли, начну деньги зарабатывать.

— А медучилище? — удивилась я.

— За фигом мне оно? — пожала плечами Ника.

— Стоило ходить, чтобы бросить... — неодобрительно покачала я головой. — Все-таки надо получить профессию. Мне в свое время не удалось закончить институт, и я очень жалею об этом.

— И че потом? Делать за копейки клизмы старухам? — фыркнула Ника. — Не для меня это. В медучилище я пошла, чтобы мать родительских прав не лишили. Есть у нас одна падла в коридоре, шипела мне в спину: «Скоро избавимся от тебя, заберут от родительницы в приют». В школе учителя на меня когти точили, пришлось в училище устраиваться, чтобы претензий не было. Я за партой сижу, мама — уборщица в супермаркете, она меня воспитывает. Какие приюты? Я давно в стриптиз-класс собиралась, но туда только совершеннолетних берут. Я очень просила, чтобы за три месяца до дня рождения меня оформили.

— Где же ты деньги взяла? — упорствовала я. — Бесплатно уроки танцев не дают.

Но у Ники на все имелся ответ:

— Они в кредит обучают, отработаю выступлениями. В танцклассе много таких. А хотите, тайну открою? Не бойтесь, она хорошая. У меня сегодня в полночь первое выступление. Девчонка, которая мне про стриптиз рассказала и в студию привела, объяснила, что правильная танцовщица за ночь полторы штуки евро имеет. Чаевыми делиться надо, но все равно много остается. Сразу я столько не заработаю, но со временем обрасту постоянными клиентами. Мадонна предупредила: «Главное, не спорь с мужиками, сварливых им дома хватает. В клубе ты зайчик-персик-пупсик-конфетка». Ох, у меня столько планов! Импланты в грудь вставлю, как у Мадонны.

— Кто такая Мадонна? — задала я вопрос.

— Девушка, которая меня к стриптизу приобщила, — важно ответила Ника. — У герлы всегда псевдонимы. Я, например, Миледи. Слушайте! А че с квартирой Кирилловой будет?

Резкая перемена темы меня удивила.

— Понятия не имею. Если не отыщутся наследники, наверное, отойдет государству.

Малышева ударила себя кулаком в грудь.

— Чего их долго разыскивать? Я наследница. Мы с Никитой хотели расписаться. Я ему жена.

— Не уверена, что гражданская супруга имеет права на собственность, — пробормотала я. И схватила оживший сотовый.

На экране высветился номер Юры. Хотите узнать, как к вам на самом деле относится человек? Посмотрите, под каким именем вы записаны в его контактах. Шумаков у меня «Мишка Гамми».

— Приехали. Вы где? — деловито спросил майор.

Как я и предполагала, к гаражам вела дорога, через забор детского сада вновь лезть не пришлось.

Когда мы с Никой дошли до места, откуда начинался длинный ряд гаражей, девушка вдруг сказала:

— Квартира будет моей. Я добьюсь своего! В бараке оставаться не хочу, а на топчан, где Никита умер, больше не лягу. Да и страшно здесь одной. Знаю, как действовать. Рядом с нами жила Светка Волкова, она после смерти любовника его однушку отсудила. Доказала, что вела с ним это... как его...

— Совместное хозяйство, — подсказала я. — Трудный путь. Потребуются показания свидетелей, которые подтвердят, что ты и Кириллов жили как супруги.

Ника вздернула голову и вытащила из кармана связку.

— Никита дал мне ключи от входной двери. Вот видите? Разве постороннему человеку так доверяют? Я могла в любой момент к Кирилловым без разрешения войти!

— Лучше посоветоваться с адвокатом, — вздохнула я.

— Супер! — издевательски кивнула Ника. — Шоколадная идея! Подскажете, где бабки взять?

Я примолкла. Вилка, ты дурочка! Действительно, откуда у нищей Ники средства на хорошего юриста? Малышева, усмехаясь, смотрела на меня. Слава богу, именно в это мгновение раздался голос Шумакова:

— Наконец-то!

Осмотр места происшествия — долгое дело, но Юре не надо было оставаться до конца процедуры. Он заглянул в гараж, потом сказал Нике:

— Полезай в мою машину.

Я тронула Юру за плечо.

— Погоди. Разве дело поручено не Лаврову?

Юра поднял воротник куртки.

— Ну и погода... То жарко, то холодно. Лавров в больницу попал.

— Что с ним? — охнула я.

— Ерунда, упал и сломал ногу. На ровном месте, при входе в свой кабинет.

Мне показалось, что Юра шутит.

— Правда?

Майор не смог удержать на лице спокойное выражение, его губы растянулись в улыбке.

— Абсолютная. Он сам не понимает, отчего плюхнулся. Там и порога нет, пол гладкий. Но факт остается фактом. Хотел войти в комнату и рухнул. Увезли по «Скорой».

— И дело директора крохотной фабрики игрушек досталось тебе? — удивилась я.

— Больше передать некому, — кивнул Юра. — Но я честно начальству о своем знакомстве с Ольгой рассказал.

— Что тебе ответили? — заинтересовалась я.

— Работай, мол, спокойно, только не распространяйся на эту тему. Официально вы отношений не оформляли, к сплетням мы не прислушиваемся. Зато знаем: ты будешь объективным, твоя честность сомнений не вызывает, — пересказал Юра напутствие начальства. — Народу у нас катастрофически не хватает. Сергей Львович ушел на пенсию. Андрюшка с Костей завалены делами по горло, Витька уехал мать хоронить, ему отпуск дали, Анна только на работу пришла, она в июле диплом получила, ей ничего серьезного не поручат, а Мишка ногу сломал. Ну, и кто остается? Ты меня тоже знаешь, я не позволю эмоциям разуму мешать. Ну, пока!

Помахав мне рукой, Шумаков направился к автомобилю. Я пошла туда, где бросила свои «колеса», размышляя на ходу. Умные люди придумали разные инструкции и правила. Некоторые ограничения откровенно глупые, другие, вроде того что нельзя вести дело, в котором замешаны твои пусть даже не очень близкие знакомые, вполне разумны. Но еще более умные люди легко сообразили, как можно объехать на кривой козе запрещающие знаки. Я хорошо знаю Шумакова. Он будет абсолютно объективен. Но если нарушишь правила один раз, легко сделать порочный шаг во второй, в третий. На мой взгляд, что запрещено, то нельзя. А в жизни получается по-другому: вообще-то так поступать не следует, но при условии нехватки кадров закроем глазки на нарушение.

Утром за завтраком тетя Варя объявила:

— Сегодня едем выбирать кольца. Гена, ты готов?

Жених подавился геркулесовой кашей.

— Чего делать надо?

Будущая теща уперла руки в боки.

— Ты всерьез спросил? Или оглох? Обручалки надо взять. Это твое дело.

— Почему мое? — испуганно поинтересовался парень.

Варвара сложила руки на груди.

— Надо соблюдать традиции. От меня платье, от тебя золото. А на свадьбу расходы пополам.

Гена закатил глаза и зашевелил губами: похоже, он подсчитывал свою кассу. Итог его не обрадовал, и парень промямлил:

— Я думал, вы все купите. За невестой приданое дают.

Варвара всплеснула руками.

— Тебе дома мало? Два этажа, во дворе сарай, летний душ, колодец, огород со всем добром — слива, яблоня, вишня, малина, крыжовник. Дров на зиму навалом. В комнатах обстановка, ковры, хрусталь. Можешь назвать, кто в таком достатке семейную жизнь начинает? Ишь ты, у самого в кармане ни шиша, а за невестой приданое требует... Лучше молчи!

Но Геннадий не внял доброму совету. Уж не знаю, какая муха укусила молчаливого парня, но насекомое постаралось на славу.

— Сами говорили — действуем по традициям. Я куплю Нинке кольцо и на стол половину денег отвалю. Где приданое?

— Разговорился! — стукнула кулаком по стене Варвара. — Про дом слышал? Он невестин.

— А вы, Варвара Михайловна, из него съедете? — деловито осведомился Геннадий.

Нина дернула будущего мужа за рубашку.

— Думай, че несешь! Зачем маме из родного гнезда сматывать?

— Дом нашим станет, — пояснил женишок, — а мне нет интереса, где теща окажется. Я из хорошего воспитания поинтересовался, ради приличия.

— Ну чисто сказочка про Теремок! — заорала Варвара. — Пустили жабу, и она всех вон выжабила!

— На Теремок медведь сел, — продемонстрировал знание сказки Гена. — Значит, теща не умотает?

Нина треснула жениха по затылку.

— Конечно, нет.

Геннадий потер голову.

— Ладно. А если мне захочется обои переклеить? Или комоды со шкафами переставить?

— Нет, вы слышите! — заголосила Варвара. — В моем доме хозяйничать замыслил! Ни рубля не принес, а на готовый пирог рот разинул!

Геннадий посмотрел на будущую тещу.

— Приданое мужу отдают. А если хата будет вместе с вами, то она не подарок.

— Вон оно что... — пропела Варвара. — Ты кольцо покупать не хочешь, поэтому и завел про дочкино приданое! Дескать, я не по традициям поступаю, а ты в ответ действуешь.

Нина покраснела. Я решила погасить на корню вздымающееся цунами.

— Если вы собрались в ювелирный салон, то поторопитесь. Могу отвезти вас туда лишь в первой половине дня, после обеда придется вам ехать на метро.

Слава богу, по дороге в магазин гости не скандалили. Они вполне мирно обсуждали пейзаж за окном и ругали Москву на все корки.

— Народищу! — ужасалась Нина. — И все сумасшедшие!

— Хамы, — подхватила Варвара, — дорогу не уступают.

— Че с них взять? — высказал свою точку зрения Гена. — Все москвичи богатые, они провинцию ограбили — мы их кормим, поим, а нам потом в нос неуважение.

— Ни разу приятного москвича не встретила, — впервые на моей памяти согласилась с будущим зятем Варвара.

Я хотела напомнить разудалой компании, что водитель, который их сейчас везет, родился и вырос в столице, но вместо справедливого возмущения у меня вырвался вопрос:

— Варвара, вы правильно запомнили адрес? Мы у нужного дома. Где магазин?

— Да вот же он! — обрадовалась тетка и ткнула пальцем в боковое стекло. — Че, вывеску не заметила?

Я повернула голову и постаралась не захохотать на всю округу. На торце здания из огромных синих букв складывалось название торговой точки — «Золотарь»[1].

ГЛАВА 10

— Нам сюда! — обрадовалась Нина. — Не обманула тетя Наташа, правильный адрес назвала. Некоторые себе красоту купят, а другим ни за что не расскажут, где взяли. Пошли!

Мы вошли в зал и начали рассматривать стеклянные витрины, в которых сверкали украшения. Кроме нас тут ходила еще одна пара. Женщина была сильно расстроена и со слезами в голосе повторяла:

— Паша, мы ничего не купим? Паша, мы ничего не купили!

— А разве собирались? — прогудел муж.

— Зачем тогда пришли? — не успокаивалась жена.

— Сама сказала: «Давай только поглядим, я ничего не хочу», — напомнил Паша.

— Ой, какая красота! — взвизгнула супруга. — Я о таком кольце давно мечтаю!

Павел издал вздох, сильно напоминающий стон.

— Недели не прошло, как я тебе шубу купил! Галь, успокойся.

— Из кролика! — обиженно уточнила Гали-

---

[1] Золотарем на Руси называли ассенизатора, человека, который чистил выгребные ямы. Название магазина выдумано. Очень надеюсь, что никому не пришло в голову назвать так ювелирный салон. — *Прим. автора.*

на. — Ты на зайца расщедрился и попрекаешь. Шубенка холодная, не ноская.

— Ниче, длинноухий шкурку всю жизнь носил и не замерз, — возразил Павел.

— Скажи честно: тебе неохота жене подарок сделать, ты жадный... — ныла Галина.

Павел размашисто перекрестился.

— Честное слово, мне для тебя ничего не жаль. Кроме денег.

Галина всхлипнула и выбежала на улицу. Муж крякнул и медленно двинулся следом. Мы вчетвером остались у витрин. Из подсобки вынырнула продавщица и, распространяя запах чеснока, спросила:

— Вам помочь?

— Покажите вон то колечко, — ткнула пальцем в стекло Нина.

— У вас отличный вкус, — польстила хозяйка прилавка, — это лучшее изделие, бриллианты, белое золото, три сапфира, ручная работа.

— Сколько стоит? — забеспокоился Гена.

— Шестьсот тысяч, — не дрогнувшим голосом объявила девушка. И добавила: — Рублей, не евро.

— Бывают безделушки за такие деньги? — попятился парень.

Продавщица окинула взглядом испуганного жениха, поправила бейджик с именем «Эля» и невозмутимо ответила:

— Каждый мужчина обязан продемонстрировать любовь. Чем дороже кольцо, тем горячей чувство.

— Офигеть! — вздрогнул Гена. — Лучше поедем в другое место.

— И куда? — скривилась Варвара.

— На рынок, — уже тише сказал жених, — там дешевле.

— А мне это кольцо нравится... — капризно протянула Нина.

— Оно не свадебное, — попытался отговорить ее Гена, — обручалка другая.

— Какая? — грозно поинтересовалась Варвара Михайловна.

Геннадий постучал пальцем по стеклу.

— Вон то подходит. Покажите.

Эля навесила на хорошенькое личико презрительную гримасу.

— Которое вытащить?

— Справа, в уголке лежит, — пояснил жених.

— Самое тоненькое, простое? — уточнила продавщица.

Но Геннадий неожиданно нашел точное слово:

— Классическое.

Эля приподняла стеклянную крышку.

— Вот! Золото низшей пробы, вес ноль, ноль, ноль три грамма. За коробку отдельная плата.

— И сколько? — потер руки Геннадий.

— Тысяча два рубля, — снисходительно озвучила сумму Эля.

— Подходит, — ликовал Гена, — берем не глядя.

— Супер... — с презрением вымолвила продавщица. — Вообще-то такие кольца подростки покупают. Симпатичная вещь, дешевенькая и вроде золотая. Коробочку оплатите?

— Конечно, — продемонстрировал купеческий размах жених. — Уложите красиво. И скока за все?

— Три тысячи два рубля, — объявила Эля.

— Эй, ты говорила, что обручалка за штуку идет! — удивился экономный Ромео.

— А коробка? — изогнула брови Эля.

— Картонка дороже украшения? — подпрыгнул Геннадий. — Тогда ее не надо.

— И чо, вы такое шикарное кольцо сразу невесте на палец наденете? — издевательски спросила Эля.

— Мама! — заныла Нина. — Не хочу! Что соседи скажут? А Машка? У нее глаз-калькулятор! Побежит по городу, всем растреплет: «Нинка Шумакова дерьмо на свадьбу получила». Мама-а-а!

— Убери ерундовину, — приказала Варвара продавщице, — вынимай с сапфирами.

Эля перешла к другой витрине.

— Обручальное подыскиваете? Не берите с синими камнями, плохая примета. Вам другое подойдет.

— Какое? — всхлипнула Нина.

Продавщица открыла небольшой сейф, торжественно поставила на прилавок бархатный сундучок и откинула крышку.

— Ой, мама! — на сей раз с восхищением воскликнула Нина. — Это что?

— Бриллиант «Слеза» в лапках, — произнесла Эля. — Элегантный дизайн, ничего вычурного, камень говорит сам за себя.

— Хочу, — топнула ногой Нина.

— И сколько? — живо спросил Гена.

Эля пошевелила губами.

— Для вас, учитывая скидку, которую «Золотарь» дает новобрачным, семьсот тысяч. Вы примерьте...

Пока Геннадий приходил в себя, невеста пыталась надеть колечко.

— Туго входит, — пропыхтела она.

— Мало! — ожил жених. — Не подходит!

Но женщины единым фронтом выступили против несчастного.

— Хорошо, что не соскользывает, — заявила Варвара, — не потеряется.

— Село, как родное, — подхватила Нина, — не сразу залезло.

— У нас мастер есть, — подала реплику Эля, — чуть растянуть кольцо не проблема.

— Снимай! — приказал Гена. — Откуда у меня такие деньжищи?

Нина сжала пальцы в кулак.

— А где Митька для своей Наташки их надыбал? Он ей комплект подарил — серьги, браслет, кулон и обручалку.

— Митька прораб, он хозяев при ремонте обворовывает! — возмутился Геннадий. — А я честный!

— Лучше б ты воровал! — в сердцах выпалила невеста.

Жених повернулся к теще:

— Ваше воспитание...

Я ожидала от Варвары Михайловны бурной реакции и на всякий случай переместилась к входной двери. Сейчас ласковая теща схватит стул и швырнет его в скаредного зятя. Лучше держаться подальше от зоны бомбардировки. Но дама неожиданно поступила иначе.

— Снимай, Ниночка, украшение, — тихо сказала она, — такие для богатых делают. Голь перекатная ерундовину берет. Не оглядывайся на Наташу, она за деньги замуж пошла, а ты любовь выбрала.

— Мама... — всхлипнула Нина.

Но сбить Варвару Михайловну с выбранного ею курса сложнее, чем сдвинуть с места руками авианосец.

— Говорила я тебе, советовала, но ты не послушала. Сватался же к тебе Сергей Петрович Когтев. У него дом полная чаша. А ты? «Ему шестьдесят стукнуло, не пойду за старика...» Сейчас бы на иномарке каталась, прислугой командовала. Так нет, уперлась. До двадцати девяти лет дотерпела и нашла любовь.

— Мама, — зарыдала Ниночка, — сделай что-нибудь!

Варвара Михайловна иезуитски улыбнулась.

— За тебя теперь муж будет ответственный. Видели глазки, что выбирали, теперь ешьте, хоть повылазьте. Не стану в жизнь молодых вмешиваться. Только совет зятю дам, нехорошо так начинать. Еще не расписался, а жену до слез довел.

Нина тут же зарыдала. Эля юркнула в подсобку.

Геннадий решил оправдаться и совершил ошибку:

— Она мне пока не жена.

— Вот как? — подпрыгнула Варвара. — Заявление подано, дата определена, гости созваны, и задний ход? У нас так не принято! Нинка, стягивай обручалку! Немедля!

Заливаясь слезами, невеста стала снимать кольцо.

— Пятьсот тысяч! — закричала Эля, выходя в зал. — Я поговорила с хозяином, он разрешил снизить цену.

— Не пойдет, — пискнул Гена, — лучше машину купить. Можно «Жигули» взять, «пятнашку».

— А Наташку на иномарке из церкви везли, — ввернула Варвара.

Геннадий изумился.

— Их дом прямо у храма стоит, там ехать некуда.

— И что? — всхлипнула Нина. — Натка в салон села, побыла там минуту и вылезла. Не ехала, но все увидели: богатая свадьба. Джип черный, комплект из брюликов. А у меня? Хуже, чем у всех людей!

— Ниче, доча, «Жигули» — все же не пешком, — ехидно заметила добрая мама.

Нина снова зарыдала. И пожаловалась:

— Не снимается. Кольцо застряло.

— Ерунда, — сказала Эля, — это случается. От нервов рука отекла. Вот до чего женщину довели...

Гена кашлянул.

— Сейчас мыло принесу, стащим, — завершила тираду продавщица.

Спустя пятнадцать минут оптимизма у Эли поубавилось. Ни мыло, ни гель, ни растительное масло не помогли.

— Надо вам его брать, — пропыхтела Эля, пытаясь сдвинуть с места золотой ободок. — Украшение не желает сниматься, выбрало хозяйку.

— Сустав мешает, — остановил ее жених. — У вас молоток найдется?

Нина быстро спрятала руку за спину.

— Можно поискать, — задумчиво ответила продавщица. — Но зачем?

— Если по кости потюкать, она мягче станет, сожмется, и перстень съедет, — пояснил женишок.

Нина неожиданно кинулась ко мне.

— Помоги!

Я обняла девушку и заявила:

— Нет, никакие слесарно-столярные инструменты нельзя пускать в ход.

— Так чего? Нам с ним уходить? — взвыл Гена.

Эля смахнула с прилавка невидимую пыль.

— На днях я кинушку смотрела, там прям как у нас сегодня получилось! Жена браслет мерила, а снять не смогла, застрял он. Знаете, че муж сделал? Он тоже украшение покупать не собирался!

Я решила, что чужой опыт может оказаться полезным, и попросила:

— Поподробнее, пожалуйста.

Эля выпучила глаза.

— Схватил топор и хрясь по запястью! Кровища фонтаном! Мужик браслет хозяину отдал и говорит: «Окажите любезность, положите отрубленную руку супруги в пакет, мы в больницу поедем, там ее назад пришьют». Прикольный фильм. Мужики страшные люди! Вот вчера пара к нам зашла. Женщине цепочка понравилась, но муж ни в какую. Наорал на нее: «Вечно ты клянчишь! Кто тебе кожаное пальто сам подарил?» И хлоп дверью! На улицу ушел. Я давай тетку утешать: «Зачем вам дурацкая цепка?» Покупательница пожаловалась: «Ни одного подарка муж мне за восемь лет не сделал». Тут я напомнила: «Вроде вы кожаное пальтишко получили». А она заявляет: «Ванька взял старую шубу свекрови, белку обтрепанную, побрил ее под ноль и вручил мне со словами: «Носи, женушка, кацавейку из лайки». Вот на что мужики способны!

Пару секунд в магазине висела гнетущая тишина.

— Мама, он меня топором убить хочет... — прошептала Нина.

Эля снова унеслась в подсобку, а я испугалась.

— Пожалуйста, не надо воспринимать все всерьез, глупая продавщица пыталась пошутить.

— Ха-ха-ха, — замогильным голосом произнесла Варвара, — лежу в корчах.

— Юмор необходим, — вставил Гена. — Вон по телику здорово хохмят.

— Хозяин сказал: «Пусть берут за триста», — сообщила, вернувшись, Эля. — Раз кольцо не слезает, оно уже при хозяйке. Эксклюзивное предложение. Здрасти, Роман Сергеевич!

— Привет, Элечка, — весело откликнулся, входя в магазин, мужчина с черной папкой в руке. — Кому тут нужно кредит оформить?

— Кредит? — переспросила я.

Эля выпрямилась.

— Пока вы здесь лаялись, я решила проблему. Рядом находится отделение банка, сейчас Роман Сергеевич ссуду оформит, и вы заберете кольцо.

— Шикарная идея! — обрадовалась Нина. — Генка, давай паспорт.

Жених, словно зомби, повиновался невесте. Клерк в мгновение ока вытащил бумажки и откашлялся.

— Сумма кредита триста тысяч рублей под двадцать процентов годовых, плюс процент обслуживания на пять лет, учитывая цену барреля нефти, заложенную в госбюджет, с правом пересмотра вышеозначенного кредитного баланса в сторону увеличения процента, связанного с курсом евро по отношению к монгольскому тугрику, при балансе индекса Джоуля — Кензо. Все ясно?

Я потрясла головой. Кензо — это фамилия всемирно известного японского модельера. Какое отношение он имеет к кредитам?

— Понятно или повторить? — не успокаивался Роман Сергеевич.

— Не надо, — хором ответили мать с дочерью, — пусть подписывает.

— Чегой-то я не разобрался, — пискнул Гена. — Как их отдавать?

— Перечислением или наличными, по вашему выбору, — затараторил клерк. — В случае опоздания внесения средств в определенный договором день банк имеет право налагать арест на имущество должника плюс убытки по процентам за минусом содержания естественных потребностей вышеуказанного в договоре основного лица, далее именуемого Клиент, для его функционирования в режиме возврата кредита и учтенных процентов ниже написанной суммы общего количества рублей по курсу евро, на момент опоздания оплаты процента без кредита, но с учетом того, что обусловлено статьей девять данного договора и примечанием двенадцать нашего заверенного примечания, путем слияния кредита и первого процента залоговой суммы от баланса индекса Харо — Мисо. Но это, как всем понятно, естественно, опирается на результат торгов Лондонской биржи и, подчеркну, никак не зависит от Токио, что для вас крайне выгодно. Подписываем?

— Скока в месяц нужно будет отдавать? — проблеял Гена.

— Повторю, — спокойно сказал Роман Сергеевич. — Вы не разобрались в основной или дополнительной части? Вас волнует эмиссионная составляющая или брокерская ответственность? Убыток колеблется вместе со шкалой Бойля и остается незыблемым в рамках общебанковской оплаты. Плюс страховой бонус и репетир на основную ставку. Все суммируем и получаем альянс. Что неясно?

На меня неожиданно напала зевота. Гена стал похож на слегка опьяневшего человека. Нина, словно китайский болванчик, мерно качала головой. Одна Варвара Михайловна сохранила ум и сообразительность. Она работает директором школы, следовательно, имеет нервы крепче металла, из которого делают ракеты. Будущая теща спросила:

— Когда Нина получит кольцо?

— Подпишите пакет документов и забирайте, — обнадежил ее клерк.

Варвара схватила зятя за плечо:

— Бери ручку!

— Взял, — покорно сказал несчастный.

— Укажите в графе своей рукой паспортные данные, — велел банковский служащий.

Геннадий взглянул на старшую Шумакову.

— Как меня зовут? Где я?

Варвара легко оттеснила обалдевшего парня и начала писать в анкете.

— Стойте, — попытался оседлать цунами Роман Сергеевич, — это положено собственной рукой заемщика заполнять.

— Нет у него ничего личного! — гаркнула тетя Варя. — Теперь все в семье. Я сама его собственноручной рукой напишу.

Оформление бумаг заняло считаные минуты. Клерк ушел, красная Нина вытянула руку и, глядя на кольцо, заверещала:

— Мам! Помнишь, как ты новый ковер купила и на стену повесила? И к нам баба Зина приплелась...

— Конечно, помню, — кивнула Варвара. — Зинке любопытство мозг точит, никогда ничего не упустит. Заявилась, типа, сахару одолжить...

— А сама на коврик уставилась, — перебила Нина, — и говорит: «Ой, ну какой же красивый палас! У меня аж гипертония от расстройства скакнула. Больно вы хорошую вещь купили». Прикинь, че с ней случится, когда мое кольцо увидит? Да сдохнет сразу! И Наташка с ней. А Ленка пятнами покроется, Танька со Светкой понос заработают.

— Ну и слава богу, — кивнула мать, — лишь бы тебе хорошо было. Теперь у нас все как у людей!

— Жениху колечко не забыли? — подала голос Эля.

— Черт! — подпрыгнула Нина. — Мам, его по традиции невеста покупает.

— Так я и не спорю, — не испугалась Варвара. — Видела в витрине обручалки за пятьсот рублей. Примерим и купим без сожаления. Мужику дорогое украшение не требуется, все равно он его потеряет. Заворачивай коробки. Вот деньги.

Эля живо оформила покупку и отдала ее Варваре.

— Я очень аккуратный, — обиделся Гена.

— Пойдешь без жены гулять, стащишь кольцо, сунешь в карман, оно и выпадет, — заявила без трех минут теща.

У Нины отъехала в сторону нижняя челюсть.

— Не найдется у вас мне в подарок десяти рублей? — внезапно спросила Эля.

Я удивилась, но открыла сумку и подала девушке купюру.

Эля схватила ассигнацию и начала обмахивать ею прилавок.

— Что такое? — не поняла я.

Входная дверь стукнула, Шумаковы и Гена вышли на улицу.

Продавщица хихикнула:

— У меня сегодня первая покупка. Чтобы день хорошо прошел, надо удачу приманить — взять деньги от клиента, положить их веером на прилавок и обмахнуть одной бумажкой. Но у нас же безнал, поэтому я десятку попросила, в кассе-то пустыня. Теперь договор вот так разбросаем...

Проворные пальчики Эли распределили листочки веером, придавили их маленькими гирьками, которыми пользуются ювелиры, и девушка вновь начала размахивать купюрой, приговаривая:

— Денежки, денежки, денежки, летите сюда, мои сладенькие...

Мне стало смешно.

— Помогает ворожба?

— Стопудово работает, — серьезно кивнула Эля. — Не передумали подарить мне эту десятку? Она теперь счастливая, ее надо поближе к сердцу держать.

Я окончательно развеселилась.

— Забирайте на здоровье.

— Спасибо, — улыбнулась Эля. Затем быстро сложила бумажку в четыре раза, не забыв поплевать на каждую сторону, и сунула ее в лифчик.

Я покинула магазин и увидела Варю, Нину и Гену около машины.

— Пойдем, прогуляемся, вон там торговый центр вижу, — сказала директриса. — Ты езжай, Вилка, куда собиралась, а мы своей семьей побродим. Нинка, снимай украшение, нехорошо так расхаживать.

Дочь кивнула и в одно мгновение стащила золотой ободок. Варвара сняла с шеи цепочку, повесила на нее кольцо, вновь ее надела и спрятала под кофтой. Гена молча наблюдал за происходящим.

Когда троица исчезла за поворотом, я уселась в машину. Интересно, как Нина проделала фокус «застрявшее кольцо»? Оно не снималось ни с гелем, ни с маслом, но сейчас элементарно соскользнуло с пальца. А девушка не так проста, как кажется... Добилась желаемого. Решила заиметь дорогое украшение — и получила его.

ГЛАВА 11

Я выехала на перекресток и только тогда удивилась. Почему молчит мобильный? Пока светофор горел красным, я извлекла из сумки сотовый и щелкнула с досады языком. Почему молчит? Да потому что хозяйка забыла его включить!

Едва палец нажал на нужную кнопку, как телефон нервно заверещал.

— Привет, милый, — виновато сказала я, по надписи на дисплее поняв, кто звонит. — Совсем из головы выпало, что на кнопочку нажать надо.

— Не могу найти Нику, — без всякого предисловия заявил Юра. — Ты с ней вчера долго общалась. Куда девочка могла пойти?

Я призадумалась.

— В бараке она спать не хотела, в гараже ей было страшно. Небось отправилась к подруге.

— Имя назови, — потребовал Шумаков.

— Ника про подруг ничего не рассказывала, — вздохнула я. — Вероятно, однокурсницы из медучилища знают больше моего.

— Сам понимаю, — буркнул Юра и отсоединился.

Обижаться на него не имеет смысла: он злится не на меня, а на обстоятельства. А правда, куда могла подеваться Малышева? Вроде девочка говорила про ночной клуб и свое выступление у шеста. Она уже распланировала, на что потратит первый заработок, еще не получив денег, — снимет отдельную жилплощадь...

Я включила хэнд-фри, продолжая размышлять. Ну конечно! Ника наверняка решила жить в двушке Кирилловых, девочка полна желания отсудить в свою пользу хоромы. Она продемонстрировала мне ключи и заявила: «Никита дал, я могу в любое время пойти к Кирилловым».

Необходимо срочно сообщить Юре о моей догадке. Но вместо него откликнулся автоответчик, а к служебному телефону Шумаков не подошел.

Сзади послышались гневные гудки. Если я хочу попасть домой, где предстоит сесть за стол и с головой погрузиться в рукопись, то необходимо повернуть здесь налево... Но мне все-таки кажется, что нужно съездить домой к Антонине Михайловне. Тогда следует держаться правого ряда...

— Чего встала? Мартышка за рулем! — заорал, высовываясь из окна черного внедорожника, кудрявый парень. — Понакупают прав и мешают людям на дороге. Стрелку не видишь? Вставь в глаза микроскоп!

Я вцепилась в руль, лихорадочно соображая, что делать. Мы работаем с Юрой в паре, значит, я обязана смотаться в квартиру Антонины. Ночью Ника впервые крутилась у шеста, небось сейчас она мирно спит в кровати. Разбужу Малышеву, а к тому времени и Шумаков окажется в зоне доступности.

Помня о том, что Ника вернулась домой на рассвете, я долго нажимала на звонок в квартиру Кирилловых, потом постучала в дверь, которая немедленно приоткрылась. Мне стало не по себе, однако я смело шагнула в тесную прихожую и крикнула:

— Есть кто дома?

Ответа не последовало. Но ведь Ника, устав от танцев, может крепко спать. Я решила закрыть дверь, потянула за ручку и поняла, что замок не защелкивается, надо повернуть ключ.

Из крохотного предбанника вел короткий коридор, а напротив вешалки была узкая дверь из дешевого пластика. Я заглянула за нее. Так и есть, совмещенный санузел, очень чистый, с аккуратно повешенным единственным полотенцем. В стаканчике стояла одинокая зубная щетка, на полке у зеркала — две баночки с дешевым кремом для лица и одеколон.

По спине побежали мурашки. Вещи часто переживают хозяев. Никому из Кирилловых косметика с парфюмерией больше не понадобятся.

Из коридора я сначала попала в большую комнату. Она, похоже, служила гостиной и спальней Антонины. Старая «стенка» с давно отслужившим свой срок цветным телевизором, который по размеру больше современных стиральных машин, диван-книжка, прикрытый клетчатым пледом, пара кресел, журнальный столик с хрустальной вазой, из которой торчат искусственные орхидеи. Сколько раз я бывала в подобных апартаментах? Когда подрабатывала репетиторством, почти каждый день. Все мои ученики жили на пятых этажах хрущоб без лифта, и я насмотрелась на разные интерьеры.

В гостиной очень аккуратно прибрано, и Ники нет. Но не стоит терять надежду, скорее всего, девочка в спальне Никиты...

Я дошла до комнаты, увидела табличку «Дуракам не беспокоить» и чуть приоткрыла дверь. Личное пространство сына Антонины составляло примерно десять квадратных метров, и я сразу увидела Нику, которая сидела за доской, прикрепленной к подоконнику. Полноценный письменный стол в крохотную каморку не вошел бы, но хозяйка нашла выход. Наши люди крайне изобретательны, им в голову приходят такие идеи, до которых не додумается маститый дизайнер интерьеров. Антонина расширила подоконник, чтобы Никита имел удобное место для занятий.

— Ника! — обрадовалась я. — Ты встала!

Девочка не пошевелилась, не закричала: «Кто разрешил без спроса лезть в чужую квартиру?» Она осталась неподвижной.

У меня екнуло сердце. На подгибающихся ногах я подошла к окну и, сделав над собой усилие, посмотрела сначала на стол.

В центре доски возвышалась бутылка коньяка, довольно дорогого, ее окаймляли расставленные полукругом мелочи: череп из какого-то металла, большой ластик, подсвечник и зажигалка. Кто-то специально разместил вещи таким образом. А чашка, из которой Ника пила, валялась на паласе.

Помедлив пару мгновений, я посмотрела на Нику и не вздрогнула, потому что уже знала, что увижу широко раскрытые мертвые глаза. Встав на цыпочки и стараясь ничего не трогать, я выскользнула в коридор и вытащила из сумочки телефон. Ну пожалуйста, Юра, ответь...

— Да, — сказал голос Шумакова.

— Милый, я нашла Нику, она в квартире Кирилловой, — судорожно зашептала я.

— Двушка опечатана, туда нельзя входить, — ответил майор.

Вот хороший аргумент! Оторвать бумажку со штампом — плевое дело. Я, кстати, не заметила на двери ни малейших следов ленты, которую используют в таких случаях. Да Нику и не могла остановить эта смешная преграда!

— И я не просил тебя разыскивать свидетельницу, — буркнул Юра. — Ну ладно, вели ей ко мне ехать.

Я сделала глотательное движение:

— Не получится.

Юра рассердился.

— Ну-ка схватила девчонку в охапку, засунула в свою машину, и вперед с песней. Если нахалка качает права, напомни ей, что за незаконное проникновение в чужое жилище...

— Милый, послушай...

— Можно огрести срок, — не успокаивался Шумаков. — А еще...

— Котик, она...

— Помеха следствию карается...

— Она умерла! — выкрикнула я. — Выпила коньяк и, похоже, отравилась!

— Еду, — бросил Юра.

Иногда даже бог дорог способен проявить жалость. Шумаков ухитрился добраться из центра меньше чем за полчаса.

— Начинайте, ребята, — приказал он криминалистам, вошел на кухню и устроил мне допрос по всем правилам.

Когда я объяснила, почему и как попала в дом, Юра рассвирепел:

— Понимаешь, что ты натворила? Ты свидетель! Мало было моего знакомства с Ковровой, так еще теперь и ты действующее лицо. Кто просил тебя лезть?

Я начала оправдываться:

— Мы же решили работать в паре.

— Кто сказал? — опешил Шумаков.

— Ты, — ответила я. — Мы собрались помочь Оле. Теперь, наверное, с нее окончательно снимут подозрения. Нику отравили, когда Коврова находилась в реанимации, лучшего алиби не придумать.

Юра схватился за лоб и простонал:

— Ну да! Только тогда я был ни при чем, а сейчас дело мое.

Я возмутилась.

— Следовательно, я нужна тебе лишь тогда, когда ты не при исполнении?

— Точно! — кивнул Шумаков. — На данном этапе от тебя никакой пользы, кроме вреда. Давай договоримся: ты едешь домой и садишься за свою рукопись. Займись работой!

— Хорошо, — протянула я, — непременно.

— Ну что ты за человек! — с досадой продолжал Шумаков. — Кропай дюдики и не лезь в сложные дела. Пиши романчики, там ты полная хозяйка, оставь реальную работу специалистам.

Я молча смотрела на Юру. Уже слышала подобное от своего бывшего мужа Олега Куприна, он даже употреблял те же слова «дюдики» и «романчики». Мужчинам вообще-то не свойственно оперировать ласкательными терминами, они редко произносят «стульчик», «диванчик» или «рубашечка». И Олег, и Юра хотели пренебрежительно подчеркнуть малозначимость моих произведений, дать мне понять, чего стоит мое творчество...

— Можно уносить тело? — спросил криминалист.

— Что там, Коля? — отрывисто спросил Юра.

— Пока ничего, — буднично ответил Николай, — кроме этого...

Эксперт показал прозрачный мешочек, в котором лежала сложенная в несколько раз купюра.

— Похоже, двадцать евро. Точнее скажу, когда развернем ее в лаборатории.

— Эка важность, — покосился на меня Юра, — сейчас у людей в портмоне и несколько тысяч найдутся.

Николай улыбнулся:

— Лично у меня музыкальный кошелек — открываю его и слышу, как он поет романсы. Деньги у жертвы в лифчике обнаружились.

— Стандартное место хранения, — не сдался Юра, — лучше про время смерти скажи.

— Ориентировочно шесть-семь утра, — сказал Николай, — точнее после вскрытия.

— Юра, подойди! — крикнули из коридора.

Шумаков ушел.

— Причина смерти? — я воспользовалась моментом и подошла к криминалисту.

— Видимых повреждений нет, ни ран, ни ссадин, ни синяков, — хладнокровно перечислил Николай. — После вскрытия скажу точнее. Пока все.

— Ее могли отравить? — не успокаивалась я. — Например, коньяком? Кстати! Бутылка, которая обнаружена в офисе Ускова, той же фирмы? Здесь на столе я видела «Кумо». Недешевый алкоголь. Где его Ника взяла? Вы сфотографировали вещи, лежавшие на столешнице? И где чашка, которой пользовалась девушка?

Николай продемонстрировал другой пакет.

— Кружка, — заявил он, — не коньячная посуда.

— Верно, — кивнула я, — благородный напиток следует наливать в пузатый, сужающийся кверху фужер. В буфете, в другой комнате, есть «тюльпан» на темно-синей витой ножке. Почему она не взяла бокал оттуда?

— Кто ж ее знает...

— Наверное, он ей не понравился. И правда страшненький.

— У моей тещи такие же, — не обиделся на оценку фужера Николай, — двенадцать штук. Полторы тысячи рублей стоят. Между прочим, на ободке кружки остался след красной губной помады, по виду цвет ее совпадает с косметикой на лице трупа, но точно скажу после исследования в лаборатории. Пока не обнаружил ничего странного, кроме разве что мелочи.

— Говорите скорей! — попросила я.

Николай положил пакеты с уликами в большой кофр.

— Спальня затянута ковровым покрытием, причем дешевым — если его помять, то ворс назад не восстановится. В комнате есть следы от ножек стула, на котором сидел труп, а еще мелкие круглые ямки, которые тянутся цепочкой от двери, множатся у стола.

— Следы от шпилек! — подскочила я.

— Возможно, — кивнул Николай. — Что интересно, на трупе отсутствует обувь, ноги босые.

— В комнате был еще один человек, — занервничала я, — женщина в обуви на высоких каблуках. Она и отравила девушку.

— Или пришла, когда та уже умерла, — высказал предположение Коля.

— Что здесь происходит? — возмутился, входя в комнату, Юра. — Николай, почему болтаешь с посторонними?

— Я думал, она практикантка, — ответил эксперт, — или ее недавно на работу взяли. Задает профессиональные вопросы, держится уверенно, я предположил...

— Твое дело частицы да волокна собрать, упаковать, изучить и мне доложить! — гаркнул Юра. — Предполагать и делать выводы моя работа!

Николай и не подумал обидеться.

— Ладно тебе, Юр... А вообще попей настойку пиона на ночь, по чайной ложке. Невкусно, но отлично успокаивает, я тебе как врач советую.

— И когда ты живого пациента видел? — полез на рожон Шумаков.

Николай почесал ухо.

— Позавчера Женька Песков приходил, попросил занозу из пальца вынуть. Честно скажу, с трупами иметь дело лучше, они тихие, не матерятся, не обзываются, не орут: «Ой, больно, зачем кожу иголкой порвал!» А как еще щепку достать? Меня Песков затретировал и утомил! До свидания, девушка, приятно было познакомиться. Жаль, что вы не следователь, среди наших мало вежливых людей. Ну да им простительно, устают очень, вот и глючит их по-черному.

Я протянула Николаю руку.

— Рада знакомству. Пишу детективные романы, оттого и полезла с расспросами.

— Ух ты! — восхитился Николай. — А как ваша фамилия?

— Арина Виолова, — представилась я.

Николай спросил:

— «Дети капитана Врунгеля» ваше произведение?

— Мое, — с некоторой опаской подтвердила я.

Мало ли что сейчас скажет эксперт Коля. Литераторы часто делают ошибки, а специалисты их подмечают и смеются. Далеко за примером ходить не надо. Вспомним строки из бессмертного произведения Михаила Лермонтова: «И Терек, словно львица с косматой гривой на хребте, ревел...» Похоже, у Михаила Юрьевича была тройка по зоологии — гривами обладают исключительно львы, их жены не имеют шикарного украшения.

— Суперски написано, захватывает, я до самого конца не понял, кто главного героя пришил, — похвалил Николай. — Наикрутейший детектив. Мы вас всей семьей читаем — мама, брат, его жена и я. Еще соседей подключили, и девочки из лаборатории увлекаются. Юр, почему ты не сказал, что у нас будет звезда? Я бы книгу прихватил. Арина, вам не трудно автограф поставить, вот здесь, на чемодане, на крышке? Хотите, встретимся? Я вам много интересного подкину. Подскажу хитрые способы убийства.

— С удовольствием, — кивнула я.

— Ну а теперь, когда вы облили друг друга слезами восторга, кое-кому придется продолжить службу, — язвительно заявил Юра.

Николай подал мне визитку, я быстро вынула из сумки свою. Эксперт спрятал карточку в кофр и ушел. Юра обиженно засопел: ему не понравилось, с каким восторгом Николай отреагировал на имя Арина Виолова. Мне захотелось утешить Шумакова.

— У меня есть догадка, почему...

Но Юра не дал закончить фразу.

— Вилка, езжай домой, не лезь не в свое дело. Хватит мне мешать.

ГЛАВА 12

Понимая, что Юра наблюдает за мной из окна, я села в машину и направилась в сторону центра. Но у ближайшего поворота ушла направо, увидела небольшое кафе, припарковалась и отправилась в заведение. Обиду лучше всего заесть большим пирожным.

Когда два эклера исчезли с тарелочки, я слегка расслабилась и попыталась упорядочить мысли. Почему отравили Нику? Учитывая тот факт, что погибли Антонина Михайловна, а затем Никита, сам собой напрашивается вывод: бухгалтер что-то выяснила, сын каким-то образом тоже узнал секрет и рассказал о нем Нике. Думаю, парень был в курсе, кто лишил жизни мать, и решил заняться шантажом. Старая как мир уловка. Никита связался с преступником и заявил: «Плати деньги, и я не пойду в милицию».

Вот глупый мальчишка! Не всегда объект шантажа пугается и опрометью бросается в банк опустошать свой счет. Кое-то понимает: заплатишь один раз, придется всю жизнь раскошеливаться, и убивает вымогателя.

Когда Ника увидела тело Никиты, она сначала перепугалась, но потом довольно быстро взяла себя в руки. Малышева нищая, она мечтала выбраться из барака, забыть мать-алкоголичку и начать новую жизнь. Она живо сообразила, кто лишил жизни ее жениха, и совершила ту же ошибку, что и он, пригрозив преступнику разоблачением. А тот пообещал девочке неплохой навар, приехал и угостил дурочку отравленным коньяком.

Нет, что-то здесь не так. Надо встать на место преступника, мыслить как убийца. Итак... Сначала я убираю с дороги Антонину Михайловну и перевожу дух, решив, что причин для беспокойства больше нет. И тут появляется Никита. Я не хотела смерти парня, но так уж сложились обстоятельства. Едва Кириллов умер, как возникает Ника. Я не впала в истерику, пообещала глупышке жирный куш, приехала в дом к Антонине Михайловне, вручила шантажистке деньги и предложила ей обмыть сделку коньяком?

Я отодвинула на край стола пустую чашку. В том, что три смерти связаны между собой, я не сомневаюсь ни на минуту. Но с какой стати Нике пить вместе с убийцей? Почему преступник отправился на квартиру Кирилловой? Ему было проще встретиться с Малышевой в укромном месте, а не там, где его могут заметить соседи. Соседи... соседи...

— Хотите еще кофе? — спросил женский голос.

От неожиданности я подскочила на стуле.

— Испугала? Простите, пожалуйста, — смутилась официантка, — мне показалось, что вы меня зовете.

— Просто я задумалась, — вздохнула я. — Да, с удовольствием выпью вторую порцию капучино.

— Эй, как тебя там, — заорал мужчина за соседним столиком. — Поди сюда.

Девушка поспешила на зов.

— Меня зовут Настя, — вежливо представилась она. — Что желаете?

— Твое имя мне по барабану, — разошелся грубиян. — Где мои котлеты? Сколько можно их жарить?

Настя попыталась наладить с хамом контакт.

— На кухне никогда заранее не делают заготовки, у нас мини-ресторан, шеф выполняет заказы по мере поступления.

— Сгоняй к кастрюлям и выясни, че он с моей жрачкой чудит! — бушевал посетитель. — Да предупреди повара: мне не нужны вензеля из морковки, обойдусь без украшений. Есть хочу! Опаздываю!

Не успела официантка исчезнуть за занавеской, которая отделяла рабочие помещения, как оттуда в центр зала вылетела кошка. С первого взгляда стало ясно: животное перепугано насмерть. Короткая шерстка стоит дыбом, в круглых, невероятно больших глазах не видно зрачков, усы топорщатся, словно только что ошпаренный веник. С громким, душераздирающим воплем: «Мяууу!» — бедолага галопом пересекла зал и забилась под высокий буфет у стены.

И тут же из служебного отсека выскочила группа людей. Впереди бежал толстяк в короткой белой куртке и высоком бумажном колпаке и извергал фразы со скоростью пулемета. Я не поняла ни единой — повар изъяснялся на итальянском и не делал промежутков между словами, вопил что-то типа:

— Долчегабаннааморе!

Хотя маловероятно, что в погоне за кошкой кулинар упоминал фамилии известных модельеров.

Следом за потерявшим от гнева голову поваром летела Настя со шваброй в руках, а замыкал шествие мальчик лет четырнадцати, вооруженный полотенцем.

Итальянец чуть не наскочил на буфет, затопал ногами и заорал:

— Джованниробертокаваллипрегостенца!

Настя упала на колени и принялась тыкать шваброй под буфет. Кошка завыла, заорала, закурлыкала, загудела, как ветер в пустой бочке. Трудно представить, что такие звуки способно издавать одно существо.

— Вылазь, зараза! — требовала Настя. — Ну, пакость!

На секунду из-под темно-коричневой доски показалась круглая морда с выпученными глазами.

— Петька, идиот, хватай ее! — завизжала Настя.

Мальчик шлепнулся на пол рядом с официанткой, сунул руки под буфет и ойкнул.

— Кусается!

— Если ты ее не вытащишь, я тебя сам покусаю, — на чистейшем русском языке заявил повар. И добавил: — Импремиссимоармами!

— Сами попробуйте, Чиполлино Джонович, — обиженно отозвался мальчик. — Она ж не дается.

Повар побагровел. Настя перестала орудовать шваброй.

— Простите его, Чинзано Робертович. Петя кретин. Я ему на бумажке ваше имя напишу и выучить заставлю.

Шеф не успел достойно отреагировать на пассаж, из-за занавески высунулась кудлатая женская голова и запищала по-русски:

— Винченцо, аморе, что опять случилось?

Повар развернулся, пересек зал и четко произнес на языке Пушкина:

— Если кот через три минуты не очутится на кухне, я из Петра котлеты сделаю.

Едва его коротконогая фигура исчезла из поля зрения, как Настя накинулась на Петю:

— Болван! Он не Чиполлино!

Но мальчик не сдавался.

— Ага! И как злобину зовут? Уж точно не Чинзано. Ты бы к нему еще Виски Иванович обратилась.

— Мяууу, — простонала киска, крайне непредусмотрительно вылезая из-под буфета.

— Хватай сволочь! — скомандовала Настя.

После короткой, но бурной схватки Пете наконец-то удалось замотать несчастное животное в полотенце. Мальчик понес куль на кухню, за ним, держа швабру, словно драгун пику, двигалась официантка. Мы с мужчиной сидели молча.

Парочка, сопровождаемая невероятным кошачьим воем, скрылась за занавеской. Но через минуту шторки опять раздвинулись. В зал вышла Настя.

— Простите, пожалуйста, — поправляя растрепанную прическу, обратилась она к спешащему клиенту. — На кухне произошел форс-мажор. Сейчас фарш для котлеток навертят...

Окончание фразы потонуло в неописуемом кошачьем визге, который перекрыл рев электромясорубки. Мужчина втянул голову в плечи, я почти лишилась чувств от ужаса и жалости к бедной кисоньке, которую Чиполлино-Чинзано, похоже, недрогнувшей рукой пустил на фарш.

В ресторане установилась тишина. Повар выключил комбайн.

— И пожарят их за пять минут, — договорила Настя.

Посетитель вскочил и молча бросился к выходу. Официантка удивилась:

— Что это с ним? Ничего обидного я не сказала. Странные люди по жизни попадаются! Сейчас принесу ваш кофе. Уж извините, пришлось Мусю ловить. Гадкая кошка, вечно безобразничает, но Мартини Иванович ее обожает.

— Зачем он превратил любимицу в фарш? — прошептала я. — Нелогично получается. Или он нежно относится не к самой зверушке, а к бифштексам, которые сейчас жарят из нее?

— Скажете тоже, — засмеялась Настя, — Муся воровка, вечно на кухне тырит продукты. Она схарчила мясо, из которого собирались котлеты для клиента жарить. Чего ее на говядину потянуло? Она брезгливая, ни за какие конфеты к несвежему не прикоснется, но сегодня здоровенный шматок отъела. Шеф перепугался, потребовал Мусю схватить и сделать ей промывание желудка, а то вдруг она отравится. Мясо-то не для кошки, а для клиентов. Вот мы и кинулись ее ловить. А киса не дура, в зал ломанулась, небось считала, что там ее в покое оставят. Да плохо Муся своего хозяина знает. Щас сюда все ветеринары страны примчатся. Хорошо, на кухне на всякий случай побольше говядинки разморозили. Когда Муську поймали, повар велел быстро фарш крутить. Надо пойти и сказать ему, что клиент попался того, с приветом. Сделал заказ и удрал!

Настя покачала укоризненно головой, а я обрела хорошее настроение. Иногда события на проверку оказываются вовсе не такими, какими видятся. О чем подумаете вы, если после того, как поваренок унес в подсобное помещение кошку, раздастся ее дикий вопль и гул мясорубки? То-то и оно! Поэтому мужчина и улетел из ресторана быстрее, чем мысль об экономии денег из головы девушки в обувном магазине.

Официантка вкрадчиво пропела:

— Вы котлет не хотите? Не пропадать же добру. Если решите пообедать, заведение сделает скидку.

— Огромное спасибо, но мне врач категорически запретил жареную пищу, — выпалила я, вспомнив, как повар расстроился, услыхав об украденном любимой кошечкой несвежем мясе. Не уверена, что мне следует лакомиться биточками. Чиполлино-Чинзано-Мартини не зря потребовал сделать Мусе промывание желудка. Что-то он про эту говядину знает, и, думаю, не очень хорошее.

— Доктора надо слушать, — согласилась Настя. — Будете расплачиваться?

— Несите счет, — попросила я.

Получив от меня деньги, официантка взяла с блюдечка одну купюру и помахала ею над столом.

— У вас сегодня не очень удачный день? — улыбнулась я. — До сих пор не было клиентов?

Настя сложила пятидесятирублевую купюру и сунула ее в кармашек фартука.

— Дела идут так себе, — призналась она, — конкуренция очень большая. Народ предпочитает дома наедаться, а на заказах кофе-булочка чаевых много не заработаешь.

Я вздрогнула. Неожиданно перед глазами возникла небольшая комната, бутылка коньяка на столике, расставленные вокруг нее полукругом предметы, кружка со следами напитка на паласе и бумажка в двадцать евро, которую показал мне эксперт. Иногда ситуация кажется ясной, а на самом деле все было иначе. Как с кошкой Мусей. Ведь в данном случае никто не собирался пустить киску на котлеты, наоборот, ей хотели оказать срочную помощь. А что происходило в квартире Кирилловых?

Я встала и, забыв попрощаться с Настей, поторопилась к своей машине. Надо вернуться на место гибели Ники. Юра давно уехал на работу — ему больше нечего делать на месте преступления, зато там остались криминалисты. Вот они проторчат в квартире до утра, собирая пинцетами крохотные ниточки, волосы и прочие улики. Но я не стану мешать экспертам, а поспешу к соседке Маринке.

При виде незваной гостьи стриптизерша отнюдь не обрадовалась.

— Реально оцениваете, который час?

— Обеденный, — сказала я, — время приниматься за суп.

Марина откровенно зевнула.

— Это у тех, кто в десять вечера в кровать заполз и в восемь встал. А я около шести утра домой из клуба пришла.

Я без приглашения втиснулась в прихожую, закрыла дверь и сказала:

— Вероятно, ты изменишь свое мнение о несвоевременности моего визита, когда услышишь небольшую историю.

Марина зябко поежилась, а я прошла в кухню, села на табуретку и, не теряя ни минуты, начала:

— Жила-была девушка, назовем ее Мадонной. Конечно, имя ненастоящее, псевдоним, под которым юная леди выступает в стриптиз-клубе. Мадонна не богата, своим пентхаусом пока не обзавелась, снимает квартиру в блочном доме. А стены там тонюсенькие! Про такие есть анекдот. Беседует приемная комиссия со строителями, спрашивает прораба: «Вам не кажется, что очень уж хлипкие перегородки?» — «Так жильцы обои наклеят, — объясняет тот, — нормально получится». Правда, смешно?

Марина снова зевнула.

— Ухохочешься! Пришла меня веселить? Типа, клоун?

— Ни малейшего скрытого смысла в анекдоте нет, — согласилась я, — всего лишь хотела подчеркнуть, что Мадонна чудесно слышит, чем занимаются ее соседи: мать и сын. А дальше происходит следующее...

Мало-помалу Мадонна узнает чужие тайны. Нет, она не любопытна, не подслушивает под входной дверью Кирилловых, не пытается подглядывать за Антониной и Никитой в замочную скважину. Но когда бухгалтер и студент-лоботряс выясняют отношения, Мадонне некуда деваться, волей-неволей она оказывается незримым свидетелем их перебранки.

Антонина Михайловна, как все родители, желает сыну счастья. Никите тоже хочется жить хорошо. Да только они с матерью невероятно далеки друг от друга. Женщина считает, что для успеха в жизни необходимо получить диплом, устроиться на работу и делать карьеру, а уж встав на ноги, можно заводить семью, рожать детей. У Антонины Михайловны все разложено по полочкам. Готова поспорить на любую сумму, что она внушала сыну: «Ничего никогда не бывает сразу. После сорока лет ты заработаешь на квартиру, приобретешь машину, дачу. Все у тебя будет как у людей. Надо лишь честно жить и хорошо работать».

А Никите сей момент хочется получить свою жилплощадь, красивую иномарку и побольше денег. Пока же студенту не хватает средств даже на то, чтобы отвести в кино девушку. Перспектива к началу пятого десятка обзавестись такой же, как у матери, хрущобой его абсолютно не радует. Парень видит сверстников, которые хорошо одеваются, достают из кошельков золотые кредитки, летают отдыхать на Мальдивы. Никита же лишен подобных радостей.

Девушка Кириллова тоже отнюдь не дочь олигарха. Антонине Михайловне Ника ужас как не нравится. Если отбросить в сторону то, что мамы мальчиков, как правило, недолюбливают потенциальных невесток, надо признать, что у бухгалтера были объективные причины для недовольства. Ника происходит из проблемной семьи, ее мать алкоголичка, об отце ничего не известно, а из приданого у «Джульетты» три корочки хлеба — комната в бараке не в счет. Ника не настроена на учебу, и ей до зубной боли хочется заработать денег. По мнению Антонины Михайловны, Малышева сбивает ее Никиту с толку. Полагаю, слова: «Неужели нельзя найти нормальную подружку? Посмотри, сколько хороших девочек вокруг, а ты связался бог весть с кем!» — произносились Кирилловой слишком часто. Может, у Мадонны в прошлом была такая же ситуация?

Впрочем, хватит называть псевдоним, ясно же, о ком идет речь. Марине стало жаль Нику. Через некоторое время танцовщица начинает дружить с будущей медсестрой. Марина рассказывает Нике о курсах, на которых учат стриптизу, а когда Малышева завершает обучение, пристраивает приятельницу в клуб, где выступает сама. Вчера Ника дебютировала перед публикой, заработала первые чаевые. Девушка искренне считает, что квартира Антонины Михайловны теперь принадлежит ей. Никита дал подружке запасные ключи, поэтому Ника без всяких проблем входит в дом. Дверь опечатана, но сорвать бумажку с косяка легче, чем чихнуть.

Малышева полна восторга. Может, кому-то ее замечательное настроение покажется странным — невеста совсем недавно узнала о кончине жениха. Но я думаю, что Вероника быстро сообразила: Никиту не вернуть, а у нее есть шанс стать обладательницей личной норки. И еще деньги! За вчерашнюю ночь Малышева заработала огромную в ее понимании сумму. Ну и что делает Ника?

Она раскладывает купюры на столе веером, придавливает каждую предметами, которые находит под рукой — не хочет, чтобы деньги сдуло на пол, — и начинает обмахивать их одной ассигнацией, исполняя обряд приманивания удачи и богатства, который часто совершают продавцы, официанты. Вероятно, девушка напевает. Марина слышит звуки из-за стены и...

Я остановилась, выждала пару секунд и спросила официальным тоном:

— Ты пошла в соседнюю квартиру? Знала, что Антонина Михайловна умерла, поэтому не постеснялась войти в дом Кирилловой? Что случилось потом? Ты хотела получить от Малышевой свой законный процент за протекцию? Ведь без твоей рекомендации свежеиспеченную стриптизершу могли не взять в престижное заведение. Ника пожадничала? Не захотела с тобой делиться? Почему, рассказывая мне в деталях о скандалах у Кирилловых, ты ни разу не произнесла имя Ника? Почему не сказала, что знаешь подружку Никиты? А? Это ты ее задушила!

ГЛАВА 13

— С ума сошла? Я просто взяла долг! — заорала Марина. И тут же захлопнула рот.

— Нет, — возразила я, — я нахожусь в здравом уме и твердой памяти. Ты забрала со стола деньги, но не догадалась расставить по-другому предметы, которыми девочка придавила вожделенные евро, поэтому они располагались полукругом, а в центре высилась бутылка. Еще ты не заметила купюру у нее в лифчике. Всем известно, бумажка, которой обмахивают первый барыш, становится талисманом, ее нельзя тратить, нужно спрятать подальше, тогда она приманит богатство.

Марина попыталась сохранить спокойствие, но ее руки мелко затряслись.

— Никого я не душила! Ее убили до моего прихода. Пожалуйста, поверьте мне! Да, я взяла деньги, но Ника была мне должна: я дала ей деньги на покупку одежды и обуви для выступления. Она обещала отдать и...

Из глаз Марины полились слезы. Я ждала. Наконец стриптизерша немного успокоилась и начала рассказывать. Мне оставалось лишь удивляться собственной прозорливости.

...Марина не может назвать себя сострадательным человеком, и она привыкла всего в жизни добиваться исключительно собственным трудом. Ни богатых родителей, ни щедрых спонсоров у танцовщицы нет, а когда судьба постоянно делает тебе подножки, теряешь сочувствие к окружающим. Марина презирает тех, кто жалуется и хнычет, она часто повторяет: «Хочешь быть счастливой, стань ею. Никто тебе на блюдечке ничего не притащит, а если вдруг под носом появится-таки тарелочка с куском шоколадного торта, не хватай угощение — за него неминуемо придется расплачиваться по высокой цене».

Но Ника неожиданно растопила сердце Маринки. Танцовщица подружилась с девочкой, устроила ее в школу стриптиза, упросила управляющего дать Малышевой шанс продемонстрировать приобретенные навыки у шеста и даже одолжила ей денег.

Вчера ночью у стриптизерши был выходной. Около пяти утра ей позвонила совершенно счастливая Ника и зарыдала в трубку:

— Я получила двести евро. Двести! Двести!

— Да уж слышала, — зевнула Марина, которая в кои-то веки хотела всласть отоспаться. — Молодец, поздравляю. Как должок отдавать станешь? Частями или всю сумму разом?

— Лучше частями, — ответила Ника. — Ой, я тебя разбудила! Прости.

Марина спокойно ответила:

— Ничего, я понимаю.

— Заходи ко мне через час, — велела Ника.

— Куда? В гараж? — рассердилась танцовщица. — Отличная идея. Давно мечтаю на рассвете из квартиры выйти, пешочком прогуляться, в конюшне выходной провести. Жесть!

— Далеко тебе ходить не придется, — зачастила Ника, — я теперь с тобой через стенку живу. Мне Никита ключи дал, я теперь единственная наследница. Подгребай к шести, сразу часть долга верну.

Марина нырнула под одеяло и задремала, но

ей было не суждено мирно поспать. Через полчаса раздался новый звонок. На проводе вновь была Ника.

— Слушай, — зашептала она, — тут такой мужчина нарисовался! Олигарх. Машина новая, костюм, часы за сто штук баксов, я от его одеколона балдею. Мы сейчас заедем в супермаркет, потом ко мне. Наша с тобой встреча отменяется. Только не подумай, что я не хочу бабки отдавать, верну непременно, но вечером.

Маринка не первый год крутится у шеста и отлично знает, что бывает с дурочками, которые в первый день знакомства приглашают к себе невесть кого.

— Эй, эй, — заволновалась она, — не глупи! Твой олигарх какой-нибудь продавец с рынка. У богатого человека своя квартира имеется, он к бабе не поедет, да и охрана не пустит. Часы за сто тысяч подделка, наверняка на дороге купил.

— Нет! — заспорила Ника. — Я его спросила: «Где взял прикольные часики?» Олигарх ответил: «Из Швейцарии привез, их эксклюзивно для меня сделали за сто тысяч баксов».

— Ты дура! — разозлилась Марина. — Уходи домой. Одна. Найдешь еще настоящего богача, без фуфла.

Ника фыркнула и отсоединилась. Марине стало тревожно. Она хотела одеться, встретить ошалевшую от получения двухсот евро глупышку на лестничной клетке и конкретно послать на три веселые буквы «олигарха». Танцовщица посмотрела на часы, подумала, что раньше четверти седьмого Ника не появится, прилегла на минутку и проснулась... в десять.

За стеной царила тишина. Марина накинула халат и поспешила в квартиру Кирилловых. Хотела позвонить в дверь, но тут заметила: створка приоткрыта. На душе сразу заскребли кошки: замок у Антонины Михайловны не захлопывается, запирается ключом, значит, кто-то спешно удирал из двушки, а Ника не заперла дверь.

Увидев подружку на стуле, Маринка сразу сообразила: Малышева умерла. Помочь девушке стриптизерша не могла. Собрала разложенные веером евро и ушла.

— Ей деньги уже не понадобятся, — оправдывалась она сейчас, — а мне кто долг вернет? Я взяла свое. Кстати, давала ей полтыщи, а вернула двести, с остальными придется навсегда проститься. Я не душила Нику, честное слово!

Я молча смотрела на Марину. Похоже, она не врет. Я знаю, что Нику отравили, но нарочно назвала другую причину смерти. Убийца мог выдать себя, удивиться, услышав про удушение, но Марина даже не моргнула, в ее глазах не появилось недоумения, она приняла мои слова всерьез и искренне думает, что Ника погибла от асфиксии. Либо стриптизерша — гениальная актриса и хладнокровный спецагент в одном флаконе, либо на самом деле она ни при чем.

Мое молчание заставило Марину занервничать, и она решила оправдаться, очернив Нику:

— Не думай, что Малышева белая и пушистая. Мы с ней откровенно разговаривали. Да, ей вначале нравился Никита, он первый, кто на Нику внимание обратил. До него мальчики за Малышевой не бегали: плохо одета, из неблагополучной семьи, не красавица. Но Кириллову Ника понравилась, а ей по кайфу было девчонкам в группе нос утереть. В медучилище парней мало, за них драка идет, и рейтинг Малышевой зашкалил, когда народ про ее амур с Кирилловым узнал. Ника прямо балдела. Она из барака, поэтому считала убогую нору Антонины Михайловны дворцом. Что девчонка видела? «Быстроцыпа» для Малышевой — наикрутейший ресторан, вещевой рынок — супер-пупер бутик. Как она рот разинула, когда в клуб попала! Ну да, я не в помойку ее привела, куда Никита изредка Нику приглашал, а в элитное место. Встала она у бара и шепчет: «Марина! Возьмут меня сюда на работу, умру от счастья». И сразу ей Никита не нужен стал, сообразила, что есть на свете другие мужчины. Мне честно про свои намерения растрепала: «Скоро Антонина умрет, Никита на мне женится, пропишусь в его квартире, поживу с ним сколько надо, чтобы при разводе квадратные метры напополам разделили, и уйду в автономное плавание».

— Оборотистая девочка... — протянула я. — Даже слишком для неполных восемнадцати лет. А мне показалось, что Малышева и Никита любили друг друга. Парень поругался с мамой, которая не хотела принимать его невесту, и ребята решили вместе жить в гараже.

— Может, вначале так и было, — кивнула Марина, — но потом они лаяться стали. Ника бы давно от Никиты ушла, но уж очень ей в барак возвращаться не хотелось. Малышева странная была, у нее настроение менялось, как диски у диджея. Утром она мать любит, бежит искать алкоголичку, находит, в барак тащит, уговаривает не пить. Встретишь Нику в обед — глаза сверкают, орет: «Ненавижу мамашу. Всю жизнь мне сломала, никак не сдохнет!» Вечером снова об Алке вспомнит и давай плакать: «Мамуля несчастная, ее вечно мужики обманывают. Пойду, посмотрю, не упала ли она на улице, еще замерзнет, как я без нее останусь...» Да что за день — за час у нее настроение восемь раз смениться могло.

Я улыбнулась Марине.

— Я поняла, у Ники была неустойчивая психика. Но меня заинтересовало иное. Почему Антонине предстояло вскоре умереть? Она болела?

В глазах стриптизерши мелькнула тень.

— Ей поставили диагноз. Рак! Все! Ну, совсем мало бабе жить осталось!

Я брезгливо поморщилась.

— Перестань врать. Патологоанатом уже сделал вскрытие и выяснил: здоровью Антонины Михайловны легко могли позавидовать молодые люди. Давай начнем заново. Даю тебе последний шанс ответить честно. Почему Ника пророчила матери Никиты скорую смерть? Девушка решила, что Антонина зажилась на этом свете, ей пора отбыть в мир иной, оставив любимому сыночку квартиру?

Марина замахала руками.

— Нет! Ника не способна на убийство!

— Даже ради квартиры? — задала я провокационный вопрос. — Рай в гараже хорош один, ну два дня, потом захочется элементарного комфорта.

Марина замотала головой.

— Говорю же, нет! Один раз я порезала палец, так Ника при виде крови в обморок бухнулась. Без прикола. На самом деле.

— Хороша медсестра, — удивилась я.

Танцовщица скрестила ноги.

— Поэтому у нее с учебой и не получалось. В манекен Малышева бойко шприц втыкала, а когда ее зимой на практику в больницу отправили, опозорилась. Никто учениц к процедурам не допускал, но они имели дело с больными, подавали опытным медсестрам средства для перевязок, отвозили каталки в палату. Ника продержалась в клинике два дня, потом притворилась больной и еле-еле вымолила себе зачет.

— Зачем же так мучиться? Не проще ли было выбрать другую профессию?

— Медучилище, куда поступила Малышева, принимает всех без экзаменов, — вздохнула Марина, — в остальные места конкурс. Куда было Нике податься? Она опасалась, что, если бросит школу и не пойдет в училище, ее семьей займутся органы опеки. Мать лишат родительских прав, ее запихнут в интернат. Медучилище — укрытие. Я Нике велела: «Сиди тихо — и тебе поставят тройки. Администрацию ругают за двоечников. Исполнится восемнадцать, забудешь про шприцы и станешь стриптизершей. За пару месяцев до совершеннолетия дирекция клуба может закрыть глаза на возраст и поставить тебя у шеста. А в семнадцать и не мечтай среди гоу-гоу очутиться. Хозяевам неприятности не нужны».

— Отлично. Но вернемся к кончине Антонины Михайловны, — наседала я.

Марина сложила руки на коленях, задумалась.

— Кирилловы умерли, Ника в морге, никому от моего рассказа хуже не станет. Плохо будет мне, если я промолчу. Все равно ведь докопаетесь, да?

Я кивнула, заметив:

— Лучше признаться. И на душе станет легче, и, вполне вероятно, твоя информация поможет поймать убийц.

— Ну ладно, — решилась Марина, — слушайте.

...Некоторое время назад отношения Никиты и Ники ухудшились. Малышева потребовала от него конкретного предложения руки и сердца, а

Никита уворачивался, бормотал: «Все равно нас не распишут. Вот исполнится восемнадцать, тогда... ваще... мда...»

— Я его ненавижу! — однажды заявила Ника Маринке. — Но мне очень нужна квартира. Любой ценой хочу вылезти из барака.

Через пару дней после откровенного признания Малышева прибежала к подруге вне себя от злости.

— Этот... этот... — заматерилась она с порога, — клялся мне в любви, а сам другую завел!

Стриптизерша попыталась успокоить разъяренную подругу, но та словно взбесилась. Марина не выдержала:

— Хватит! Забудь Кириллова. Что было, то прошло.

— Я его люблю... — захныкала Малышева, — жить без него не могу...

— Недавно ты говорила другое, — напомнила Марина.

— Ага, — подтвердила Ника. — Но сейчас, когда он новую подружку завел, опять его обожаю. Никита мой! Выслежу, где живет девка, и нос ей сломаю.

— Не вздумай! — предостерегла ее танцовщица.

Малышева пропустила Маринины слова мимо ушей.

Спустя неделю Ника ворвалась к ней и зашептала:

— Она не отвертится! Я такое узнала...

— Про кого? — усмехнулась Марина.

— Тонька в молодости убила человека! — выпалила Ника. — Но ей удалось скрыться, не узнали менты, кто преступление совершил. Ну она у меня попляшет! Живенько заставит Никитоса со мной в загс пойти и из квартиры умотает.

— Ты уверена? — поразилась Марина. — Кириллова совершенно не похожа на уголовницу. Вредная баба, но и все. Кто тебе сказал?

— Она сама! — топнула ногой Ника.

Удивлению Марины не было предела.

— Антонина Михайловна?

— Ага, — засмеялась Вероника. — Никита мне сегодня наврал, что ему надо с ребятами потусоваться, а я решила за ним проследить. И увидела, что он домой рулит. Прикинь? Время три часа дня. Тонька стопудово на работе, в гараже я живу. Никита с матерью разругался, не разговаривал с ней. Теперь ответь, зачем ему туда торопиться?

Стриптизерша пожала плечами:

— Полно причин. Чистую рубашку решил прихватить или диск какой... С Антониной Михайловной ему влом встречаться, поэтому отправился на квартиру днем.

Ника захохотала.

— Да наверняка ту стерву пригласил! И она его возле квартиры ждала. Помню-помню, как мы с ним в спальне у Тоньки устраивались... У мамашки диван раскладывается, на нем удобнее, чем на койке Никиты. И мы тоже около обеда прибегали. В общем, я за Никитосом поднялась, подождала для верности минут десять на лестнице. Думала: сейчас они разденутся, а тут — бац, я появилась! Схвачу тварь за волосы, приложу ее уродской рожей о стол и скажу: «Не смей чужих мужиков отбивать!»

Но все получилось иначе.

Малышева открыла дверь своим ключом, на цыпочках вошла в прихожую и услышала голос... Антонины Михайловны, которая совершенно неожиданно оказалась дома:

— Никита, перестань.

— Нет, мать, ты меня выслушаешь, — ледяным голосом заявил сын.

Ника сообразила, что Кирилловы беседуют в гостиной.

ГЛАВА 14

— Эльвира Разбаева... — громко произнес Никита. — Красиво, да? Эльвира Разбаева!

— Откуда ты знаешь? — ахнула Антонина. — Кто рассказал?

— Вот что тебя волнует? — окрысился сын. — Забеспокоилась, через какую щель правда вытекла? Я еще знаю про Светлану Мешанкину. Нравится?

Мать молчала.

— Нравится? — переспросил Никита. — Ваще, блин, прикол! Мать, я реально прифигел! Ты меня всю жизнь обманывала, врала, требовала поступать правильно, твердила об учебе... А сама убила людей! Может, их и больше было, чем двое?

— Кто тебе на меня наговорил? — прошептала Антонина Михайловна.

У Кирилловой не было актерских способностей, и застывшая в прихожей Ника сразу поняла: она лжет.

— Мама, не надо, — произнес Никита. — Ты меня учила честности, а сама?

— Если я что и совершила, то исключительно ради твоего счастья, — воскликнула Антонина Михайловна.

— Интересненько... — протянул Никита. — Хороший ход! Виновный найден. И кто же он? А давайте-ка угадаем, ребятки, как его зовут? Бу-ра-ти-но! Бу-ра-ти-но! Круто. Но случился облом: Разбаева умерла, когда мне год исполнился. Я че, тебя просил ее убивать?

— Вся моя жизнь посвящена тебе, — объявила Антонина Михайловна, — до последней капли. А ты учиться не желаешь, завел отвратительную девчонку...

— Мамахен, тебе не кажется, что ты не имеешь права осуждать Нику? — вкрадчиво спросил Никита.

— Она проститутка! — взвилась Антонина. — Убьет за копейку!

— Ну, пока что Ника никого и пальцем не тронула, чего нельзя сказать о тебе, дорогая мамочка, — перебил Никита. — Поэтому давай лучше обсудим тебя. И кого мы имеем? Убийцу и сволочь!

Кириллова молчала.

— Ты брехала мне с рождения, — продолжал Никита, — комплексы внушала: вечно я самый плохой, тупой, ужасный, не оправдываю твои надежды. У всех дети, как конфетки, а Никита дерьмо на палочке. Сколько раз ты твердила: «Посмотри на меня, я честно добилась успеха». А я в непонятках корчился — где успех-то? Ну, квартира есть, типа по размеру бардачок. А остальное? Но я тебя жалел. Получу от тебя в морду, выслушаю очередное твое «честно добилась успеха» и молчу. Постоянно хотел сказать: «Разуй глаза! Живешь в нищете!» Но помалкивал. И что? Мамахен, неужели тебе за убийство дали всего-то две комнатушки? Продешевила ты!

— Прекрати вести беседу в хамском тоне, — потребовала Антонина. — Я тебя родила, вырастила, выкормила! Помни об этом, когда в следующий раз рот раскроешь, иначе...

— Иначе что? — засмеялся Никита. — Выбросишь меня из окна, как Эльвиру и Светлану? Не выйдет, я большой мальчик, отобьюсь. Короче, мамахен! Хочешь и дальше на метро в бухгалтерию кататься? Тогда придется тебе мои требования выполнить. И главное требование такое: собирай тряпки и сваливай вон.

— Куда же мне идти, сыночек? — сменила тактику Кириллова.

Антонина Михайловна решила не нападать на Никиту, а вызвать у сына жалость.

— А мне по фигу, мамахен, — не дрогнул тот. — На улицу, к своему хозяину...

— Дай мне объясниться, — заплакала Антонина Михайловна.

— Ну, попробуй, — сменил вдруг гнев на милость Никита.

— Мы с твоим отцом... — завела Кириллова, и в ту же секунду была прервана:

— Не начинай рок-н-ролл про папашку, — предостерег парень, — нахлебался я твоих песен! Сколько раз ты мне твердила: «Главное, не будь похожим на папашу-пьяницу! Не прикасайся к водке, не кури, не шляйся...» Рассказывай о Разбаевой.

— Я пытаюсь, — захныкала мать, — не торопи меня. Мы с твоим отцом...

— Опять, — простонал Никита. — Завис сайт! Кликни на выход!

— ...не были знакомы, — в отчаянии выкрикнула Антонина.

Никита закашлялся.

— То есть как это вы с моим отцом были незнакомы?

Антонина Михайловна всхлипнула.

— Я до тридцати шести лет не нашла мужа. Бабка твоя виновата — вбила мне в голову: не целуйся без любви, ищи своего единственного, идеального мужчину. Мать всех моих кавалеров отвадила. Караулила меня словно золотое яйцо, и если я позже девяти домой являлась, встречала с ремнем в руке. Вдумайся, Никитушка: тридцать лет мне стукнуло, а мама за опоздание наказывала!

— Вечно у тебя кто-то виноват, — не пожалел ее парень, — могла бы старуху в задницу послать.

— Не так меня воспитали... — простонала Кириллова. — Наконец мать скончалась, я ее похоронила и вздохнула. Ну, думаю, свобода! Теперь без цербера поживу, погуляю. А на дворе девяносто первый год. Продуктов нет, зарплату то ли дадут, то ли зажмут, живу в коммуналке. В квартире еще две комнаты, в них по семье: Фирсовы и Табашниковы. У первых двое детей, у вторых трое. Они на очереди стояли, жилье ждали, но в стране революция случилась, какое уж тут бесплатное расселение. Кухня крохотная, девять метров, ванная пеналом, совмещенка с сортиром. Фирсова стирает, а мне в туалет охота, так не пустит!

— Жесть, — констатировал Никита.

Мать обрадовалась почти человеческой реакции сына.

— Но я не унывала. Работала тогда в НИИ, а там занимались оборонкой, много холостых мужчин было. Рассчитывала найти среди них свою любовь. Но не срослось.

— Че так? — хмыкнул Никита. — Рожей не вышла?

— Да, красотой меня господь не наградил, — согласилась Антонина. — Фигурой тоже. Одежды нет, старая дева, никому не нужна. Как-то вечером я на работе задержалась и пошла домой через пустырь, решила сократить дорогу. Полпути пробежала, а потом чувствую — сзади меня хватают. Ну, не хочу подробности описывать. Темень стояла, я испугалась и лица насильника не рассмотрела. Только запах помню — от него несло кофе и булками сдобными, наверное, недавно поел. Это все.

— Как все? — спросил Никита. — Ты в милицию ходила?

— Нет, сыночек, — после паузы промолвила Кириллова.

— Да почему? — возмутился парень.

— Стыдно стало, — призналась Антонина Михайловна. — Начались бы расспросы, разговоры. В нашем подъезде участковый жил, а у его жены не язык — поганая метелка, разнесла бы весть, в меня бы пальцем тыкали, посмеивались. Я домой тихо вернулась, никто из соседей ничего не заподозрил.

— Значит, я родился от того насильника? — растерялся Никита. — Вот уж новость! Чего ты аборт не сделала?

— И где б тогда ты очутился? — неожиданно засмеялась Антонина. — Не скрою, я думала об операции. Но потом сообразила: грех это, мне ведь уже к сороковнику подкатывает, шанс завести ребенка невелик. Ну и решила родить — будет кому в старости мне стакан воды подать...

Никита отреагировал стандартно:

— Жесть!

— Когда ты родился, я из НИИ ушла, — продолжала Кириллова. — Нашла неподалеку от дома детский сад и сказала директору: так, мол, и так, жила в гражданском браке, надеялась на серьезные отношения, поэтому забеременела. А сожитель исчез. Возьмите меня на службу в свое учреждение, буду работать на совесть: нянечкой, воспитателем, уборщицей, мне без разницы. Одно условие — мальчика моего тоже примите. Иначе как было выжить? Бабушек нет, подругами не обзавелась...

Никита чихнул.

— Ну ты, мать, зажгла!

— Зажгла, сыночек, — согласилась Антонина. — И повезло нам с тобой. Директриса Клара Егоровна, царствие ей небесное, мягкой травы в раю, была душевная женщина. Она спросила: «Вы экономист по профессии? Отлично, у нас как раз бухгалтер уволилась». Так что все устроилось отлично. Утром тебя в группу принесу и за дело. Завтракать, обедать, ужинать готовить не надо, от детей много остается. Забегу в перерыв, гляну на тебя, и сердце радуется. Я бухгалтер, своя в коллективе, ко мне можно прийти в долг попросить, не откажу. А в ответ — за тобой прежде всех детей ухаживали. Наладилась жизнь. Но соседи... Они как узнали про тебя, чуть не убили. Орали: «Куда в нашу конуру еще одного младенца?»

— Суки! — возмутился Никита. — Ты разве у них из милости жила? Имела те же права! Сами нарожали спиногрызов.

— Вот-вот, — подхватила Антонина Михайловна. — Так я и заявила: «Закройте свои пасти. Живу по ордеру, квартплату вношу аккуратно, свет, газ не нажигаю, в свою очередь места общего пользования мою, а уж сколько рожать и от кого — мое личное дело!» И началось... Повешу в ванной распашонки, зайду через час — они грязные на полу. Поставлю тебе кефир подогреть, а его выключат. То в коляске песок окажется, то мои продукты из холодильника исчезнут. Участковый пришел и пристал со всякой ерундой: ваш, говорит, мальчик от чеченца, таких из Москвы выселяют. Медсестра из поликлиники заходила — ее соседи не пустили. Анонимки писали и на работу, и в соцзащиту, мол, одинокая мать издевается над сыном. Доводили меня до истерики. А куда деваться? Теснотищу не продать, не разменять, мучиться нам до смерти в такой компании... От нервов я есть перестала, в скелет превратилась. Ты, когда болел, кричал по ночам. Справа мне в стену Фирсовы колотят: «Уйми своего, наши детки спать хотят». Слева Табашниковы вопят: «Заткни гаденыша! На работу в шесть вставать».

Антонина Михайловна, вспомнив прошлые свои мытарства, расплакалась. Как ни странно, Никита молча ждал, когда мать успокоится. Через минуту она продолжила рассказ.

— Хорошо помню: исполнилось тебе восемь месяцев, вхожу в садик и думаю: «Останусь тут навсегда, выпрошу у директрисы кладовку, втащу туда раскладушку, нам хватит».

Клара Егоровна мне навстречу пошла, только очень просила, чтобы никто не пронюхал. Не положено в детском учреждении на ночлег даже сотрудникам оставаться. Полгода я в кладовке спала, домой постирать и переодеться заглядывала. А потом все и случилось...

Однажды к Кирилловой подошла симпатичная молодая женщина Надя, мать Андрея Савельева, и поинтересовалась:

— Тонечка, вы случайно не заболели? Бледная такая, прямо прозрачная, синяки под глазами в пол-лица. Хотите, посоветую хорошего врача?

— Лучше подскажите, как избавиться от соседей, — неожиданно для себя ответила Тоня.

— Пошли, поговорим, — предложила Савельева.

Была зима, но не по-московски теплая. Надя и Антонина устроились в беседке, в которой прятались во время прогулок от дождя старшие воспитанники, и Кириллова вдруг разоткровенничалась, поведала, в каком кошмаре живет.

— Боже! Какой ужас! — закатила глаза Надя. — Попробую вам помочь.

— Как? — мрачно улыбнулась Антонина.

— Есть одна мысль, — загадочно пообещала Надя.

Не прошло и трех дней, как Савельева снова подошла к ней. Положила перед Антониной на стол бумажку, ткнула в нее пальцем и произнесла:

— Надеюсь, недоразумение с оплатой выяснилось?

Кириллова не поняла, о чем она, но опустила глаза и прочитала записку: «Приходите через час в метро, первая скамейка на перроне в сторону центра, есть хорошая новость».

Теряясь в догадках, Антонина Михайловна явилась в указанное место. Надя придвинулась к ней вплотную и сказала:

— У меня есть лучшая подруга. Она обожает своего мужа, а тот, кобель отвязный, носится по бабам. Одна любовница от него забеременела и теперь тянет деньги. Ребенок шалаве не нужен, ей охота обеспеченного мужчину у ноги держать. На беду, у подруги детей нет, вот муж и опололоумел. Хочет признать девчонку, развестись с законной супругой, которая ему лучшие годы жизни отдала, вытурить ее, поселить в доме проститутку. Вам нужна квартира?

— Да, — кивнула Антонина, не уловившая связи между своей мечтой и чужими семейными проблемами.

— Двушка подойдет? — деловито осведомилась Надя. — Правда, в блочке, не кирпич.

— И мечтать не смею, — чуть не заплакала Тоня.

— Любая мечта может стать явью, — расфилософствовалась Савельева, — поможете моей подруге и получите хоромы.

— Правда? — ахнула Кириллова. Но насторожилась: — А что надо сделать?

Надя щелкнула пальцами.

— Пустячок. Дочь любовницы ходит в ваш садик. Проститутка не в курсе, кто я, вижу ее здесь часто. Таким только на трассе стоять, за десять рублей дальнобойщиков развлекать! Звать ребенка Эльвира Разбаева.

— Есть такая, — согласилась Антонина, — мать девочки аккуратно плату вносит.

— Ей лучше не быть, — объявила Надя.

— Не быть? — не поняла Кириллова. — Где?

— Нигде, — пожала плечами Савельева.

— Хотите, чтобы девочку выгнали из сада? — догадалась Антонина Михайловна.

Надя зашептала:

— Нет. Эльвире надлежит вообще исчезнуть. У вас дети спят при открытых окнах, воспитательница во время тихого часа обедает, а потом сама дремлет.

— Вообще-то это не положено, с ребятками непременно должен находиться взрослый, — вспомнила служебную инструкцию Кириллова.

Надя усмехнулась.

— Но вы же отлично знаете: взрослых в группе два часа нет. Я их не осуждаю, наоборот, им от души сочувствую. Ну как они выдерживают капризы чужих детей? Так вот, никого не удивит, если двухлетняя девочка подойдет к окну и выпадет из него.

— Но ведь ребенок разобьется насмерть, — еле-еле выдавила бухгалтер. — Сами знаете, садик расположен в отдельном здании, типовой проект шестидесятых годов. Справа три этажа, переход и слева еще один корпус. Уменьшенный самолет. Группа Разбаевой находится под крышей. Девочка свалится на асфальт и погибнет.

— Вот и отлично, — кивнула Надя. — Нет спиногрызки, нет проблем у моей подруги. Любовник шалаву тут же бросит.

— Нет, я не могу, — отказалась Тоня.

Надя достала из сумки лист бумаги.

— Смотрите, вот план двушки. Большая комната вам, меньшая Никите. Можно чуть отрезать от коридора и увеличить спальню мальчика. Нравится?

Антонина заплакала, а Савельева добавила:

— В понедельник с Эльвирой происходит несчастный случай, во вторник вы получаете квартиру. Она пустая, с ремонтом, сантехника отечественная, но новая. Обживетесь и переделаете гнездо, но и сейчас в нем жить можно.

Кириллова, всхлипнув, засомневалась:

— Люди будут задавать вопросы. Что я отвечу? Откуда жилплощадь?

Надя сложила план.

— Вы не обязаны никому ничего объяснять. К тому же легко можете перевести стрелки на отца Никиты. Мол, у него проснулась совесть, он решил помочь матери своего сына.

— А документы, — пролепетала Антонина. — Бумаги, ордер...

Надя похлопала ее по плечу.

— Я владею риелторской конторой, все оформлю в лучшем виде. Решайтесь. Мне нужен конкретный ответ — или вы помогаете нам, или нет. Поверьте, это единственный шанс выехать из коммуналки. С течением времени ситуация на рынке жилья только ухудшится.

— Да! — выпалила Антонина. — Да, да, да!

— Шикарно! — обрадовалась Савельева. И сразу перешла с ней на «ты»: — Молодец! Матери ради счастья детей и не на такое способны. Теперь слушай, как надо действовать. Запоминай хорошо, записывать нельзя. Будешь следовать моим указаниям, все пройдет без сучка и задоринки...

В понедельник Антонина Михайловна дождалась, пока воспитательница Валентина Никитична уляжется на диване в комнате отдыха персонала, надела серо-голубой халат (его обязаны были носить все, кто имеет дело с малышами), водрузила на голову шапочку, которая также являлась необходимым атрибутом, и очень тихо вошла в спальню. В детском саду действовала программа закаливания в любое время года: невзирая на погоду, тихий час дети проводили под одеялами с открытым в комнате окном.

Эльвира лежала в кроватке, но спать не собиралась, хотя и вставать боялась — воспитательница Валентина Никитична славилась крутым нравом. При родителях баба сюсюкала с воспитанниками, но стоило мамочкам скрыться за дверью, как милую улыбку на ее лице сменяла гримаса злости.

— Хочешь посмотреть, как на улице идет дождь? — спросила Антонина Михайловна у девочки.

Малышке исполнилось два года, она отлично

понимала речь взрослых, но сама говорила плохо, часто коверкая слова. Предложение полюбоваться на дождь ей понравилось, Эля откинула одеяльце, сунула ноги в тапки и поспешила к открытому окошку. Напомню, дело происходило в начале девяностых, стеклопакеты тогда были очень дорогим удовольствием, районный садик не мог их себе позволить.

— Возьми стульчик, иначе не достанешь до подоконника, — велела Антонина. — И прихвати свою куклу, ей тоже охота поглядеть.

Кириллова старательно соблюдала указания Нади, которая строго-настрого велела: «Ничего не трогай, девочка должна сама подтащить стул и вскарабкаться на подоконник».

Когда Эля легла животом на подоконник, Тоня шепнула:

— Бросай лялю!

Малышка засмеялась и швырнула игрушку в окно.

— Ой-ой-ой, — запричитала Кириллова, — надо ее достать, а то Валентина Никитична рассердится!

Девчушка испугалась, перевесилась через крашеный подоконник, глядя вниз, а Антонина подначила:

— Ну, чуть пониже и дотянешься!

Спустя секунду в воздухе мелькнули босые ножки, тапочки Эльвиры остались в комнате. Одна на полу, другая валялась на стульчике. У Антонины Михайловны не хватило духа выглянуть в окно. Она на цыпочках понеслась в свой кабинет, по дороге вернула халат и шапочку в шкаф и стала ждать, когда в детском саду поднимут тревогу.

ГЛАВА 15

Происшествие признали несчастным случаем. Валентину Никитичну за халатность и нарушение служебной инструкции отдали под суд и отправили на немалый срок на зону. Директор Клара Егоровна заработала инфаркт и умерла в больнице. Эльвиру похоронили, а Кириллова получила свою квартиру. Месяца через три Антонина Михайловна перевелась в другой садик. Мотивировала свое желание просто: сменила место жительства и решила найти службу поближе к новому дому.

Никаких претензий к бухгалтеру со стороны следствия не было. На вопрос дознавателя, что она может сообщить по факту произошедшего, Антонина Михайловна ответила:

— Ничего. Я никогда не поднимаюсь на третий этаж, не контактирую с детьми, занимаюсь исключительно финансовыми документами. Два раза в день захожу в группу, где находится мой сын, но она расположена в другом корпусе, в противоположном конце от места, где случилось несчастье.

Кириллову отпустили и более не беспокоили.

Когда Никита пошел в школу, Антонина Михайловна устроилась на хорошо оплачиваемую работу, и все у Кирилловых потекло хорошо. До того момента, как мальчик перешел в пятый класс и перестал слушаться маму...

— Вот тебе полная правда, — закончила рассказ Антонина Михайловна. — Ради кого я за квартиру билась? Уж не для себя старалась! Думала, сыну будет лучше в отдельной спаленке, а не в одной комнатенке с матерью.

— Не вешай на меня ответственность за свое

преступление! — звонко произнес Никита. — Ты убила маленькую девочку!

— Это было семнадцать лет назад, — возразила Антонина Михайловна.

— И что? — взвился Никита.

— Ничего, — ровным голосом откликнулась мать. — Много времени прошло.

— А теперь вспомни Светлану Мешанкину, — приказал Никита.

Повисла тишина. Она длилась так долго, что Ника испугалась. Вдруг сейчас Антонина или Никита выйдут из гостиной и обнаружат незваную гостью, которая подслушивает не предназначенный для ее ушей разговор?

— Я больше не могу, — вдруг простонала Кириллова. — Пойми, он появился внезапно...

— Мешанкина, — твердо повторил Никита. — Подробности!

— Откуда ты узнал? — вновь заплакала Антонина. — Это невозможно!

— Какая тебе разница? — пробормотал Никита.

— Пожалуйста, скажи, — умоляла Антонина Михайловна.

— Один человек рассказал, — после небольшого колебания признался сын. — Подошел на улице возле училища, предложил мне пива попить. Ну и выложил правду. Сначала про Разбаеву, затем про Мешанкину.

— Зачем? — спросила Антонина. — Что ему было надо? И кто он такой?

— Назвался Сергеем Сергеевичем, — неожиданно разоткровенничался Никита, — пообещал мне машину, новую иномарку, если я тебя убью. Сказал, что никаких улик нет, одни размышления с подозрениями, а их к делу не пришить. Но ты убийца, на твоей совести много нехорошего.

Да, именно так он и заявил. А еще сказал: «Убийство Эльвиры Разбаевой — первый преступный шаг твоей матери, мне известно еще про Светлану Мешанкину. Антонина убивает детей и когда-нибудь попадется. Ну-ка подумай, что с тобой тогда будет? Приятно ли жить с клеймом сына убийцы? Все газеты за горячую тему схватятся, в Никиту Кириллова начнут пальцем тыкать. Вроде ты хочешь стать диджеем? По клубам музыку играть? Парень, встряхнись! Думаешь, в шоу-бизнесе на моральный облик человека не смотрят? Да, конечно, диджей может постоянно менять девчонок. И даже пить, курить, баловаться наркотой. Но везде есть свои ограничения. Бухать надо в меру, иначе не позовут на мероприятия, а из таблеток круче «экстази» ничего трогать не следует. Героинщик и в клубе не нужен. Хотя, в принципе, если ты не падаешь рожей в пульт, то и фиг с тобой. Однако мать-убийцу тебе не простят. Есть вещи, которые всех пугают».

— Что-то не пойму, — пробормотала Антонина, — зачем Сергею Сергеевичу понадобилось с тобой беседовать? Какой смысл?

— Знаешь этого мужика? — поинтересовался Никита.

— Сергей Сергеевич мразь! Он же мне обещал — никому ни слова не скажет!

— Как ты могла? — еле слышно обронил Никита. — Зачем убивала? Опять я виноват? Еще чего-то хотела для сына?

— Меня шантажировали! — попыталась оправдаться мать. — Как-то мне позвонил мужчина, который откуда-то все знал про Разбаеву. Приказал устроиться на работу к Ускову, иначе обещал пойти в «Желтуху» и отдать им...

Антонина Михайловна притихла.

— Что? Продолжай, — приказал Никита.

— Доказательство того, что я убила Эльвиру, — всхлипнула Кириллова. — Не знаю какое. Но если мужчина все знал, следовательно, не врал. Мне пришлось подчиниться, уйти с прежней службы и поступить на фабрику игрушек.

— Мда-а, хорошая мне досталась генетика — мать хладнокровная убийца, отец насильник... — протянул Никита. — Интересно, когда во мне родительская кровь заиграет? Что я делать буду, а? Нападу на первоклассницу и затащу ее в подвал? Задушу младенца?

— Не надо! — воскликнула Антонина с мольбой в голосе. — Дети часто удаются в бабушек и дедушек. Моя мама была честной, положительной!

— Да ну? — перебил парень. — Уверена? Вдруг моя бабуленция «черная вдова», а ты не в курсе ее художеств? Тебя я тоже считал честной и положительной. Думал, мамахен просто зануда страшная, ни фига в современном мире не понимает, выползла из каменного века со своими принципами «учись, сыночек». Жить с тобой не хотел, потому что весь мозг ты мне съела своими нравоучениями. Но в том, что ты мухи не обидишь, сомнений не было. Упс! Ошибся. Кстати, а какие у меня дети получатся? Наверное, лучше их сразу, при рождении, утопить. Прощай!

— Сыночек, не уходи! — зачастила Антонина. — Я больше никогда тебе никаких замечаний делать не буду! Хочешь жить с Никой? Пожалуйста. Решил уйти из училища? Возражать не стану. Не бросай меня, умоляю. Я живу исключительно ради тебя!

— Нет, мать, — сухо произнес Никита. — Вообще-то я шел сюда, чтобы тебя убить. Но сейчас просто уйду.

— Господи! — воскликнула Антонина. — Как убить? За что? Лишить жизни маму? Страшнее преступления нет! А, машина... Тебе пообещали исполнить твою мечту — подарить автомобиль...

— Думал, избавлю мир от гадины, — продолжал Никита. — Таким, как ты, нельзя по земле ходить. Сергей Сергеевич предупредил: «Поставь в шкаф на кухне бутылку и уходи. Антонина по вечерам рюмашку с чаем пьет, тут-то ей и поплохеет. Замени ее пузырь коньяка на тот, что я тебе дал, и отчаливай». Но я захотел сначала правду выяснить... Вот и выяснил: не врал мужик, ты убийца.

— Сыночек, нас нарочно рассорить хотят! — зарыдала в голос Кириллова. — Ну как ты мог согласиться? Никогда не иди на поводу у другого человека! Это потом аукнется.

Никита не отреагировал на слова матери, говорил о своем:

— Я должен был сейчас оставить выпивку и свалить. Но внезапно понял: если так сделаю, то буду как ты. Сын убийцы и сам убийца. Генетика верх возьмет. Не хочу. Не могу. Не стану.

— Родненький, не уходи! — заголосила Антонина. — Жизнь у нас еще наладится!

— У тебя все будет отлично, ты ж привыкла к убийствам и не мучаешься, — оборвал ее Никита. — Но не у меня — я вообще жить не хочу. Прощай! Я сюда не вернусь.

— Только ради сыночка своего, исключительно из-за своего мальчика... я хотела квартиру... ему... — судорожно залепетала Кириллова.

— Понимаешь, что ты несешь? — завопил парень. — Я плод насилия, а моя мать убивала беззащитных детей. Хватит и этого. Но нет, заботливая мамочка пожелала добить сына — объяснила ему, из-за кого пошла на преступление. Значит, я всему виной, да! Прощай...

В ту же секунду Ника поняла, что через мгновение Никита выйдет из гостиной, и стремглав метнулась к двери. Затем скатилась по лестнице, забежала за угол дома и спряталась за будкой с мороженым. Никита появился в зоне видимости спустя минут пять. Лицо его казалось маской, в руках парень нес непрозрачный пакет. Девушка подумала: похоже, он не оставил бутылку с отравой, небось в сумке коньяк.

Юноша не заметил Нику. Похоже было, что Кириллов плохо воспринимает окружающую реальность. Он шел, словно под гипнозом, и скрылся в метро...

— Ну и как тебе эта история? — потерла ладошки Ника.

— Невероятно, — еле смогла ответить Марина. — Антонина Михайловна убийца? Ну, ваще... Не верю!

— Все правда! — радостно воскликнула Ника. — Вот она, моя удача!

— Что хорошего? — возмутилась стриптизерша. — Я в клубе всякого насмотрелась, думала, ничему уже в жизни не удивлюсь. Но твой рассказ шокирует. Держись подальше от Никиты, лучше с ним дела не иметь, от такого рожать страшно.

— Дети мне на фиг не нужны! — объявила Ника. — Зато наметился путь получить квартиру. Вау! Бинго! Я сорву джекпот!

— Что ты задумала? — испугалась Марина. — Не смей ничего делать!

— Ерунда! — подпрыгнула девчонка. — Никитос все собственными руками совершит. Он передумает и накажет убийцу. Тонька помрет, квартирка будет наша. Мы поженимся, потом разведемся. Или... — Глаза Малышевой засияли ярче новогодних шаров. И вдруг она захлопала в ладоши. — О, крутейшая фенька! Двушка-то лучше! Че я при разделе огребу? Всего-то комнату в коммуналке, много за хрущобу не получишь. А вот если Никиту посадят...

Марина не успела отреагировать — Малышева унеслась, веселая, словно птенчик.

Едва стриптизерша замолчала, я возмутилась:

— И ты никуда не пошла? Могла ведь предотвратить преступление!

Танцовщица усмехнулась.

— Ага! Прусь в ментовку, подхожу к дежурному и сообщаю: «Разговаривала с подругой, которая подслушала беседу своего жениха с матерью. Та убийца. Ника решила подождать, пока Никита зарежет родительницу, а потом на него донести, чтобы получить квартиру...» И что бы мне ответили, а? Фраза «Ступай лесом, сумасшедшая ты наша» — наиболее мягкий вариант. Или сомневаешься? Я ошибаюсь? Отделение в полном составе ринулось бы предотвращать убийство?

— Маловероятно, — честно ответила я.

— Хочу съехать отсюда, — внезапно сказала Марина. — Квартира Кирилловой за стеной, оттуда нехорошая энергетика прет. Ради этой двушки кучу народа поубивали! Страшно мне тут и гадко.

Попрощавшись с танцовщицей, я села в машину и, вклинившись в пробку, попробовала все разложить по полочкам.

Антонина Михайловна убила девочку, получила за преступление отдельную жилплощадь, затем постаралась выкинуть эту историю из своей памяти. И все у Кирилловой дальше шло прекрасно. Правда, сын хулиган и двоечник, но мать надеялась, что сумеет перевоспитать свое чадо. Потом появился человек, который стал шантажировать Кириллову.

Я включила поворотник и ушла в правый ряд.

Пока у логической цепочки нет изъянов. Человек, совершивший преступление, уверен, что его не поймают, и чем дальше отодвигается день, когда был нарушен закон, тем спокойнее на душе у преступника. Наверное, кое-кому удается вылезти сухим из воды, но Антонине не повезло — она стала жертвой шантажиста. Только вместо денег негодяй потребовал от нее совершить новое преступление. Все ясно и понятно.

Но потом начинаются сплошные вопросы. Зачем было приплетать к делу Никиту? Таинственный Сергей Сергеевич, толкавший парня на убийство матери, и шантажист, давивший на Антонину, — одно и то же лицо? И он же потом лишил жизни Никиту и Нику? С какого боку тут девушка? Она хотела заполучить квартиру и думала, что сможет подбить жениха на убийство матери? Почему Антонину Михайловну отравили в кабинете Ускова? Думаю, директор игрушечной фабрики «Лохматая обезьяна» — случайная жертва: он просто хлебнул отравленного коньячку.

Я притормозила у светофора.

Однако славная компания подобралась у Николая Ефимовича в офисе! Коврову подозревали в убийстве больных людей, но не привлекли к ответственности за их смерть — не хватило доказательств, улики были косвенные. Антонина Михайловна лишила жизни Эльвиру Разбаеву, вероятно, убила некую Светлану Мешанкину и осталась на свободе, не попав в зону внимания милиции. Две преступницы, избежавшие наказания, очутились в подчинении Ускова. Совпадение? Или кто-то специально направил их на эту фабрику? Кто? Сергей Сергеевич? Зачем? Неужели Николай Ефимович знал о темном прошлом сотрудниц? Кто был третий, тот, кто ушел из офиса живым и невредимым? Получается, это он принес отравленный коньяк, угостил Ускова с Кирилловой и покинул место преступления.

Я потрясла головой и приказала себе: Вилка, вспомни в подробностях рассказ Ковровой! Что она говорила о посетителе? А ничего! Усатый да бородатый. Вот и все.

Милиция не поверила Ковровой. Подтвердить ее слова о нахождении в комнате таинственного незнакомца никто не мог. Следователь предположил, что девица выдумала мужчину, чтобы свалить на мифическую личность ответственность за собственное преступление. У меня ее слова тоже вызвали недоверие. Борода, усы. Киллер как будто хотел обратить на себя внимание. Нет, настоящий убийца поостережется выделяться из толпы, его задача остаться незамеченным, а не щеголять растительностью на лице.

Но сейчас мне в голову закралась мысль: что, если Коврова не нафантазировала? Ольга самозабвенная врунья, она лжет, как дышит. Наболтала мне про свое исключительное положение на фабрике, выдумала легенду про свой успех на ниве организации производственного процесса по изготовлению игрушек. Верить ей нельзя. Но, может, она сказала правду про усатого-бородатого-кудрявого? Кажется, Коврова, упоминая незнакомца, назвала его «пудель». Вдруг этот «пудель» на самом деле приходил к директору? Вдруг у Николая Ефимовича и Антонины Михайловны был общий враг? И Усков каким-то образом связан со смертью Эльвиры Разбаевой? Что, если Кириллова сообщила сыну не всю правду?

Сплошные «вдруг». Вопросов много, а ответов нет.

И еще одно. Зачем лишать бухгалтера и Ускова жизни в офисе? Неужели преступник не понимал, что это вызовет подозрения? Есть масса способов избавиться от человека. Например, дорожно-транспортное происшествие. Еще лучше — нападение грабителя. В последнем случае в милиции даже не чихнут, живо сдадут дело в архив вместе с другими висяками. Попробуй отыщи в многомиллионном городе наркомана, который, озверев от ломки, убил случайного прохожего... Увы, для Москвы это рядовой случай. Усков и Антонина Михайловна обычные люди, не депутаты, не актеры, не телезвезды, шума не будет. Но киллер орудует в офисе. Он что, дурак?

ГЛАВА 16

Поток машин окончательно замер, но я не стала нервничать, позвонила своей подруге Зое и спросила:

— Как дела?

— Суперски! — радостно сообщила та. — А у тебя?

Я сразу взяла быка за рога.

— Нужна твоя помощь.

— Выкладывай, — приказала подруга.

Зоя появилась в моей жизни не так давно. Мы

познакомились в тот день, когда я наконец-то перебралась в новую квартиру[1]. А вот Шумаков знает ее с детства — они вместе ходили в школу. Зоя коллега Юры, начальник отдела нераскрытых преступлений. Внешне она смахивает на бегемота. Боюсь даже предположить, какой размер одежды носит моя новая знакомая. Может, восемьдесят восьмой? Или девяносто девятый? Рукава ее блузки мне хватило бы на платье, брючный костюм и пару юбочек. Полных людей принято считать добродушными. Не знаю, как с остальными, но Зоя точно даже мухи не обидит. Маленькое уточнение: последней не следует конфликтовать с законом. Если насекомое нарушит Уголовный кодекс, оно не увидит на лице толстушки Зои понимания. Зоя жесткий профессионал, быстрая гончая, неутомимый верблюд, способный сутками брести по пустыне следствия, не жалуясь на голод и жажду. Она страстная поклонница творчества Арины Виоловой. Зоя за короткий срок стала моей лучшей подругой.

— Пошаришь в архиве? — спросила я.

— Это мое хобби, — засмеялась Зоя. — Что искать?

— Примерно семнадцать лет назад в одном из московских детсадов произошла беда — из окна выпала двухлетняя Эльвира Разбаева. Происшествие сочли несчастным случаем, наказали воспитательницу группы и сунули дело в архив. Мне нужно выяснить: где сейчас мать Эльвиры? Кто был отцом девочки? Чем он занимается сегодня? У него тогда была законная жена, Эльвира роди-

---

[1] История отношений Зои и Вилки описана в книге Дарьи Донцовой «Фея с золотыми зубами», издательство «Эксмо».

лась от любовницы. Супруга дружила с некоей Надеждой Савельевой, чей сын Андрей посещал тот же садик. Где сейчас последняя? Задача тебе по плечу?

— В принципе, ничего сверхъестественного, — ответила Зоя.

— Тогда еще добавлю, — обрадовалась я. — Светлана Мешанкина. Надо узнать, что с ней.

— Круто! — хмыкнула Зоя. — Ни отчества, ни года рождения. Пусть Мешанкина не Николаева или Сергеева, но все равно рыть трудно. Что она сделала?

— Думаю, ничего. Света ребенок, маленький, — зачастила я. — Девочка умерла, ее смерть тоже сочли несчастным случаем, как и с Разбаевой. Вероятно совпадение в деталях с первым преступлением.

— М-м-м... — протянула Зойка. — И когда Мешанкину убрали? Примерный год.

— Нынешний или прошлый, точнее не скажу, — вздохнула я. — Думаю, дело было не так давно.

— Результат нужен, как обычно, вчера? — осведомилась подруга.

— Ты такая догадливая! — польстила я ей. — Умная, быстрая и имеешь доступ к базам, куда не подберется другой.

— Жди звонка, — велела Зоя и отсоединилась.

Поток машин снова покатил вперед. Я наконец добралась до дома, вошла в квартиру и повесила курточку на вешалку.

— Тяни сильнее, — раздался из гостиной голос Нины, — упрись коленом.

— Не получается, — ответил Гена.

— Постарайся! — гаркнула Варвара. — Не могло же оно усохнуть, правда?

Меня охватило любопытство, я решила посмотреть, чем занимаются гости. Но тут ожил мой мобильный. На экране высветилась надпись «Номер не определен». Я схватила трубку. Неужели Зоя уже навела справки? Хотя в век Интернета скорость никого не удивляет.

— Можно Вилку? — вежливо попросил незнакомый мужской голос.

— Слушаю, — сухо ответила я.

— Николай беспокоит, — представился незнакомец. — Помните нашу встречу?

Отличный вопрос. Сколько в столице мужчин по имени Николай? И какое количество из них попалось мне на жизненном пути?

— Вы виделись с писательницей Ариной Виоловой или Виолой Таракановой? — решила я сузить круг.

— Разве они не единое целое? — серьезно поинтересовался собеседник.

— Конечно, нет, — разоткровенничалась я, — между ними мало общего.

— Я криминалист, мы столкнулись с вами в квартире Кирилловой. Припоминаете? Мертвая девушка в комнате, Ника Малышева, — объяснил мужчина.

— Николай! — обрадовалась я. — Добрый вечер! Как поживаете?

— Сносно, — прогудел эксперт. — Вы изъявили желание послушать кое-какие мои истории. Завтра у меня выходной, надеюсь, форс-мажора не случится. Разрешите пригласить вас в кафе? Поверьте, у меня накоплен огромный материал.

Я смутилась. Как писательница я не обладаю ярко выраженной фантазией. Мои романы по сути расширенные репортажи. Выдумать хитроумную цепь событий мне слабо, зато я гениально описываю реально произошедшие преступления. Мне очень хочется выслушать Николая, но я не собираюсь идти на свидание с ним. Почему криминалист неожиданно захотел обеспечить меня сюжетами? Я ему понравилась? Эксперт решил завести роман? Надо категорически отказать Николаю, но — в мягкой, корректной форме. Ведь он коллега Юрасика, Шумакову не нужны лишние сложности в коллективе.

— Моя жена ваша страстная поклонница, — застрекотал собеседник, — романы Арины Виоловой — наше семейное чтение.

Отлично. Эксперт решил сразу расставить маяки. Он женат, я связана отношениями с Юрой, значит, никаких серьезных дел у нас не завяжется, Николай рассчитывает на легкую интрижку. Ай молодец! Вообще-то он прав, семейная женщина в любовницах не станет головной болью для женатика. Секс в чистом виде, вот на что этот тип надеется.

— И супруга, — журчал эксперт, — мне сказала: «Если ты расскажешь кое-что Арине, а той понравится твоя байка, то тогда на обложке книги поставят две фамилии — Виолова и Обухов. Рискни, Коля, хочу быть женой литератора, а тебе пора из лаборатории выбраться. Писатели зарабатывают миллиарды!»

— Кто такой Обухов? — растерялась я.

— Это я, — засмеялся Николай. — Мы станем соавторами: мой материал — ваша обработка, гонорар пополам.

На секунду меня охватила досада. Значит, у Николая нет никакого интереса, кроме финансового? Он надеется войти с писательницей в долю и отщипнуть часть ее денег? Поймите меня правильно, я не собиралась изменять Юре. Да, я слегка обиделась на Шумакова, он был излишне резок со мной, напомнив мне бывшего мужа Олега Куприна. Тот тоже постоянно рычал: «Не путайся под ногами».

Не самое лучшее воспоминание и большой минус Юре. Правда, до сегодняшнего дня Шумаков не допускал хамства, поэтому я постараюсь выдернуть эту занозу и забыть о ней. Но обида на него не толкнет меня в объятия другого мужчины. Я порядочная женщина! Кроме того — только я захотела в корректной форме избавиться от спонтанно возникшего кавалера, как выяснилось, что тому нужна всего-то пишущая ручка. Согласитесь, это неприятно.

— Я не знал, как к вам подкатиться, — бубнил Николай, — и вдруг вы опять на месте преступления. То есть первое-то было местом происшествия...

Я вздрогнула. Все криминалисты зануды, они разговаривают иначе, чем простые люди. Любая профессия накладывает на человека свой отпечаток, а сотрудников МВД она просто клеймит. Вот как я опишу одежду жертвы — пиджак с кровавыми пятнами и брюки в дырках? Напишу: «На полу валяются пиджак, испачканный кровью, и разодранные штаны». Криминалист же поступит иначе: «Верхняя часть мужского костюма покрыта следами буро-красной жидкости, предположительно крови. Нижняя часть мужского костюма приведена в негодность пока неизвестным орудием». И лишь покорпев в лаборатории, эксперт сообщит, что пятна на самом деле кровь, а брюки разрезаны ножницами. Понимаете? Сделать порезы можно ножом, бритвой, острым краем металлического предмета, стеклом — вариантов множество. Ножи бывают разные, бритвы тоже.

А прочитав глагол «разодрать», можно в том числе предположить, что преступник рвал ткань руками или ногами. Криминалисты крайне осторожны со словами. Так вот, место преступления — это место, где совершено преступление. А место происшествия — это место, где случилось происшествие. Извините за тавтологию, но иначе не сказать. Сейчас Николай говорит...

— Где мы с вами столкнулись впервые? — вырвалось у меня.

— В гараже у тела Кириллова, — охотно ответил Николай. — Я был занят работой, ничего вокруг не замечал. Потом мне Олеся, наша лаборантка, шепнула: «Как вам Юрина любовь? Знаете, кто она?» Я очень расстроился, что упустил возможность с вами побеседовать. И тут вдруг судьба милостиво подбросила мне новый шанс.

— Никиту не убили? — снова перебила его я. — Вы сказали, в гараже место происшествия?

— Никаких следов насилия нет, есть предсмертная записка, — отрапортовал Николай. И только потом смутился: — Извините, я не имею права обсуждать детали...

— Ну, конечно, — зачирикала я, — естественно! Николай, с огромным удовольствием выслушаю вас. Завтра. Время и кафе на ваш выбор.

— В полдень, на улице Расковиной, там есть хорошее заведение «Рак и щука», — обрадовался криминалист.

— Чудесно! — восхитилась я.

— Счастлив от предвкушения беседы, — вычурно высказался Николай.

— Польщена предложением сотрудничества от лучшего в своей области специалиста, — отбила я мяч на половину противника.

— Очарован и надеюсь на плодотворный союз, — не остался в долгу Николай.

Я наконец прервала китайскую церемонию и попрощалась. Положила мобильный на диван и мысленно потерла руки. Николай делал вскрытие и Никиты, и Ники, он знает все подробности. Завтра я вытрясу из «соавтора» все, тот даже не заметит, как разболтает секретную информацию.

— Больно! — завопила в гостиной Нина.

Я мгновенно забыла про дела и поспешила туда. Посреди комнаты стояла невеста. На Нине красовалось свадебное платье «Осень патриарха». Позади своей суженой маячил Гена.

— Дергай сильнее, — приказала Варвара, — ать, два!

Парень засопел.

— Вау, я ща задохнусь... — простонала Нина. — Отстаньте! Мне плохо!

— Что у нас происходит? — спросила я.

Геннадий указал подбородком на незастегнутый корсет Нины.

— Говорил ей, не жри столько! И пожалте, не сходится.

— Не смей мою дочь едой попрекать! — взвилась Варвара. — Она ест как птичка.

— Колибри, — меланхолично уточнил Гена.

— Да, — не заметила подвоха теща, — именно так..

Геннадий шмыгнул носом.

— Колибри хавает за сутки больше, чем сама весит! Недавно по телику программу показывали, я прям удивился, сколько крошка в клюв запихивает.

— Мамаааа, — взвыла Нина, — че он обзывается?

Варвара угрожающе подошла к жениху.

— Считаешь куски? Рано начал! И за продукты к ужину я платила, тебя в гастрономе рядом не стояло.

Гена нахмурился.

— Она все время жевала, пока мы гуляли!

— Съела крошечку — салатик «Цезарь», — захныкала Нина. — Смехотища, а не хавка!

Гена вытянул руку и начал загибать пальцы.

— Солянка со сметаной, полная порция...

— Суп не в счет! — топнула ногой Нина. — Это вода!

— Лосось с зеленью, — напомнил жених.

— Рыба! — скривилась девушка. — Ее врачи есть советуют.

— Три бутылки колы, кофе со сливками, пирог с вишней, — не останавливался Гена.

Варвара склонила голову к плечу.

— Эй, ты что, записывал в блокнот?

— У меня память хорошая, — заверил Гена.

— Лучше б тебе иметь отличные ум, сообразительность и трудолюбие, — гаркнула теща. — Попрекаешь девочку ее аппетитом! Совесть имей!

— Нинку легче убить, чем прокормить, — куда-то в сторону вякнул Геннадий.

— Ты че сказал? — набычилась Варвара. — Повтори!

— Вы на платье ее гляньте, я думаю о ваших деньгах, — заюлил Гена. — Она не наденет его на свадьбу.

— Почему? — насупилась Варвара.

— Оно ей мало! — рассмеялся женишок.

— Отлично сидит, — возразила Нина.

— Корсет не застегивается, — желчно уточнил Гена, — а так ничего. В связи с этим обстоятельством у меня возникла идея.

— Какая? — с интересом спросила невеста.

— Привалим тебя на свадьбе спиной к стулу, привяжем к его спинке, и не шевелись, — сохраняя абсолютную серьезность, сказал парень. — Спереди платье суперски смотрится, а сзади стул прикроет.

— Мамааа! — зарыдала Нина. — Он издевается! Платье усохло от дождя, оно раньше шикарно сидело, по мне было.

— Ага, до жрачки, — хохотнул Геннадий. — От ливня все всегда прям ссыхается... Ты же в прикиде по улицам не шлялась.

Варвара подошла к Гене, легко оттеснила его и велела:

— Доча, выдохни получше.

— И-и-и... — со свистом исторгла из себя воздух Нина.

Варвара рванула корсет, раздался вопль.

— Ну вот, — удовлетворенно подвела итог мамаша, — крючки сели в пазы. У тебя, Генка, сил не хватило. Ну-ка, Нинок, пройдись, а мы полюбуемся.

Девушка не пошевелилась.

— Давай, не спи, — рассерчала маменька.

Я забеспокоилась — лицо Нины приобрело синюшный оттенок, губы задрожали, лицо искривила гримаса. Красавица молчала, и, на мой взгляд, это был наиболее плохой признак.

— Ну, шагай! — дернула мать онемевшее дитятко.

Нина покачнулась и стала оседать на пол. Я ринулась к ней, успела подхватить несчастную и вернула ее в исходное положение.

— Воздух у нее в легкие не идет, — заявил Гена. — Сдавило слишком. Нина, давай, вдохни!

Невеста издала странный сип, затем послышался треск. Корсет обвис.

— Зараза! — разозлилась Варвара. — Испортила платье! Где я тебе новое возьму? Сволочь! Сказано было, не жри! А ты...

— Мамааа, я нечаянно! — взвыла Нина. — Мамааа!

Она сделала несколько шагов и рухнула на паркет.

— А сейчас чего? — не проявила беспокойства маменька. — Ау! Отзовись! Смотри, не помни юбку, развалилась тут...

— Туфли! — захныкала Нина.

Гена наклонился, пошарил рукой под «абажуром», выудил лодочки и голосом Левитана объявил:

— Внимание! Каблуки не выдержали веса, отлетели. Во до чего доелась... Ну, ты, Нин, зажигаешь! Сто разов говорено было: не напихивайся гамбургерами.

— Они вкусные, — заревела Нина.

Варвара уперла руки в боки.

— Я вас одних погулять отпустила. Доверила тебе, Гена, самое ценное. И что получилось?

Геннадий предпочел оказаться поближе ко мне.

— Так я все Нинкины желания выполнил, праздник ей устроил. Сначала она гамбургер захотела, колу, пирожок и мороженое. У метро я взял ей пломбир, двести пятьдесят граммов с шоколадной крошкой и печеньем. Через полчаса купил сосиску в булке, чипсы, конфеты, орешки. Питье не считается. Затем она есть захотела.

Я заморгала. Может, у Нины глисты? Нормальный человек, слопав перечисленное Геной, неделю не притронется к еде.

— Отвел ее в кафе, — повествовал парень. — Она там закусь, первое, второе, третье схомячила. Вышли на проспект, видим, будка корейской едой торгует. Взяли попробовать. В метро Нинка буритто умяла. Ну и дома ваш ужин. Я ее честно предупредил: не ешь материну стряпню, разожрешься, платье не налезет. А она меня лягнула по ноге и возмутилась: «Мама старалась, у плиты стояла! Отличный из тебя зять получится, раз подбиваешь мамочку обидеть!»

Варвара Михайловна зашипела, словно злобная кошка, и ринулась к дочери. На голову ревущей Нины посыпались оплеухи.

— Зараза! — вопила директор школы. — Дрянь прожорливая! Мать состояние за ее причуду отдала — и все коту под хвост? Немереные тысячи в помойку?

Геннадий неожиданно сел на диван и принялся спокойно читать бесплатную газету.

Я, возмущенная до глубины души поведением гостей, схватила Варвару за руку.

— Прекратите! Или вызову милицию.

— Фу, — шумно выдохнула Шумакова, — фу! Инфаркт с детьми заработаешь... Тратишь на них рубли, а где толк?

Я быстро осмотрела туфли и корсет.

— Каблук легко приклеить, а корсет цел, всего-то крючки оторвались. Сейчас принесу иголку, пришьем назад, и все будет прекрасно.

— И как она в наряд телеса впихнет? — вновь побагровела Варвара. — Придется ей бока срезать.

— Мамааа, — завопила Нина, — не хочу! Боюсь! Не трогайте меня!

Я обняла перепуганную девушку.

— Успокойся, никто живого человека резать не станет.

— Ты мою маму не знаешь, — всхлипнула Нина.

ГЛАВА 17

— Любите вы повторять: «Гена — дурак, Гена — идиот», — заговорил жених, — а я знаю, как Нинку в порядок привести.

Варвара обернулась.

— Выкладывай.

— Читаю объяву, — возвестил жених. — «Мгновенное похудение. Метод английской королевы. Выезд на дом. Эффект моментальный».

— Глупости, — покачала я головой.

Геннадий ткнул пальцем в издание.

— Так написано.

Я попыталась воззвать к его здравому смыслу.

— Сейчас много мошенников, не стоит доверять рекламе. Сбросить вес можно лишь при помощи занятий спортом и диеты.

— Дай сюда! — приказала Варвара. — Где телефон?

— От всей души не советую, — занервничала я, — минимум вас обманут, максимум — Нина потеряет здоровье.

— Дата свадьбы назначена, народ в курсе, — брякнула Варвара, — лишь бы невеста в платье вошла, потом со здоровьем разберемся. Алло! Алло! Алло!

Варвара нервно стукнула по несчастной трубке ладонью и случайно включила громкую связь.

— Похудательный центр «Королевский», — разнесся по гостиной бас. — Слушаю вас. Анатолий.

— Надо сбросить вес, — объявила Варвара, — немедленно. Сегодня. Сейчас! Срочно!!

— Собачке? — спросил менеджер.

Варвара опустилась на стул.

— Кто?

— Худеем пса? — поинтересовался Анатолий.

Варвара Михайловна растерялась, Гена вырвал телефон у тещи.

— Женщина она!

— Хорошо. Веса сколько будем снимать? — спросил менеджер. — Тридцать кило предел.

— Подходит, — одобрил Гена. — Когда приедете?

— Можно сейчас. Где вы живете? — обрадовался Анатолий.

Жених споро продиктовал адрес. Мне ситуация казалась бредом, но помешать ее развитию я не успела.

— Да вы в соседнем доме находитесь! — воскликнул Анатолий. — Уже бежим.

— Эй, скока стоит? — заорала Варвара.

— Договоримся, — прозвучало в ответ, — получите суперскидку.

Не прошло и пяти минут, как в дверь позвонили.

Когда в гостиной появились мужчина с женщиной и представились: «Жиросжигатели Леша и Катя», — я попыталась помешать совершению глупости:

— Предлагаю не ввязываться в авантюру!

— У нас лицензия, — гордо произнесла Катя.

— Позитронно-атомно-резонансное устройство, — подхватил Алексей, — проверено на английской королеве.

— Два года назад она была полной, — продолжала Катя.

— Сейчас как лань, — умилился Леша. — Мы постарались.

— Почему же вас в Англии не оставили? — усмехнулась я. — В благодарность за помощь монарху?

— Мы патриоты, — отбрила Катя.

— Нас упрашивали, в ногах валялись, да отказались мы, — зачастил Алексей. — Кто русскому человеку поможет, если все спецы в Великобритании осядут?

— Как работает ваша система? — не успокаивалась я.

Катя добыла из чемодана трехлитровый баллон.

— Это резонанс.

— Банка? — хмыкнула я.

— Резонанс, — не сдалась женщина. — Он закрепляется на теле и движется под воздействием атомов.

— Здорово, — восхитилась я.

— Жир утекает через позитрон, — не моргнул глазом Алексей, — превращается в воду и уходит в унитаз. Терапию надо непременно сочетать с чаем «Лунг-Мунг».

— И дочка в размерах уменьшится? — с сомнением спросила Варвара.

— У нас не бывает обломов, — заявила Катя, — результат завтра. Должны пройти сутки.

Варвара скрестила руки на груди.

— А деньги сейчас?

Я обрадовалась. К голосу разума тетка не прислушалась, а вот жадность не даст ей совершить глупость, просто так кровные тыщи Варвара не отдаст. Поэтому я замерла в предвкушении фразы, которая вот-вот должна была вылететь у Шумаковой: «Валите отсюда, заранее не плачу!» Но мои радужные надежды нарушил Алексей.

— Оплата по факту ушедших кило, — сообщил он, — завтра взвеситесь и рассчитаемся по квитанции.

— Вы не жулики! — восхитился Гена.

— Ну, конечно, нет, — улыбнулась Катя, — скорая антижировая помощь.

— И кто прибегает к вашим услугам? — не выдержала я.

— Как правило, люди накануне юбилеев, свадеб, дней рождений нас вызывают, — пояснил Алексей. — Ну и...

— Хватит, — пресекла беседу Катя, — мы не трепаться пришли!

Я ринулась в атаку.

— Ну уж нет! Ваш администратор задал странный вопрос: «Худеем пса?» Что он имел в виду?

— Шутник, вечно глупости говорит, — неуверенно вильнула в сторону Катя.

Алексей оказался более честным.

— На выставке ожирелому псу без шансов медаль получить. Или вы за границу с кобелем собрались, придется за перевес платить, а в самолете кабана везти дорого. Вот тут мы и помогаем.

— Вы всерьез? — возмутилась я. — Думаете, я вам поверю?

— Не понимаю, мы работаем или будем дальше ля-ля? — насупилась Катя. — Заказов полно.

— Приступаем, — скомандовала Варвара.

— Пусть объект разденется и ляжет на диван лицом вниз, — велела Катерина.

Я села на стул.

— Посторонних просим удалиться, — приказал Алексей. — Только мы и тело.

— Не сойду с места! — уперлась я.

— Фиг с ней, Леш, пусть остается, — вздохнула Катя. — Укрепляю резонанс...

Пара споро принялась за работу. Катерина установила на пояснице Нины банку, Леша примотал к ней при помощи тесьмы антенны, достал из сумки коробочку и ткнул пальцем в кнопку. Послышалось мерное гудение.

— Долго мне так лежать? — заканючила Нина.

Катя прижала палец к губам.

— Тс, не мешайте позитронному процессу.

Невеста покорно замерла. Процедура заняла десять минут. Затем парочка вернула «прибор» в торбу.

— Отлично, — констатировала Катя, — за следующие сутки волна энергии разобьет жировые капсулы. Сейчас выпейте чай «Лунг-Мунг». Затем вы будете часто посещать туалет.

— Не стоит беспокоиться, процесс естественный, — включился в беседу Алексей. — Чтобы похудение шло быстро, воде необходимо выйти. Вот, держите.

И он положил на стол два небольших прозрачных пакетика.

— Это чай. Траву заваривайте из расчета четыре ложки на двести миллилитров. Завтра вечером около десяти мы заглянем. С вас сейчас пять тыщ.

— За что? — надулась Варвара.

Алексей указал на скатерть.

— За растительное средство. Оно стоит десятку, мы вам сделали пятидесятипроцентную скидку.

— Ладно, — нехотя согласилась Варвара и пошла за кошельком...

Ночью мне захотелось в туалет, и я, почти не раскрывая глаз, добрела до уголка задумчивости. Из-под створки пробивалась полоска света. Я осторожно постучала пальцем в дверь.

— Есть там кто?

— Да, — простонала Нина.

— Прости, — вздохнула я. Пришлось идти в

другой санузел. Но и он оказался занят, на сей раз Юрой.

— Что ты там делаешь? — удивилась я.

— Картошку чищу, — ответил Шумаков.

— Извини, дурацкий вопрос, — хихикнула я. — Не стала зажигать в спешке свет и не заметила, что тебя в кровати нет.

— М-м-м... — пробурчал он.

— Тебе плохо? — насторожилась я.

— Не очень хорошо, — признался милый друг.

— Живот болит? — забеспокоилась я. — В каком месте? Если справа, это может быть аппендицит!

— М-м-м... — прозвучало в ответ.

— Немедленно открой дверь! — испугалась я.

— Иди спать, — велел Шумаков.

— Полагаешь, я спокойно усну, оставив тебя в тяжелом состоянии? — задергалась я.

— Вилка, у меня понос, — смущенно сообщил любимый. — Похоже, я траванулся: тошнит, мутит — полный набор.

Я слегка успокоилась.

— Почему сразу не сказал?

— Как-то негламурно, — пропыхтел Юра, — и даже вульгарно звучит.

— Выходи, дам тебе лекарство, специальный для таких случаев гель, — приказала я.

— Не могу, — прозвучало в ответ.

— Почему? — рассердилась я. — Что за дурацкий характер! Никогда не прислушаешься к моим разумным советам!

— Я открыт для любых предложений, — пробурчал Шумаков, — обязательно съем твои пилюли, но не сейчас. Выйти не могу.

— Почему? — повторила я.

— Догадайся с трех раз, — еле слышно ответил Юра. — Отойди от туалета! Зачем пришла?

— Пописать. Тоже извини за негламурное сообщение, — усмехнулась я.

— Сбегай в другой сортир, — посоветовал Шумаков.

— Там Нина, — вздохнула я.

— Подожди, — предложил Юра, — она скоро выйдет.

Я пошла назад и вновь поскреблась в створку, за которой затаилась невеста.

— Ау? Ты скоро?

— Не знаю, — прошептала Нина. — А чего?

— Извини, я хочу в туалет, — отчеканила я.

— У вас же два тубзика, — резонно напомнила девушка.

— Второй оккупировал Юра, — сообщила я.

— О-о-о! — испугалась Нина.

— Тебе плохо? — выпалила я.

— Живот крутит, — захныкала красавица, — пилой пилит, долотом ковыряет. И тошнит в придачу. Никогда отсюда, кажется, не выйду!

Поскольку Юра с Ниной почти одинаковыми словами описывали свое состояние, я заподозрила, что они отравились одним и тем же.

— Что ты ела?

Невеста стала издавать нечленораздельные звуки. Сообразив, что ничего не добьюсь от нее, я кинулась к Шумакову.

— Ты как?

— Господи, я думал, ты уже заснула, — отнюдь не обрадовался он.

— Чем ужинал? — не успокаивалась я.

— Не помню, — объявил Юрасик. — Хватит топтаться под дверью!

Я решила выманить Шумакова при помощи

хитрости. Знаю, он терпеть не может принимать лекарства, но порой просто необходимо воспользоваться пилюлями, таблетками и сиропами. А у меня есть прекрасное средство от желудочно-кишечных проблем. Помнится, в детстве меня Раиса кормила активированным углем при каждом случае. Стоило у меня начаться насморку, как тетка высыпала на стол пригоршню черных таблеток и сурово приказывала: «Ешь быстро, да не забывай хорошо разжевывать».

Вот это была беда! Уголь противно скрипел на зубах, колкие крошки застревали в горле... Правда, вкуса лекарство не имело, но именно это и делало средство совсем уж омерзительным. Однако я безропотно лопала его и в детстве, и в подростковом возрасте. И ни разу не пришел в голову простой вопрос: каким образом черная гадость избавит меня от насморка? Я же глотаю уголь, а не вдыхаю его!

Остается лишь позавидовать сегодняшним детям, для которых придуман замечательный гель, который сам проскакивает в желудок. Но Юра хуже ребенка, на него невозможно надавить авторитетом, Шумаков наверняка категорически откажется от лекарства. Значит, применим хитрость...

Я слетала в кладовку, взяла большой тюбик и снова вспомнила про активированный уголь. Ну почему во времена моего детства не изобрели замечательное лекарство, по виду напоминающее желе? Впрочем, я не отказалась бы тогда и от мобильного телефона, компьютера, DVD-проигрывателя и массы других достижений научно-технического прогресса.

Однако нечего размышлять о пустяках, надо выманить Юру из клозета.

— Солнышко, выйди на минуточку, — защебетала я, — очень пописать хочется. Нина оккупировала другой туалет. Ну сжалься надо мной!

— Воспользуйся раковиной в ванной, — донеслось в ответ.

Я замерла с раскрытым ртом. Юра забыл, что я женщина? И потом, что за совет? Как ему вообще подобное в голову пришло?

— Если сейчас же не выползешь из сортира, будет плохо! — пригрозила я.

— Хуже уже не станет, — промямлил Шумаков. — Слышь, давай твой гель...

Я чуть не потеряла сознание от изумления. Юра согласен принять лекарство? Завтра с неба посыплется дождь из лягушек! Но уже через секунду в душе возник страх.

— Милый, тебе так плохо? Давай вызовем «Скорую».

— Подсунь упаковку под дверь, съем всю, — пообещал Шумаков.

Меня сковал ужас. Но я произнесла:

— Тюбик в щель не пролезет.

— Положи рядом и уматывай, я заберу, — пообещал Шумаков.

— Нет! Выходи! — велела я.

Створка приоткрылась, в щель высунулась рука.

— Давай, — прошептал Шумаков.

Мой ужас трансформировался в ужас-ужас-ужас, но я вложила в раскрытую ладонь упаковку. Юра оперативно захлопнул дверь.

— Теперь отправишься спать? — простонал он.

— Да, — пролепетала я и помчалась к телефону.

Вы пробовали дозвониться до службы, которая обязана срочно оказывать медицинскую помощь? Запаситесь терпением, быстро у вас это не получится: сначала вдоволь наслушаетесь длинных гудков, затем они превратятся в короткие и — начинай сначала...

— «Скорая», двенадцатая, слушаю, — ответил наконец женский голос.

— Девушка, мой... э... ну, в общем, Юра сидит в туалете. Уже давно. Не знаю сколько. И выходить оттуда он не собирается.

— На что жалуется? — спросила диспетчер.

— Тошнота, боли в животе, судороги в желудке, — перечислила я.

— Какой срок беременности?

Я опешила.

— Юра не ждет ребенка.

— Температура? Кашель?

— Вроде нет, — осторожно ответила я. — У него, простите, понос.

— Дождитесь утра и обратитесь к районному терапевту, — отрезала диспетчер и отсоединилась.

Мое негодование зашкалило. Ну, погоди, двенадцатая, я добьюсь приезда доктора!

ГЛАВА 18

Москвичи отлично знают: если на вопрос муниципальной «Скорой» о возрасте больного человека честно ответить, что бабушке девяносто, то спешить к вам не станут. Поэтому все элементарно привирают, сообщают о сорокалетней женщине, которой стало плохо с сердцем. И тогда доктора поторопятся. Конечно, приехав и увидев престарелую даму, они будут недовольны. Но есть замечательное средство для улаживания конфликтов — оно шелестит в бумажнике.

Я снова набрала короткий номер, и на сей раз диспетчер откликнулась сразу.

— Двадцать девятая. Что у вас случилось?

— Семья слегла с поносом! — заголосила я. — Вернее, засела в туалетах. Молодой мужчина и девушка. Им плохо.

— Какой срок беременности? — задала вопрос женщина.

Они что, сговорились? Или существует должностная инструкция с определенным списком вопросов?

— У них понос! — заявила я.

— Дождитесь утра и обратитесь к районному терапевту.

— Девушка, — заорала я, — стойте!

— «Скорая», двадцать девятая. Что у вас случилось?

— У всей семьи проблема с желудком.

— Дождитесь утра и...

— Двадцать девятая, вы робот-сквоттер? — закричала я.

— Нет, — обиженно отозвалась женщина. — А что у вас случилось?

— Ведь я уже сказала: у людей понос! — гаркнула я.

— «Скорая» по такому диагнозу не выезжает. Хотите, дам номер платной неотложки? — неожиданно проявила сострадание диспетчер.

Мне всегда казалось, что за деньги лечиться лучше, поэтому я обрадовалась.

— Диктуйте.

На подстанции, где оказывали услуги за наличный расчет, отреагировали немедленно, но вопрос задали тот же:

— Что у вас случилось?

Я, наученная горьким опытом общения с представителями муниципальной медицины, резко сгустила краски:

— Людям очень-очень плохо. Тошнота, понос,

температура, озноб, сыпь, почесуха, судороги. Имеем весь набор. Только скорей приезжайте. И не спрашивайте про беременность, в данном случае она ни при чем.

— Больные выезжали за границу? — поинтересовались на том конце провода.

— Да, да, да, — соврала я, — в Париж.

— Франция не Средняя Азия, — обрадовалась диспетчер. — И мне бы не понравилось услышать про командировку в Дели.

«Вилка, ты идиотка!» — обругала себя я. Прогулка по столице влюбленных не может насторожить доктора. Во Франции со времен Средних веков не случалось эпидемий холеры, чумы и оспы. А вот в населенных пунктах по берегам реки Ганг можно подцепить любую болезнь. Я очень хочу, чтобы в кратчайший срок к нам примчался автомобиль, забитый лекарствами, с парочкой специалистов. Я оплачу все счета, ждать до рассвета преступно. Если Юра покорно взял лекарство, значит, ему на редкость плохо.

— Погодите, погодите, — зачастила я, — Париж был последним пунктом их пребывания. До этого Юрий и Нина посетили Гаити, Замбию, Конго, заехали в Индию, Пакистан и заглянули в Бангладеш. Вот!

— Диктуйте адрес, — приказала диспетчер.

Страшно довольная собой, я вернулась в спальню и, не зажигая света, шлепнулась на кровать.

— А-а-а... — простонал матрас. — Нельзя ли поосторожней?

— Ты лег на мою половину, — вздохнула я, отползая в сторону, — раскинулся поперек. Эй, Юрасик, тебе лучше?

— Не особенно, — заныл Шумаков.

— Но ты вышел из туалета! — обрадовалась я.

— Живот больше не выворачивает, — признался Юра.

— Вот видишь! Следовало сразу принять лекарство, — менторски подчеркнула я. — В другой раз не спорь!

— Я ничего не ел, — сонно ответил Шумаков, — положил на место в аптечку целую упаковку.

Я села на постели.

— Ты не проглотил гель?

— Нет, — промямлил Шумаков.

— Но ты его забрал! — недоумевала я.

— Отлично понимал: если не возьму тюбик, ты не отстанешь, простоишь под дверью до утра. — Юра зевнул. — А мне неудобно пользоваться сортиром, когда подслушивают. Я застенчивый.

Меня смело с кровати. Шумакову вовсе не плохо, он слопал несвежий гамбургер и уже оклемался. Надо срочно отменить вызов «Скорой»!

— Что надо? — прохрипел в трубке мужской голос.

Я удивилась — до сих пор диспетчеры реагировали иначе. Но они были женщинами...

— Хочу отменить вызов «Скорой», — зачастила я, косясь на часы, которые показывали пять утра, — десять минут назад я вам звонила. Извините, у нас уже все выздоровели.

— Хорошо, — буркнул дядька.

— Не забудете? — не отставала я.

— Задержал машину, — еле слышно ответил диспетчер.

С чувством выполненного долга я вернулась в спальню и сладко проспала до десяти.

Вырвавшись из лап Морфея, я с удивлением

обнаружила около себя похрапывающего Шумакова. Ткнула его в бок и спросила:

— Что ты делаешь?

Юра приоткрыл один глаз.

— М-м-м, Вилка, ты за последнее время стала очень любопытной. Сначала допытывалась, с какой целью я зашел в туалет, теперь интересуешься моими действиями в постели. Я сплю! Мне очень хорошо.

— Тебе станет очень плохо, когда ты поймешь, что опоздал на работу, — вздохнула я. — Живо вставай, на планерку не успеешь! Советую по дороге придумать какой-нибудь эксклюзивный форс-мажор. Похороны очередной троюродной тети не прокатят.

Шумаков повернулся на другой бок и натянул одеяло на голову.

— У меня отгул, — глухо прозвучало из-под пуховой перинки. — Что за манера терзать человека?

— И откуда мне знать про твой неожиданный выходной? — резонно ответила я.

— Я написал записку, — еле слышно пробормотал Юрасик, — прикрепил ее на входную дверь. Специально выбрал это место, думал, ты увидишь...

Членораздельная речь Шумакова перешла в бормотание, затем в храп.

Я натянула халат. А еще мужчины обожают порассуждать на тему странностей женской логики! Юра пришпилил листок на выходе, не подумав, что я, проснувшись, начну сразу его трясти. Следовало положить писульку на тумбочку.

Стараясь не шуметь, я выпила кофе. Затем попыталась накормить котопса, но тот не пожелал покинуть место около головы обожаемого хозяина. Даже не пошевелился, когда я зашептала:

— Иди, поешь.

Нина и Гена дрыхли без задних ног, а вот Варвара Михайловна обнаружилась в прихожей.

— Уже убегаете? — из чистой вежливости спросила я.

Тетка приложила палец к губам.

— Тсс. Не хочу, чтобы они проснулись и привязались. Есть задумка! Мне дали адрес одного тамады. Дорогой, собака! Но обещают устроить незабываемый праздник, все сдохнут от зависти, прямо лопнут. Хочу сначала сама с ним поговорить. Нинка ребенок, что увидит, то и просит. Если мне мужик по сердцу придется, тогда его дочери предъявлю. Иначе получится, как с платьем: она упрется рогами и не сдвинется. Охохоюшки...

— Вы не производите впечатления человека, который не способен сказать «нет», — отметила я.

— Кто мне на спину взобраться попытался, тот живо назад скатился, — кивнула Варвара. — Но Нинку жаль! Все ее подружки давно при мужиках, при детях, а моя в старых девках. Захотелось ей праздник устроить. Гена тапир, но другого-то нет. Придется с таким жить.

— Тапир? — переспросила я.

— Типа слона маленького, — скривилась Варвара, — ни то, ни се! Вроде и хобот есть, и спина широкая, а недоделыш типичный этот Генка. Попомни мое слово, разбегутся они вскорости. Зятек поймет, что из тещи копейки не выдавить, и смоется, а Нинка глаза протрет и сообразит: блин, тапира отхватила. Ну, как в песне поется: «Думала, джекпот, присмотрелась — идиот».

— Зачем тогда на свадьбу деньги тратить? — удивилась я.

— А чем мы хуже других? — возмутилась Варвара. — Только дай соседям повод — сплетничать заведутся, затрезвонят: «У Шумаковой-то дела плохи! Дочь втихую расписала, не по-человечески! Не выпили, не закусили, не потанцевали, не подрались! Нищая она!» И уважать меня перестанут. Ну, я погнала!

Я глянула на часы и поняла, что времени на завтрак нет. Очень не люблю опаздывать. Ну ничего, мы договорились с Николаем о встрече в кафе, там и выпью латте. На всякий случай возьму с собой несколько конфет — если закружится голова, съем сладкое, и все пройдет. Я запустила руку в серебряную вазочку в виде лодочки. Откуда у нас конфеты? Я не покупала. Или забыла? А может, их принес Юра? Он иногда балует меня. Правда, чаще Шумаков притаскивает мороженое.

Я сунула конфеты в сумку и покинула квартиру. Надеюсь, успею вовремя на встречу с экспертом.

Для раннего свидания Николай выбрал уютное место. Кофе там варили вкусный, булочки оказались выше всех похвал, и народу в зале было мало. Наверное, в обеденное время в кафе не протолкнуться, но утром клерки тоскуют в офисах.

— Рад очень, неописуемо рад, — заталдычил Коля, едва я села за столик.

Решив не тратить драгоценное время на пустые речи, я сразу перешла к делу:

— Давайте обсудим наш совместный сюжет.

Николай потер руки.

— Помню, в тысяча девятьсот девяносто девятом...

— У вас отличная память, — притормозила я эксперта, — но издательство требует современный материал. Меня очень интересует история с Никитой Кирилловым.

— По этому делу не могу ничего сказать, — замотал головой Николай, — следственные мероприятия в самом разгаре.

Я округлила глаза.

— Мы же не станем называть подлинные имена и фамилии! Главное, наметить канву.

— Извините, я абсолютный профан на ниве литературного творчества, — смутился Николай.

Я быстро доела одну булочку и потянулась за второй.

— Ерунда, у вас есть я, опытный автор.

Эксперт заерзал на стуле.

— А как мы будем работать?

Я улыбнулась.

— Французские писатели, ныне признанные классиками литературы, братья Гонкуры, на подобный вопрос отвечали: «Эдмон носится по издательствам и пытается продать роман, а Жюль сидит дома и караулит рукопись, чтобы ее не сперли друзья».

Николай засмеялся, а я быстро добавила:

— Это литературный анекдот. Нам повезло больше, издательство «Элефант» непременно издаст книгу. Вы — ответственный за фактический материал, я пишу текст. Сначала набросаю синопсис.

— Что? — не понял Николай.

— Краткое содержание, — пояснила я, — несколько абзацев, в которых объясню основные повороты сюжета. Если главный редактор одобрит, мы начинаем работать, если отклонит, то нет.

— Книги не будет? — заморгал Николай.

На секунду мне стало стыдно. Нехорошо обманывать наивного криминалиста. Издательство может попросить синопсис у начинающего литератора, который еще не издал ни одного произведения и выступает, образно говоря, в роли коробейника, желая продать товар. Но если у прозаика, как у меня, за плечами более десяти романов, о синопсисе даже не заикнутся. Почему? Писатели нервные, очень обидчивые люди да еще частенько тщеславны и непомерно самолюбивы. Услышит автор про синопсис и надует губы, резонно спросит: «Вы мне не доверяете? Считаете непрофессионалом?» И унесется к конкурентам.

Если у литератора есть свой читательский круг, он не пропадет. Поэтому «Элефант» никогда не обратится ко мне с обидным предложением: «Напиши-ка, тетенька, кратенько содержаньице очередного своего бессмертного опуса, а мы решим, что тебе из сюжета вычеркнуть. Ты же у нас дурочка, не способная до сих пор самостоятельно справиться с построением романа!»

Но Николай-то об этом не знает! Добровольно эксперт ничего про Никиту не сообщит, а мне позарез необходима информация. Я хочу сама вычислить убийцу! Надеюсь, после того как назову его имя, Шумаков более никогда не произнесет отвратительную фразу: «Не лезь не в свое дело, не путайся под ногами».

На заре наших отношений Юра иначе относился ко мне, делился со мной своими мыслями и прислушивался к мнению любимой женщины. Но сейчас что-то сломалось, и Шумаков кажется мне братом-близнецом Олега Куприна. Я не принадлежу к породе нервных девушек, которые устраивают опоздавшему на пять минут кавалеру бурную истерику. И не требую бриллиантов, шуб, дорогих автомобилей и каникул на Мальдивах. С одной стороны, я сама отлично зарабатываю, с другой — понимаю, что Юра состоит на госслужбе. Он честный человек, не берет ни взяток, ни подарков. Одним словом, я верная спутница жизни, но мне нужно уважение партнера. Я простила Шумакову гадкие слова, однако надо дать ему понять, что я не «путаюсь под ногами» — я талантливая сыщица, которая быстрее Юры размотала крепко спрессованный клубок. Вот почему мне сейчас и пришлось врать Николаю.

Я вскинула голову.

— Ничего! Если один синопсис не понравится, сделаем другой.

— И книгу с фамилией Обухов опубликуют? — по-детски восхитился Николай.

— Да, — опрометчиво пообещала я.

В конце концов, заставлю «соавтора» нацарапать сто пятьдесят станиц, поправлю его текст и уговорю «Элефант» выпустить произведение самым малым тиражом в пятьсот экземпляров. Криминалист приобретет большую часть книг — для раздачи родственникам, друзьям и знакомым, остальные я пристрою к своей приятельнице, владелице нескольких супермаркетов. Эксперт сможет называть себя писателем, а его жена станет супругой литератора.

— Здорово! — обрадовался наивный мужик.

— Итак, Никита, — застолбила я тему. — Его отравили коньяком. Вопрос: спиртное то же, что и в случае с Никой Малышевой?

Обухов заморгал.

— Никита накачался снотворным, это самоубийство.

— Он не пил спиртное? — удивилась я.

— Нет, проглотил снотворное, — повторил криминалист.

— Не верю, — категорично возразила я, — парня обманом накормили таблетками!

Николай выпрямил спину.

— Я могу определить, сам человек принимал лекарство или его заставили выпить помимо воли. На теле Кириллова нет ни малейших следов насилия. Ни синяков, ни царапин, ни ран. Труп лежал на спине, прикрыт одеялом до подбородка. На тубе с пилюлями, которая нашлась рядом, отпечатки пальцев только покойного.

Я снова не согласилась.

— Это подстроено. Где следы фармацевта?

Николай пояснил:

— Сейчас почти во всех аптеках провизоры работают в перчатках, таково требование вышестоящей организации, в целях недопущения распространения инфекций. Кстати, на упаковке есть еще «пальчики». Чьи они, определить не удалось. То есть я веду речь о том, кто последним держал в руках лекарство.

— Это можно определить? — поразилась я. — Если взять чашку, а затем вручить ее официантке, то криминалист поймет, в какой очередности передавалась посуда?

— С большой долей вероятности да, — высказался эксперт. — Не хочу вдаваться в детали, просто поверь: Никита покончил с собой.

— Ну, не знаю... — растерялась я.

Николай откашлялся.

— Эту версию подтверждает записка.

Я забыла про осторожность.

— Не видела в гараже никаких бумаг.

Криминалист вытащил из хлебницы ломоть багета.

— Листок он положил под одеяло, в нем всего пара фраз: «В моей смерти прошу никого не винить. Жизнь — сука. Не хороните меня вместе с матерью. Никита Кириллов». Видно, у парня с родительницей полный раскосец случился, если он не захотел с ней даже участок на кладбище делить.

Я машинально кивнула. Вероятно, Николай прав.

Парень пришел к Антонине Михайловне и сначала пожелал выяснить все об убийстве семнадцатилетней давности, которое та совершила. Сергей Сергеевич снабдил юношу бутылкой коньяка с большим количеством яда, предложив ему иномарку за убийство Кирилловой. А еще, лишив преступную мамочку жизни, Никита стал бы единоличным хозяином квартиры. Сергей Сергеевич явно знал о плохих отношениях между матерью и сыном, поэтому решил, что парень тут же ухватится за предоставленную возможность. Конечно, у мужчины был резон так считать: Никита хулиган, балбес, не хотел учиться, жил с Никой вопреки запрету родительницы, мечтал об автомобиле и собственном жилье.

Но Кириллов поступил иначе: он не смог поставить коньяк в шкаф и уйти, а ввязался в тягостную беседу с Антониной Михайловной. Затем, услышав подробности, убежал прочь. Наверное, юноша провел бессонную ночь. Да уж, не слишком приятно узнать, что ты появился на свет в результате изнасилования и что твоя мать — детоубийца.

Но к утру, слегка остыв и поразмыслив, Никита все же решился на преступление. Он переоделся, водрузил на нос очки, приклеил усы, бороду, натянул парик из кудрявых волос, приехал к матери на работу и угостил ее с Усковым отравленным коньяком. Почему он затеял спектакль в офисе? Не захотел ее убивать в своей квартире, ему ведь потом там жить. При чем здесь директор фабрики? Николай Ефимович случайная жертва!

Все логично, кубик к кубику построилась пирамидка. Оля Коврова не имеет отношения к произошедшему. Ника, вероятно знавшая о планах Никиты, задумала шантажировать Сергея Сергеевича, а тот, ничтоже сумняшеся, отравил и девушку. Способ тот же: бутылка коньяка с ядом.

ГЛАВА 19

— В гараже, конечно, прохладно, — бубнил тем временем мой «соавтор», — но он стоит в низинке, да еще под большим деревом, тело уже начало разлагаться.

Я вздрогнула.

— Когда умер Кириллов?

Николай ответил:

— Точно час не назову, определение времени смерти не простая задача. Необходимо учесть множество факторов: температуру окружающей среды, влажность, наличие или отсутствие ветра. Хорошо бы знать, чем болел труп.

Услышав последнюю фразу, я про себя хихикнула. Вот они, восхитительные милицейские выражения! А эксперт, не заметив, как смешно звучит фраза «болел труп», продолжал:

— Если у него был диабет, процесс разложения протекает иначе, чем у человека, который относительно здоров. Или, например, если человек подхватил грипп, то температура его тела могла быть изначально более высокой, скажем, тридцать девять, а не тридцать шесть и шесть...

— День можешь назвать? — остановила я лекцию, от волнения перейдя на «ты».

— Да, — кивнул Николай, — вторник.

— Это невозможно! — подскочила я.

Криминалист вскинул брови.

— Почему?

— Антонину Михайловну Кириллову отравили в среду, — пояснила я, — она должна была умереть раньше, чем Никита.

— А она-то тут с какой стороны? — удивился Николай.

Настал мой черед изумляться.

— Тебе не сказали?

Собеседник насупился.

— О чем?

— Антонина Михайловна — мать Никиты, — выпалила я. — Тебя сходство фамилий не удивило?

— Кирилловы не Вырвиглаззадунайские, — меланхолично парировал Николай. — У меня один раз в морге четверо Сергеевых лежало, и они друг с другом знакомы не были.

— Уверен, что сын покончил с собой во вторник? — наседала я.

— Ты сомневаешься в моих знаниях? — надулся криминалист, тоже забыв о вежливости.

— Никита умер после того, как отвез коньяк в офис Ускова, никак иначе! — зачастила я. — По-другому не получается. Проверь еще раз! Уточни! Похоже, ты ошибся!

Николай сложил руки на груди.

— Не первый год у стола! Знаешь, сколько раз я слышал от следователей: «Коля, ты не прав!» Да только всегда по-моему оказывалось. Следаки накосячили, склепали версию, да кое-где не сходится. А я улики посмотрел, и мое мнение с их шалтаем-болтаем в конфликт вступило. Запомни, живые врут, а мертвые никогда! Никита умер во вторник, сомнений нет. Вопрос: если ты считаешь меня тупым идиотом, зачем завела разговор о совместной книге?

— Вообще-то эта идея пришла в голову тебе, — напомнила я. — Просто спросила, не перепутал ли ты чего. Сам знаешь, иногда криминалисты совершают ошибки. Одни случайно, а другие нет. Вспомни своего коллегу Назарова — его в июле уволили за подтасовку улик. Мне Юра рассказал про художества эксперта.

Николай встал.

— Никому не позволено усомниться в моей честности!

— Мне такое и в голову не придет, — залебезила я, — извини, не хотела тебя обидеть.

— Ни один человек не имеет права обвинять Николая Обухова в халатности! — трубил криминалист. — Давно меня так не оскорбляли!

— Ты меня неправильно понял, — попыталась я затоптать разгорающийся пожар, — я всего лишь хотела...

Николай пошел к двери. На пороге он бросил короткую фразу:

— Я в тебе глубоко разочарован. — И исчез.

— Будете оплачивать или еще чего закажете? — спросила подлетевшая официантка.

Я окинула взглядом пустые чашки и тарелки. Глубочайшее возмущение не позволило Николаю вспомнить о счете. Да уж, хороший кавалер! И еще болезненно самолюбивый. Ну что такого ужасного я сказала? Можно было спокойно ответить: «Нет, головой отвечаю за результат». И все, я поняла бы, что неправа, что Никита не мог убить Антонину Михайловну и Ускова, потому что у него самое твердое на земле алиби: он был мертв на момент совершения преступления.

— Еще кофе? — настаивала официантка.

— Принесите лучше чай, — сказала я. — Кстати, нет ли у вас в аптечке таблеток от глупости? Я бы съела пару штук.

Девушка рассмеялась и поторопилась к барной стойке.

В то же мгновение ожил мой мобильный, я схватила трубку и услышала бодрый голос Зои:

— Почтальон Печкин, принес письмо про вашего мальчика, вернее, девочку!

— Нашла дело Эльвиры Разбаевой? — обрадовалась я.

— Отрылись бумажонки, — подтвердила Зоя. — Но ничего особенного. Двухлетняя Эльвира выпала из окна детсада во время тихого часа. В халатности, повлекшей за собой смерть ребенка, обвинили воспитательницу Еврикову Валентину Никитичну. Хотели привлечь еще директрису, Маркштейн Клару Егоровну, но у той случился инфаркт. Через пару месяцев Маркштейн умерла.

— Еврикова жива? — с надеждой поинтересовалась я.

В моей голове появилась версия: кто-то из участников событий семнадцатилетней давности мог выяснить правду, нашел Антонину Михайловну и отомстил ей. При чем тут Усков? Я уже отвечала на этот вопрос: Николай Ефимович — случайная жертва.

— Валентина Никитична погибла на зоне, — ответила Зоя. — Сама знаешь, как в местах отбывания наказания относятся к детоубийцам, долго они не живут.

Но я не теряла надежду:

— У нее была семья?

Из трубки донеслось тихое попискивание.

— Только муж, Сергей Сергеевич Давыдов, больше никого.

Я чуть не опрокинула чашку чая, которую подала официантка.

— Сергей Сергеевич?! Дай скорей его адрес и телефон.

— Митинское кладбище, — хмыкнула Зоя. — Мобильного, как понимаешь, у покойника нет.

Я чуть не зарыдала от разочарования. Но на всякий случай уточнила:

— Когда он умер?

— Пятнадцать лет назад. Детей у них с Валентиной Никитичной не было, — разбила в пух и прах мою очередную версию Зоя.

Но настоящий сыщик никогда не сдается, а копает дальше.

— Где мать Эльвиры Разбаевой?

Снова до моего уха долетел мерный писк, затем Зоя сказала:

— Разбаева Маргарита Павловна, продавщица бутика «Конго». После смерти дочки открыла собственный магазин. Десять лет назад Маргарита вышла замуж за голландца, проживала в Амстердаме, в Россию ни разу не приезжала. Сменила гражданство и стала подданной другой страны. Умерла год назад. Слушай, а в Голландии монархия?

— Не важно, — отмахнулась я. — Отец ребенка? С ним что?

Зоя вновь не сообщила ничего утешительного.

— Личность его не установлена. Эта Разбаева — натуральный Штирлиц. На все вопросы следователя о папаше Эльвиры гундела одно: «Была пьяная! Набухалась на вечеринке, там сто человек гуляло, с кем переспала, не помню». Думаю, продавщица имела связь с богатым женатым человеком, может, клиентом бутика, где работала. Откуда у Маргариты Павловны миллионы на открытие собственного дела? Наверняка папик хорошую сумму за молчание отстегнул. Маргарита приняла откупные и прикусила язык. Какой смысл затевать бучу? Эльвира от скандала не воскреснет, а живым надо продолжать жить.

Я ощутила себя мышью, которая плывет через океан в скорлупе грецкого ореха — кругом пучина и ни малейших признаков земли. Зоя продолжала:

— Детский сад, как ты и говорила, посещал мальчик Андрей Савельев. Его мать, Надежда...

— Умерла, — мрачно перебила я Зойку.

— Нет, живехонька, — засмеялась подруга. — Но ее хорошо побило об асфальт. В начале девяностых Савельева владела риелторским агентством. В те годы квартирный бизнес был одним из самых стремных, за жилплощадь убивали, хозяев апартаментов обманывали, вывозили в глухие деревни и хорошо, если селили в сараях. Мошенничество процвело. Но с течением времени черных риелторов начали вытеснять с рынка. Надежда Савельева получила срок и отсидела его, вышла в две тысячи первом, прописана в Москве.

— Адрес есть? — с надеждой в голосе спросила я.

— И место работы тоже, — обрадовала меня Зойка. — Савельева после освобождения шесть раз меняла службу. Ну да так многие бывшие зэки поступают — не хотят сообщать о сроке, вот и летают из конторы в контору. Сейчас она работает в риелторском агентстве.

Во мне проснулась молодая, задорная охотничья собака. На преступление Антонину Михайловну уговорила Савельева, Надежда отлично знает имя отца Эльвиры. Что, если он заставил ее рассказать правду? Надя выложила ему все про Кириллову, и богатый дядя задумал отомстить убийце своего ребенка...

— Диктуй ее координаты, — потребовала я. — А еще лучше, пришли данные эсэмэской.

Зоя засопела.

— Сейчас. Про Мешанкину говорить?

— Да, да, конечно! — опомнилась я.

— Светлану мать бросила в младенчестве — новорожденную нашли в вокзальном туалете, на подоконнике. Потом ее удочерила бездетная пара москвичей Мешанкиных. Алиса и Владимир взяли крошку, когда той исполнилось три месяца. О родителях Светланы ничего не известно.

— Мрак, — вздохнула я. — Зачем было рожать? Аборты ведь не запрещены!

— Алкоголички или наркоманки к гинекологам не обращаются, — парировала Зоя. — Некоторые из них понимают, что беременны, уже в родах. Хорошо, что мать девочки не утопила ее. Малышке повезло.

Я поежилась.

— Догадываюсь, что услышу дальше, поэтому лучше не упоминай о везении.

— К сожалению, Светлана оказалась больной, — продолжала Зоя. — Ей постоянно требовались врач, дорогие лекарства, поездки в лечебницы. Уж извини, но я не верю, что приемыша можно беззаветно полюбить. Рано или поздно в голове у родителей, особенно в такой ситуации, затеплится мысль: кого нам подсунули?

Я молчала. Никогда не задумывалась на эту тему, но полагаю, что существуют люди, которые относятся к несчастным, обделенным с рождения деткам как к родным.

— Через полтора года после удочерения Светланы Алиса Мешанкина родила девочку. А еще через восемь месяцев Светлана погибла.

Я поежилась.

— Отчего?

— Трагическая случайность — ребенок выпал из окна.

— Дома? За девочкой не усмотрела мать? — воскликнула я.

— Нет. Светлану привели в больницу на очередной осмотр. Алиса осталась в квартире с новорожденной. Владимир, крупный бизнесмен, естественно, по врачам с ребенком не ходил. Свету привел нянь.

— Кто? Нянь? — переспросила я.

— У Мешанкиных работал мужчина, Гуськов Петр Кириллович. Рукастый человек, помогал Алисе по хозяйству. Заодно возил ее, когда та из-за беременности не могла сесть за руль. Когда на свет появилась собственная дочка, Алиса не захотела доверить кровиночку чужим людям, сама занялась младенцем. На Свету времени у матери не хватало, приемную девочку поручили Гуськову.

— Не находишь эту ситуацию странной? — спросила я. — Шофер не может считаться воспитателем. Если Владимир обеспеченный человек, почему он не пригласил гувернантку?

Зоя кашлянула.

— Есть протокол допроса родителей. И Владимир, и Алиса выдали одну историю. Пять лет назад их дом ограбила пара горничная — водитель. Они казались приличными людьми, семья проработала у Мешанкиных двенадцать месяцев и завоевала доверие хозяев. Но в один далеко не прекрасный день, вернувшись с вечеринки, Мешанкины обнаружили в комнатах разгром. Домработница и шофер скрылись, прихватив большое количество ценностей. С тех пор Алиса с Владимиром категорически не желали видеть в своих стенах прислугу.

Я попыталась найти нестыковку в показаниях.

— А Гуськов?

— Он сводный брат Владимира, — объяснила Зоя, — у них одна мать и разные отцы.

— Понятно, — пробормотала я. — И что случилось в больнице?

Зоя чем-то зашуршала. Длинные телефонные беседы разжигают у подруги аппетит, похоже, она собралась подкрепиться печеньем или шоколадным батончиком. Я проявила бдительность.

— Отложи сладкое! Забыла, что врач приказал тебе соблюдать строгую диету?

— Всего-то крохотная плитка из мюсли с сухофруктами, от нее одна польза, — не смутилась Зоя. И продолжила рассказ: — Гуськов посадил Свету на стул, а сам зашел к врачу. У доктора Петр провел от силы десять-пятнадцать минут, а когда вышел, обнаружил, что девочка исчезла. Лечебница частная, поэтому охрана оперативно перекрыла все входы и начала поиск по зданию. Светлану обнаружили во внутреннем дворе. Она убежала из коридора, зашла в туалет, влезла на подоконник и рухнула с пятого этажа. Никаких следов насилия, падала без ускорения — никто ребенка не толкал. Под ногтями чисто, на подоконнике следы пальчиков и ботинок девочки. Следователь предположил, что малышка перевесилась вниз и уронила свою игрушку. Жуткий урод! Смотрю сейчас на фото и поражаюсь: ну кому придет в голову выпускать зеленого слона с красными ушами, синими лапами и глазами размером с блюдце? Глюк наркомана! У детей странный вкус. Хотя, может, это страшилище — герой мультика? Я бы ни за что не осчастливила собственного малыша подобной красотой.

Слон должен быть серым! Наши производители теперь похлеще западных, такое учудят, что ни одному китайцу на ум не взбредет. Это все!

— Никого не наказали? — печально спросила я. — Похоронили Свету и забыли?

— А кого наказывать? Уборщицу, решившую проветрить туалет? Женщину, которая, покидая сортир, не захлопнула дверь? Посетителей, не обративших внимания на малышку, бежавшую в одиночестве по коридору? — спросила Зойка.

— Гуськова, — заявила я. — Он бросил девочку.

— Петр оставил Светлану на специальном стуле, — вздохнула Зоя. — Ими коридоры оборудованы — низкое креслице со столиком. Администрация была уверена, что из такой конструкции ни одна крошка самостоятельно не выкарабкается, потому и закупила мебель. Лечебницу посещают одинокие мамочки, иногда им надо отлучиться в туалет. Не тащить же крошку к унитазу... Это негигиенично. Женщины сажают ребенка на стульчик и могут на некоторое время освободить руки. На спинке креслица написано: «Безопасно, малыш не встанет». Ну и какие претензии к Петру?

— Ни единой, — подтвердила я.

— То-то и оно, — согласилась Зоя. — Координаты Мешанкиных тебе тоже отправить?

— Непременно, — велела я. — Спасибо! Ты моя радость!

— Скажешь тоже... — смутилась Зоя. — Забегай вечером, собираюсь испечь баклажановый торт из помидоров.

Я засмеялась.

— Звучит интригующе. Только если он из синеньких, то при чем томаты?

— Попробуешь и поймешь, — загадочно ответила Зоя. — Идти тебе недалеко. Можешь, кстати, лифта не ждать, а пробежаться по лестнице. Подваливай к десяти.

Я сунула мобильный в сумку. Зоя живет с нами в одном подъезде[1] и готовит волшебно, пожалуй, нужно заглянуть к подруге-соседке. Но все хорошее случится поздним вечером, сейчас мне предстоит потолковать с Надеждой Савельевой.

ГЛАВА 20

Решив для начала позвонить риелторше, я набрала полученный от Зои номер и услышала мягкий, грудной голос.

— Алло.

Я изобразила потенциальную клиентку:

— Хочу купить квартиру. Большую. В центре. К кому мне обратиться?

— Исключительно ко мне, — обрадовалась Савельева. — Приезжайте, подберу вам варианты.

— Через час! — отрубила я.

— Буду ждать, — быстро и бойко ответила Надя. Затем, сообразив, что не следует демонстрировать столь откровенную радость, добавила: — Убедительная просьба: если ваши планы изменятся, непременно позвоните — у меня очень плотное расписание, клиенты один за одним идут.

Я подавила усмешку. Если у тебя день распланирован по минутам, то ты не станешь вот так молниеносно договариваться о встрече с тем, кто звякнул по телефону. Небось я первый человек на этой неделе, который обратился в агентство.

---

[1] История о том, как Зоя вышла замуж, описана в книге Дарьи Донцовой «Фея с золотыми зубами», издательство «Эксмо».

Надежда сидела в небольшой комнате, на столе центральное место занимал компьютер. В кабинете было еще три рабочих места, в данный момент пустых. Дела у риелтора шли не особо хорошо — женщина явно нервничала, не зная, появится ли выгодная клиентка, и не смогла сдержать счастливой улыбки, когда я перешагнула через порог.

— Здравствуйте, здравствуйте, сейчас очень благоприятный момент для покупки жилья, — зачастила она, — огромное количество предложений. Присаживайтесь. Как вас зовут?

Я опустилась на мягкий стул.

— Виола.

— Красивое имя, — не упустила возможности сделать комплимент Надежда, — подходит такой интересной, молодой женщине, как вы. По телефону вы упомянули Центральный округ?

— Меня интересует улица Бумова, — ответила я.

— Но она довольно далеко от центра, — поскучнела Савельева. И ткнула пальцем в компьютер: — Не самый престижный район Москвы. Вы ничего не перепутали?

Я положила ногу на ногу.

— Нет. Более того, я хочу попасть в конкретный дом — под номером восемь.

Надеюсь, сей адрес навсегда отпечатался в памяти Савельевой, ведь там находится жилплощадь Кирилловой.

Надежда близоруко прищурилась, взяла со стола очки, водрузила их на нос и совсем расстроилась.

— Здание, о котором вы ведете речь, старое, блочное. Больших квартир там нет, в трешках по пятьдесят восемь квадратов. Санузлы совмещенные, кухни четыре на два, потолки низкие.

— Это вполне меня устраивает, — перебила я риелтора, — денег на приобретение пентхауса с видом на Красную площадь я не имею. И на громадные апартаменты тоже — заблудиться можно!

— Просторным жильем сейчас считается площадь более двухсот квадратов, — не выдержала Савельева, — остальное бюджетный вариант.

Я всплеснула руками.

— Да ну! И где народ деньги берет? Уж точно не зарабатывает! Честным путем десятки миллионов в банк не затырить. Мне уйти? Вы занимаетесь исключительно элитными новостройками?

— Конечно, нет, — опомнилась Надежда, которая за то время, что я ехала на встречу, уже успела подсчитать, какие комиссионные она получит, продав полукилометровый этаж в кирпичной башне с видом на Кремль. — Я всего лишь хочу вам объяснить, что старое блочное здание, возведенное в прошлом веке, это всего лишь старое блочное здание, возведенное в прошлом веке. Со всеми его проблемами! Например, система отопления и канализации — возникнут трудности с установкой современного оборудования. На кухне газ, электроплиту хорошего качества не купить. Отвратительная звукоизоляция, причем соседи будут не из академиков. Кое-кто из клиентов, приобретая жилье из старого фонда, надеется на снос здания и получение квартиры в новостройке. Но, во-первых, государство вам отличные условия не предоставит, вы попадете в дом на границе с Ленинградской областью. А во-вторых, здание, в которое вы намереваетесь въехать, не собираются сносить. Хотите совет? Лучше обратите свое внимание на Юго-Восток, я там подберу вам новую трешку и...

Мне надоело слушать Савельеву, настала пора сказать ей правду.

— Спасибо. Улица Бумова, дом восемь, квартира девяносто три. Поеду только туда.

— Квартира свободна? — спросила риелтор.

— Нет, там проживает семья Кирилловых, — мстительно ответила я, — Антонина Михайловна и Никита.

Секунду Савельева сидела молча. Потом взяла со стола карандаш и продолжила беседу:

— Это ваши знакомые? Они готовы переехать?

— Нет, это ваши знакомые, — ехидно улыбнулась я. — Неужели забыли? Семнадцать лет назад хозяйка успешного риелторского бизнеса Надежда Савельева переселила на Бумова бухгалтера из детсада, который посещал ее сын Андрей.

Надя сломала карандаш.

— Кто вы? — спросила она еле слышно.

Я оперлась локтями о стол.

— Слышали поговорку: «Все тайное становится явным»? Вам предстоит убедиться в ее справедливости. Девочка Эльвира Разбаева. Только не надо сейчас прикидываться ничего не ведающей овечкой! Вы заключили договор с Антониной Михайловной, Кириллова помогла несчастной малышке выпасть из окна, а добрая Надюша подарила ей за услуги «двушку». Вы ведь отсидели срок за мошенничество?

Савельева молчала, и я продолжила:

— Можете не вступать в беседу. Система МВД несовершенна, но вот что там налажено потрясающе, так это хранение бумаг. Поверьте, менты ничего не теряют, у них фантик не пропадет, все складируется в коробки, папки и относится в архив. Если вы один раз засветились в системе, ваш след останется в ней навсегда. Мне не составило труда изучить ваше дело. Надежду Савельеву осудили на семь лет за мошенничество в особо крупных размерах. Вы оттрубили пять годков и вышли по условно-досрочному освобождению. За убийство ребенка в составе преступной группы — а два человека уже в понимании Уголовного кодекса коллектив — дают намного больше. Срока давности за убийство нет. Неприглядная вырисовывается перспектива.

Надежда сделала судорожное глотательное движение.

— Откуда... кто... что вы хотите? Денег у меня нет!

Олег Куприн когда-то объяснил мне основные принципы успешного допроса. «Сначала ошеломи преступника, выбей его из седла. Потом придержи коней, временно уведи разговор в сторону, — советовал бывший муж, — пусть фигурант слегка расслабится. В его голове должно укорениться простое соображение: «Следователь кое-что знает, но не всю правду! Сейчас что-нибудь совру и вывернусь!» И вот когда человек поверит в возможность выскочить из мышеловки, тут-то — бац — ты выстреливаешь ему в лоб главный вопрос. Поверь, ломаются все».

У нас с Олегом не получилось счастливой семейной жизни, он меня предал[1], но я ни на секунду не сомневаюсь в высоком профессионализме Куприна — он гениальный Шерлок Холмс современности. Если я хочу вытрясти из Надежды всю правду, мне следует сейчас сделать шаг в сторону. Не надо сразу задавать вопросов про отца Разбаевой.

— Вы знакомы с Петром Ивановым? — начала я игру в кошки-мышки.

Савельева с шумом выдохнула.

---

[1] История развода Вилки и Куприна рассказана в книге Дарьи Донцовой «Зимнее лето весны», издательство «Эксмо».

— Среди моих ближайших приятелей такого нет. Вероятно, он есть среди клиентов. Могу посмотреть по базе.

Я кивнула с многозначительным видом.

— Ясненько. А Ольга Теленкова? Что можете о ней сказать?

Надежда откинулась на спинку стула.

— Теленкова? Никогда о ней не слышала.

— Понятненько, — процедила я.

Сейчас спрошу очередную ерунду, пойму, что Надюша начинает успокаиваться, и перейду к родителям Разбаевой.

— А Сергей Сергеевич? С ним вы сохранили контакт?

Поверьте, имя и отчество попали на язык случайно. Я не знаю ни Петра Иванова, ни Ольгу Теленкову. Готова согласиться, что какой-нибудь Петя Иванов точно обитает в Москве. Откуда я взяла Ольгу Теленкову? Может, видела в глянцевом журнале фото симпатичной молодой блондинки с подписью «Светская дама Ольга Теленкова». Но произнеся «Сергей Сергеевич», я подумала, что мне не следовало говорить о нем, ведь именно так представился человек, который предложил Никите отравить мать. Но поздно, слова вылетели, назад их не вернуть.

Надя ухватилась пальцами за край стола.

— Вы от него? Да? Сергей Сергеевич вас прислал? Но... он обещал... говорил... я поверила... поймите... я объясню... Он меня теперь вам продал? Скажите, продал? Я думала... поверила... дайте... там... скорей...

Савельева начала задыхаться.

— Сумочка... сумочка... откройте... ингалятор... на подоконнике...

Я быстро встала, увидела красный лаковый ридикюль, вынула оттуда баллончик и подала Надежде. Та быстро нажала пару раз на распылитель, в воздухе повис специфический запах.

— У вас астма? — спросила я.

Савельева кивнула и прохрипела:

— Началась, когда меня арестовали. В один день появилась.

Я спросила:

— Надя, вас использовали еще раз? Думаю, вы не сами придумали план убийства Эльвиры. Какой бы любимой ни была подруга, ради нее не совершают преступлений. А вот если у той был на вас компромат, тогда все ясно. Давайте поговорим откровенно.

— Давайте, — еле слышно сказала Савельева. — Что вы хотите?

— Убийство девочки целиком и полностью на вашей совести, — вздохнула я. — Вы соблазнили Кириллову квартирой, использовали мечту бухгалтера, знали о ее проблемах.

— Нет, нет, — зашептала Надя, — позвольте я объясню. Я виновата, но не ожидала, что все так повернется. Выслушайте меня! Я совсем не убийца! Я играю в покер...

— В карты? — уточнила я.

Надя вздрогнула.

— На другом окне чайник, включите его, пожалуйста. Очень холодно, трясет меня.

Я молча выполнила ее просьбу, а Савельева тем временем начала рассказывать о событиях семнадцатилетней давности.

С картами Надюшу познакомил Витя Суворов, первая, самая горячая любовь Савельевой. Наденьке исполнилось двадцать, Виктор был на десять лет старше. Красивый, богатый, нежный, со своим автомобилем и квартирой. Настоящий принц! Ни у кого из Надюшиных подруг не было подобного кавалера. Девочек приглашали в кино, а потом покупали им пирожок с повидлом, Надюша же ходила на вечеринки к артистам, художникам, писателям. Виктор знал всю Москву, его наперебой приглашали в разные дома. Приятельницы Савельевой целовались с кавалерами в подъездах, а Надюша на пледе из натурального меха грелась у камина. Это была совсем другая жизнь, какая-то нереально прекрасная. Она ослепила Савельеву, и та поначалу не замечала некоторых странностей.

Через год розовые очки с носа Надюши начали съезжать, и она призадумалась. Где работает Витя? Он целыми днями сидит дома, мотается по курортам, но никогда не рассказывает о своей службе. Может, Виктор боец невидимого фронта? Агент спецслужб? Раз он не желает беседовать о своей карьере, то и Надюше не следует проявлять любопытство. Надя не хотела терять Витю, понимая: она никогда теперь не вступит в связь со своим одногодком, обычным парнем — любой человек меркнет перед Витюшей. Нельзя сказать, что Надя была нелюбопытна, но она сумела справиться со своими желаниями и не мучила любимого расспросами. Намного хуже обстояло дело с ревностью. Иногда Виктор пропадал на пару дней, мог сорваться поздно вечером из квартиры, бросив на ходу: «Скоро буду, милая», — и вернуться через неделю.

И о чем могла думать Савельева? Но она терпела, была готова на все, лишь бы не лишиться Виктора.

Затем у Суворова началась полоса неприятностей. Он съехал из роскошной квартиры в убогую коммуналку, продал автомобиль, шикарные часы и попросил Надюшу:

— Зая, одолжи мне твои драгоценности.

— Зачем они тебе? — не выдержала Савельева. — Объясни, что происходит!

И Виктор сказал правду: он профессиональный игрок в покер.

— Если захочешь уйти от меня, я буду страдать, но пойму тебя, — сказал он. — Однако карты я не брошу. Расписаться с тобой и заводить детей не хочу. Сегодня я богат, а завтра нищий — никакой стабильности. Я обожаю тебя, но, думаю, лучше тебе найти нормального мужика с постоянной зарплатой.

Надюша осталась с Виктором. Более того, она научилась играть в покер и тоже стала зарабатывать картами деньги. И через короткий срок не могла жить без вечера у стола, покрытого зеленым сукном. Алкоголик или наркоман имеет шанс бросить пить и колоться, но если человек игроман, он неизлечим.

Спустя несколько лет Виктора убили. Наденька, в тот момент беременная, была напугана. Но покер она не бросила. И не стала делать аборт, родила мальчика Андрюшу. Смерть любимого была началом длинного черного периода в жизни Савельевой. Ей патологически не везло, долги множились, риелторская контора, которую незадолго до гибели щедрый Витя, выигравший в одночасье запредельно огромную сумму, подарил любовнице, почти не приносила дохода.

Надюша, отчаянно пытаясь выкарабкаться из болота, стала мошенничать с клиентами. Савельевой было неприятно обманывать доверчивых людей, но где она могла взять деньги на оплату долгов? В среде игроков царят жестокие законы, вам объявят бойкот, если вы увиливаете от обязательств. Савельева обратилась к барыге и взяла в долг огромную сумму. На нее потекли проценты. И в конце концов Надю предупредили: «Хочешь закончить как Витя? О ребенке подумай, ему мать нужна».

Нервы Нади были натянуты до предела, она даже задумывалась о побеге из Москвы. Но куда бежать? Ведь найдут, и тогда ей уж точно не жить.

Если бы Надя не играла, она могла бы постепенно вернуть долг, но Савельева не останавливалась — получала прибыль от очередной сделки с квартирой и, вместо того чтобы передать конверт с купюрами кредитору, бежала играть в покер. Результат, как правило, оказывался одинаков: проигрывалась не только наличка, но и появлялся новый долг.

Однажды, спустив очередную сумму, Надя поехала к своей подруге Ларисе, жене Константина Рублева. Лара материально не нуждалась — Костя ловко сориентировался на заре перестройки и за пару месяцев стал очень богат. Лариска накормила Надю, налила ей рюмку и стала жаловаться на свою тяжелую жизнь.

— Ну почему меня господь наказывает? Не могу родить ребенка! Костя уйдет к любовнице — дочь обожает, которую та родила. Сегодня муж якобы в командировку уехал на два дня. А я знаю, куда он подался. Ну что мне делать? Я в отчаянии.

Надя треснула кулаком по столу и зарыдала:

— Мне бы твои дурацкие проблемы! Нет детей, и не надо. Когда они есть, вот тут беда! Если меня убьют, что с Андрюшей будет? Попадет в приют.

Лариса испугалась, помчалась за валокордином, напоила подружку и уложила ее спать в комнате для гостей. Ночью Надя проснулась, услышав плач Лары, и пошла к ней в спальню. Как-то так вышло, что женщины, поговорив, придумали план.

Константина вполне устраивала Лариса. Он и раньше изменял жене, но никогда не думал о разводе. Брак — это брак, все остальное исключительно для бодрости. Но последняя его дама сердца, Маргарита Разбаева, оказалась хитрой. Она родила Эльвиру, и Костя привязался к девочке, стал даже подумывать, не поменять ли ему коней на переправе.

— Опасность представляет ребенок, — шептала Лариса. — Нет девчонки — нет проблемы. Если Ритку придавить, Костик сироту мне приведет. Предлагаю обмен: ты находишь способ избавить меня от Эльвиры, а я до копеечки выплачиваю твой долг барыге.

Услышав это предложение, Надюша испугалась.

— Нет! Ты с ума сошла!

Лариса пожала плечами.

— Как хочешь. Все равно я найму киллера, нынче это не проблема. Вспомни об Андрюше. Хорошо мальчику в детдоме будет? Соглашайся. Никто никогда ни о чем не узнает. Я уже все продумала. Эльвира посещает детский сад. Устрой туда сына и получишь возможность встречаться с девчонкой, не вызывая подозрений. Оглядишься там, поймешь, как лучше действовать...

Рассказчица замолчала и уткнулась лицом в ладони.

— Вы послушали Ларису, — тихо сказала я.

Савельева кивнула и, не отводя рук от лица, глухо продолжила:

— Рублева меня опутала крепче кредитора. На следующий день после беседы она отвезла ростовщику чемодан с долларами. Костя зарабатывал нереальные бабки, сам даже не знал, сколько в день имеет: миллион? Два? Три? Начало девяностых страшное, смутное время. Ларка меня спасла, но пригрозила: если Эльвира в течение трех месяцев не умрет, мне плохо будет.

— И вы подбили на преступление Кириллову? — сказала я.

Надя взяла бумажный носовой платок и осторожно промокнула глаза.

— В детском саду работали одни женщины. Они постоянно сплетничали, и нянечка из Андрюшиной группы рассказала мне про их бухгалтершу, которую так допекли соседи, что она поселилась в чулане, ночует там вместе с сыном. В общем, ужас какая ситуация. И я поняла: вот он, мой шанс! Кириллова за квартиру любую вещь сделает. Я смогу избавиться от Эльвиры и не замараться. Не знаю, что вы там про меня подумали, но я не могла сама девочку жизни лишить. Я не убийца, не способна на такое! Но Андрюша... Очень уж я за сына боялась. Кто за ним присмотрит, если я за решетку угожу?

— О сыне Кирилловой вы не беспокоились, — не выдержала я.

Савельева вздернула подбородок.

— Ее даже не заподозрили!

— Зато вовсе невинная женщина, воспитательница Валентина Никитична, попала на зону и умерла там. А директор Клара Егоровна скончалась от инфаркта. Прибавьте сюда несчастную Эльвиру, — зашипела я. — Три жертвы! Вас совесть не грызет?

Надежда отвела взгляд в сторону, но все же возразила:

— Тетки получили за дело! Валентина Никитична не имела права оставлять детей одних, но наплевала на свои обязанности и пошла спать. Хорошо это, бросать ребят в комнате да еще с открытым окном? Рано или поздно кто-то непременно должен был упасть! Думаете, директриса не знала о поведении подчиненных? Вот только не надо из Клары Егоровны святую делать! С кухни сливочное масло, кефир, крупы и прочее уносилось. Ребятам варили пустой суп, а директриса себе сумки набивала. По-хорошему их следовало наказать.

— И девочку Разбаеву? — спросила я.

Савельева посмотрела прямо на меня.

— У вас дети есть?

— Нет, — ответила я.

— Тогда и не рассуждайте! — отрезала Надя. — Выбор был такой: либо Эльвира не живет, либо мой сын в детдоме мучается.

— Но вас все равно арестовали за мошенничество с квартирами, — вздохнула я.

Надя кивнула.

— Верно. Все пять лет я плакала, об Андрюше думала. Но потом-то вышла, забрала мальчика. Убей меня барыга, сыну никогда бы маму не обнять! А сейчас мы счастливы.

— Думаю, не очень, — сердито сказала я. — На горизонте появился Сергей Сергеевич. И что же он от вас потребовал? Почему?

ГЛАВА 21

Надя съежилась.

— Я проиграла крупную сумму. Очень. Мне просто не повезло.

Я всплеснула руками.

— Здравствуйте, любимые грабли! Вы так и не бросили покер?

Савельева заныла.

— Я по маленькой ставила, не рисковала. Поймите, я не могу без карт. Максимум неделю выдерживаю, потом меня ломать начинает — голова болит, желудок спазмирует, я могу сбросить напряжение лишь за игровым столом. Это не моя вина! Болезнь!

— Ну-ну, — пробормотала я, — скажите еще, что страсть к покеру передается воздушно-капельным путем, наподобие гриппа или ветрянки. Ладно, не мое дело вас осуждать. Рассказывайте про Сергея Сергеевича.

Хныкающим голосом Надя продолжила сагу. Через некоторое время мне показалось, что я уже слышала от нее эту историю. Просто день сурка какой-то!

...Савельева потеряла крупную сумму и захотела отыграться, но лишь увеличила количество потерянных денег.

На дворе стояли не бандитские девяностые годы, но на квартирах, где собирались профессиональные игроки, и в казино, которые, словно грибы, выросли в Москве, остались порядки перестроечных лет. Проигрыш надо оплачивать. Нет налички — отдавай машину, квартиру, драгоценности. Правда, кое-кому из крупных должников удавалось спрятаться, но вернуться к игре неплательщик не мог, ему приходилось покинуть Москву, залечь на дно, забыть об игре. Думаете, легко переехать на другой конец страны, осесть во Владивостоке, Петропавловске-Камчатском или Нью-Йорке, Мельбурне и там начать жизнь заново? Вообще-то можно, но при условии, что вы не испытываете патологической зависимости от карт. Мир профессионалов-покеристов узок, рано или поздно на вашем пороге появится призрак из прошлого и спросит: «Где деньги, Зин?»

Наденька была прикована к Москве. Здесь у нее были работа, квартира и сын, который понятия не имел о хобби мамочки. Андрюша уже студент, отличник, ухаживает за девочкой из приличной обеспеченной семьи. О каком Владивостоке может идти речь? И Надя пошла по проторенной дорожке — взяла деньги в долг у черного банкира.

Наверное, нет необходимости рассказывать дальше. Никогда не связывайтесь с ростовщиками! С сотрудниками обычного банка можно договориться по-хорошему, попросить об отсрочке, надавив на жалость. И стопроцентных кредитов там не бывает. Иное дело барыга: возьмете сто рублей — отдадите тысячу, а если не успеете в срок, завертится счетчик.

Надя получала зарплату, откладывала на еду и коммунальные услуги, а с остальным неслась в казино. Ей казалось: вот сегодня мне непременно повезет, я сорву крупный куш. Но фортуна обиделась на Савельеву и корчила ей козьи морды. На что надеялась Надя? Ясное дело: она рассчитывала на чудо. Но вместо доброго волшебника к ней пришел усатый, бородатый, кудрявый мужчина, назвался Сергеем Сергеевичем и сказал: «Ваш долг теперь принадлежит мне».

Вращаясь в среде профессиональных игроков, Надя слышала о перекупщиках. Это особая каста людей, которые выкупают должников у ростовщиков. Зачем они это делают? Очутившись в лапах перекупщика, человек превращается в его раба, на него навешивается еще больший процент, расплатиться практически невозможно. Перекупщик не остановится, пока не разденет жертву догола — отнимет имущество, деньги мужа, родителей, заставит членов семьи расстаться со сбережениями. Помните, я говорила, что нельзя идти к ростовщику? Так вот, барыга тем не менее отдаленно напоминает человека — порой он способен проявить милость. Очень редко, далеко не каждому клиенту, но все же иногда черный банкир дает послабление. Перекупщик же не подвержен эмоциям. Он отдал большие деньги и хочет теперь получить их назад, прибавив навар. Надя полагала, что класс перекупщиков исчез в начале двухтысячных. Ан нет! Сергей Сергеевич замаячил на ее пороге.

— Когда расплатишься? — холодно спросил гость. — С тебя триста тысяч евро.

— Двести, — еле ворочая языком, уточнила Надежда.

— Вчера пара сотен, сегодня уже тройка, — объявил Сергей Сергеевич. — Если в субботу не рассчитаешься, их станет четыреста. Эдак и до «лимона» евриков живо дойдет.

Надя чуть не грохнулась на колени.

— Пожалуйста, умоляю! Я все отдам!

Сергей Сергеевич с интересом окинул взором комнату:

— Фатерку продашь?

— Н-нет, — прозаикалась риелторша. — Где же тогда нам с Андрюшей жить?

— Действительно, — неожиданно улыбнулся перекупщик, — в картонной коробке тесно.

Савельева не ожидала услышать шутку и заплакала. Сергей Сергеевич вдруг проявил сочувствие — он погладил ее по спине.

— Что, сын не в курсе?

— Нет! — еще громче зарыдала Надя. — Ни о чем не подозревает.

— Дурочка, — почти ласково произнес Сергей Сергеевич. — Не учит тебя жизнь! Оторви себе руку, тогда не сможешь карты держать. На вот, съешь конфетку!

Савельева вытерла глаза, машинально взяла угощение и сунула в рот, неожиданно для себя пожаловавшись:

— Ну за что мне такое горе?

— Не хочешь играть в покер? — вкрадчиво поинтересовался перекупщик.

— Нет.

— Так и не играй! — отчеканил мужчина. — А если играешь, плати долг.

Надя замерла с открытым ртом.

— Чего уставилась? — хмыкнул Сергей Сергеевич. — Нечто новое, особенное узнала? Я за тобой годами бегать не намерен. Два дня даю на сбор евриков. Четыре сотни!

— Три, — шепнула Надя.

— Еще будешь спорить, превратятся в шесть, — пригрозил Сергей Сергеевич.

— Побойтесь бога! — пролепетала Савельева. — Я занимала пятьдесят тысяч.

— Вот доброму господу все и расскажешь в пятницу, — усмехнулся перекупщик. — Если сама к боженьке в гости лыжи навостришь, а должок на сынка перепишется.

Савельевой стало безумно страшно, из глаз хлынули слезы, руки-ноги похолодели, по спине потек пот, желудок рванулся вверх — и она упала в обморок. А придя в себя, еще не открывая век, Надя взмолилась про себя: «Пусть это будет сон. Сергей Сергеевич мне почудился».

Но нет. Надежда услышала все тот же голос:

— Я тут подумал и решил дать тебе шанс. Прощу проценты. Вернешь пятьдесят тысяч евро и гуляй на свободе.

Не веря собственным ушам, Савельева встала на колени и принялась биться лбом о паркет, приговаривая:

— Спасибо, спасибо, спасибо.

— За «спасибо» не работаю, — посуровел перекупщик.

Надежда затряслась. Ей было очень плохо, тошнота не отпускала.

— Что надо делать?

— Выполнить привычную работу, — осклабился Сергей Сергеевич. — Есть порядочная женщина, недавно дочь родила. Счастливая семья. Вот только под ногами мешается приемная девочка, больная, противная. Все равно приютской долго не жить, она насквозь гнилая. Надо в ситуации разобраться и помочь хорошим людям.

— Нет, нет, нет! — зарыдала Надежда. — Вы предлагаете ужас!

— Глупая, — почти нежно сказал Сергей Сергеевич, — должок уже до шестисот тысяч дорос. Выбирай, краса ненаглядная, либо пятьдесят кусков, либо шестьсот. Впрочем, есть еще вариант.

— Какой? — в безумной надежде зашептала Надя, у которой отчаянно кружилась голова.

Сергей Сергеевич небрежно развалился в кресле.

— Люблю чужие секреты, готов за них платить. Если найдешь трех людей со скелетами в шкафу, больше к тебе не приду.

— С какими скелетами? — не поняла Надя.

— Разные подойдут, — пояснил Сергей Сергеевич. — Убили кого, изнасиловали, обокрали... Вы, бабы, постоянно сплетничаете, разуй уши и нанизывай инфу. Даю три дня. Либо принесешь мне чужие скелеты из гардероба, либо сама с девчонкой разбираешься, либо собирай семьсот тысяч. Интересно, понравится Андрюше правда про маму? Я не карты имею в виду!

— А что? — помертвела Надя, которой было очень плохо.

Перекупщик гадко ухмыльнулся.

— Думаешь, правда глубоко зарыта? Ларису Рублеву помнишь?

— Она покойница, — прошептала Надя, — лежит в могиле.

Сергей Сергеевич не стал спорить.

— Точно. Небось ты в курсе, что Лариса на героине сидела?

— Мы вообще-то не очень в последнее время общались, а потом совсем разошлись, — пробормотала Савельева. — Но однажды Лара вдруг позвонила, денег попросила. Я к ней поехала и узнала про наркотики, год назад дело было.

Перекупщик кивнул.

— Люблю чужие секреты. Купишь их, сложишь в копилку и не знаешь, когда понадобятся. Ларка тебя продала — я у нее приобрел секрет про Эльвиру. Рублевой лавэ на героин требовались.

Надя начала задыхаться, схватилась за ингалятор, но Сергей Сергеевич и не подумал дать несчастной передышку.

— Понимаешь, как система работает? Чужие тайны ценнее денег. Итак, с тебя три секрета и пятьдесят тысяч. О'кей? В пятницу приду.

Ровно в указанный срок Сергей Сергеевич возник на пороге.

— Ну? Говори! — приказал он.

Надя рассказала о хозяине риелторской конторы — открыла, каким образом владелец бизнеса уходит от налогов.

Сергей Сергеевич кивнул.

— Засчитано. Дальше.

— Альбина Егорова ходила делать аборт на позднем сроке, на пяти месяцах, — выдала вторую тайну Савельева. — Есть адрес подпольной клиники и телефон врача, который занимается незаконной практикой, он фактически убийца.

— Сойдет, — милостиво согласился Сергей Сергеевич. — Теперь последний шанс.

— Не знаю, что вам Ларка натрепала, — осмелела Савельева, — но я Разбаеву и пальцем не тронула.

Покупатель чужих секретов зацокал языком.

— Не время спорить. Больше у тебя ничего нет? Плохо!

— Есть! — зло воскликнула Надя. — Дослушайте до конца. Я подготовила несчастный случай с Эльвирой, организовала процесс. А непосредственно убивала девочку Антонина Михайловна Кириллова. Я с ней не общаюсь, семнадцать лет не виделись, но могу дать ее адрес. Сильно сомневаюсь, что она квартиру сменила, такие из своих клоповников не переезжают.

— Проверю, — предупредил ее Сергей Сергеевич. — Если наврала, то лучше тебе самой в ящик лечь и крышкой накрыться. Где пятьдесят тысяч?

Надя протянула перехваченные резинками пачки.

Сергей Сергеевич тщательно пересчитал купюры, изучил каждую и покачал головой.

— Купюры старые, мелкие. Никак ты снова к барыге сгоняла? Не к Якову, тот никогда «котлеты» резинкой не перетягивает. Значит, у Семена брала. Он в приметы верит, считает, что синие резинки удачу приносят, а зеленые или розовые никогда в руки не возьмет. Точно, к Сеньке путь протоптала!

— Не ваше дело, — огрызнулась Надя. — У нас расчет, верните мою расписку!

Сергей Сергеевич достал из бумажника листок. Надежда, все еще не веря, что сумела выскочить живой из бетономешалки, быстро разорвала документ в клочья, бросила в пепельницу и подожгла.

— Ох, не учит тебя жизнь... — закряхтел Сергей Сергеевич. — Когда стритовать[1] сядешь? Сегодня полетишь в казино?

— Уходите, — осмелела Надя, — закончилась ваша власть надо мной.

Хозяин чужих секретов поднялся из кресла.

— Серьезных барыг немного, я со всеми бизнес имею. Скоро встретимся, краса ненаглядная.

Савельева замолчала, потом схватилась за чашку и принялась большими глотками пить остывший чай.

— Дайте телефон Сергея Сергеевича, — потребовала я.

Савельева поперхнулась.

— У меня его нет.

— Адрес? — не успокаивалась я.

— Понятия не имею, — заверила Надя.

— И как вы связывались? — наседала я. — Он сам звонил? Присылал е-мэйл?

— Мне нет резона с бандитом общаться, — возразила Савельева, — он ко мне оба раза сам

---

[1] Стритовать — играть в покер. Сленг карточных игроков и шулеров. — *Прим. автора.*

домой являлся. Без шума и пыли, причем не вечером, когда Андрюша с занятий возвращается, за что говнюку особое спасибо.

Я приуныла. Но признавать собственное поражение не хотелось.

— Опишите внешность любителя чужих тайн.

Надя потерла лоб.

— Усы, борода, очки с затемненными стеклами, волосы кудрявые. Рост средний. Одежда обычная, все серое, не на чем взгляд остановить. Так наряжаются, если не хотят внимание к себе привлечь. Речь спокойная, интеллигентная — он не хамил, не матерился, разговаривал вежливо. Но уж очень странный мужик, — поежилась Савельева. — Взгляд у него... печеночный.

— Белки глаз желтые? И как вы их сквозь затемненные стекла разглядели? Наверное, у него гепатит или цирроз печени.

Я обрадовалась. Мне удалось ухватиться за кончик ниточки! Правда, Зойка не придет в восторг, когда услышит из моих уст просьбу перелопатить поликлиники и найти тех, у кого отказывает печень. Хотя... Вроде на такой стадии уже требуется трансплантация, и круг подозреваемых сузится.

Но Надя мгновенно разбила мои радужные надежды.

— Нет, в смысле до печени проникает. Б-р-р, как он смотрит! Вроде улыбается, а ощущение, что на сковородке сидишь.

— Лариса Рублева умерла, — вздохнула я.

— Верно, — подтвердила Надя, — искололась.

— А ее муж Константин? Его убили? — мрачно уточнила я.

— В машине подорвали, — ответила Савельева. — Год не назову, давно его порешили.

— У Рублева были родственники? — безнадежно спрашивала я, понимая, что покойный Константин никак не мог отомстить Антонине Михайловне. Но вдруг о Кирилловой позаботились бабушка или дедушка Эльвиры со стороны отца?

— Не было у Ларки ни свекра, ни свекрови, со всех сторон ей повезло, — желчно произнесла Надежда. — Денег имела лом, а из проблем только Эльвира. Мы с Ларкой так дружили! Ближе сестер были. А она вон что со мной проделала — продала Сергею Сергеевичу! Надеюсь, Рублева сейчас в аду ванну из кипящей смолы принимает.

Я не выдержала:

— Когда-нибудь вы с Ларисой встретитесь!

Савельева непонимающе заморгала, а я пояснила:

— Все детоубийцы непременно попадают к Сатане. Сядете в соседнюю чашу с раскаленным маслом и будете обмениваться с подружкой впечатлениями.

Надя стиснула губы, потом сказала:

— Ничего плохого я не совершила, это Кириллова Эльвиру к окну подвела.

Я кивнула.

— Точно, доказать ваше участие в преступлении практически невозможно. Свидетелей нет. Что бы кто ни говорил, его слова лишь слова, а улик нет. Я сейчас уйду, успокойтесь. А Сергей Сергеевич не перепродавал мне ваши секреты. Я не занимаюсь подобным бизнесом. Но хочу, чтобы вы еще раз услышали: Антонина Михайловна убита, ее сын Никита тоже на том свете, лишилась жизни и девочка Ника. Если вспоминать все жертвы, то необходимо упомянуть и про Эльвиру, а еще Николая Ефимовича Ускова, который очутился в неурочный час в плохом месте и погиб за компанию. Семнадцать лет назад вы разожгли этот костер. Он быстро потух, но угли тлели, и спустя много лет огонь вспыхнул заново. Ходите осторожно по улицам, вероятно, вам грозит опасность. С Кирилловой уже свели счеты.

— Думаете, кто-то мстит за Эльвиру? — дрожащим голосом спросила Надя.

Но я ушла молча, разговаривать с Савельевой больше не было сил. Профессиональный сыщик не имеет права на выплеск эмоций, он должен сохранять холодный разум, а дилетант, даже такой хорошо обученный, как я, может позволить себе презрение по отношению к подлой бабе.

ГЛАВА 22

Чтобы слегка взбодриться, я заскочила в супермаркет и начала бродить между стеллажами, запретив себе временно думать о деле Кирилловой. В каждой профессии есть свои издержки. Психиатру кажется, что весь мир состоит из сумасшедших, врач видит на лицах прохожих печать болезней, а я сейчас начну шарахаться от прохожих и думать: «Вон та милая бабуля, божий одуванчик, кого она убила? А симпатичная девушка в розовом платье лишила жизни мужа или придушила свекровь?»

Беседа с Савельевой вывела меня из равновесия. Мне необходимо что-то купить, причем подойдет любая ерунда — варежка для кухни, чашка, одежная щетка. Или, может, зарулить в кондитерский отдел, выбрать пирожное, булочку, печенье? Эта идея показалась мне наилучшей, и я решительно направилась в сторону прилавков с выпечкой. Но притормозила у фруктов. А не остановить ли свой выбор на банане?

Из-за стеллажей с бананами выскочил мальчик лет восьми и налетел на меня.

— Костя, немедленно извинись! — потребовала молодая женщина, которая снимала с полок консервы. — И перестань носиться.

— Простите. Спасибо. Больше не буду, — писклявым голосом персонажа мультиков сказал мальчик. — Правильно я говорю?

Я улыбнулась.

— Очень. И забавно. Я так не умею.

Ребенок разинул рот:

— Ты можешь себе такую пластинку купить. Сунешь ее на язык, и звук меняется. Я совсем пищу, а у папы вместо баса тоненький голос получается. В нашей семье это самая суперская прибамбасина.

— Костя, отстань от тети, — велела мать, — иди к кассе, выбери шоколадки.

Я посмотрела вслед мальчику. У нас в детстве не было хитрых приспособлений, мы дышали гелием из воздушного шара, а потом пищали, как герои мультиков. Детские забавы не меняются по сути, но нынче ребятам служит технический прогресс. Интересно, кто-нибудь еще швыряет карбид в школьный унитаз и поджигает пластмассовые расчески во время обеда в столовой?

— Как ты мне надоел! — визгливо сказали слева.

Я повернула голову. В паре шагов от развала с экзотическими плодами топтался мужчина в поношенных джинсах, светлой рубашке и далеко не новой ветровке. На его голове сидел некогда популярный, а сейчас почти совсем пропавший из продажи раритетный головной убор — кепка из серой холстины. На лице представителя сильного пола играла смущенная улыбка, в руках он держал пластиковую коробочку с киви. В непосредственной близости от него высилась толстая тетка в ярко-зеленом, щедро разукрашенном вышивкой платье. Женщина, наверное, регулярно читала глянцевые журналы и прислушивалась к писку моды. Туфли у нее сверкали стразами, рука сжимала пронзительно красную сумочку с громадным брелоком в виде крокодила, в ушах торчали серьги из розовых перьев, а лицо было злым и алчным.

— Отдала тебе лучшие годы! Молодость и красоту! — визжала она. — Тебе, урод! И что я имею, а? С юности был дурак, а в старости в идиота превратился. Борька болван! За что мне такое счастье?

— Люся, тише, — попросил муж и тряхнул головой.

Кепка, козырек которой украшала надпись «Олимпиада 1980 г. Москва» съехала бедняге на лоб. Внезапно мне стало жаль Бориса. Судя по его наряду, супруга последний раз покупала ему обновку тридцать лет назад.

— Что я велела тебе купить? — гремела Люся.

— Картошечку, — тихо ответил Борис, — один пакет.

Женщина щелкнула дорогими металлокерамическими коронками.

— А ты что взял?

— Картофель, — совсем умирающим голосом пробормотал Боря. И потряс фруктами: — Вот! Самый хороший нашел, ровный, не большой, не маленький, все, как ты, Люся, учила.

— Фу-у, идиот! — выкрикнула жена. — Это же киви!

— Где? — опешил Боря.

— У тебя в руке, олигофрен! — выла супруга.

Муж уставился на пластиковую тару.

— Странный овощ. Я подумал, такие клубни вывели, волосатые.

Люся толкнула Бориса.

— Ха-ха-ха! Очень смешно! Я бы порадовалась твоему внезапно проснувшемуся чувству юмора, но мешает мысль, что ты говоришь всерьез. Раскинь мозгами, кретин! За каким лядом картошке шерсть?

— Чтобы она зимой под снегом не замерзла, — нашелся супруг.

Люся нахмурила татуаж бровей.

— Супер! И с кем ее скрестили, чтобы шубой обзавелась? Отвечай, дурак!

Борис опасливо покосился на разгневанную бабу.

— Не знаю, Люся. Может, с бурундуком? Но тогда бы полоски проявились. С кротом? Извини, я не силен в ботанике. И про киви не слышал, мы его никогда с тобой не ели.

— Стану я тебе дорогие фрукты брать! — взорвалась Люся. — Не силен он в ботанике... А в чем ты силен? Отвечай прямо!

Борис сделал вид, что не услышал вопрос. Тогда жена начала тыкать ему пальцем в грудь.

— Где были мои глаза, когда в семьдесят восьмом за дебила выйти согласилась? Помнишь, как ты у моей мамы первый раз обедал?

— Нет, — выдавил Борис, — из памяти выпало.

— А я никогда не забуду! — заревела как сирена жена. — Мамочка свой фирменный суп сварила, неделю за продуктами для него гоняла. Как же, будущий зять придет! Было у мамаши глупое преклонение перед мужиками. Хотя если моего отца-полковника вспомнить, то и понятно. Мать никогда не работала, быт налаживала, о деньгах не переживала.

— Ты, Люся, тоже на службу не ходила, — осмелился открыть рот Борис.

— Сварила мама полную кастрюлю, — гудела Люся, не слушая супруга. — Ешь, Боренька! А ты чего сделал?

— Похвалил. Анна Семеновна замечательно стряпала, — вздохнул муж.

— Ты сказал: «Спасибо, великолепная уха. Рыба отлично разварилась, чудесный аромат!» Бедная мамочка всю ночь проплакала — не угодила мальчику. Идиот!

— Что не так? — заморгал Боря. — Я от души сказал. Уха божественная была, съел всю кастрюлю. Может, я недостаточно активно комплименты произносил?

Люся неожиданно толкнула мужа, Борис ойкнул и уронил пластиковую коробочку, киви раскатились по полу.

— Боря, мама приготовила куриную лапшу! Только хронический даун мог птичку за судака принять!

Муж присел на корточки и стал собирать фрукты.

— Мне еще тогда следовало понять, что из тебя ничего не получится, — чеканила фразы Люся, — но мама меня остановила. Сказала: «В хороших руках он человеком станет». Фигу! Уху с супом из бройлера перепутал, киви с картошкой... Наведи тут порядок и вали на кассу! А я пока журналы возьму.

Люся ушла, Борис поднял голову.

— Простите, неприятно стать свидетелем чужой семейной ссоры.

— Нет, это вы меня извините, — встрепенулась я, — неприлично подслушивать скандал. Часто ваша жена на метле летает?

Борис улыбнулся.

— Это ее хобби. Я перепробовал все методы, подарки покупал, шубы приносил, драгоценности. Я хорошо зарабатываю, могу все себе позволить. На курорт Люсю возил, но она лишь сильнее сердится.

— Не пробовали ее послать? — усмехнулась я.

— Куда? — не сразу понял мужчина.

— Начнет Люся орать, а вы ей решительно назовете адрес, — пояснила я, — очень короткий, из нескольких букв.

— А! — кивнул Борис. — Нет, я не могу женщину оскорбить, не мой стиль.

— Если всегда вести себя одинаково, то бесполезно ждать другой реакции от жены, — вздохнула я, — примените шоковую терапию.

— Поможет ли? — усомнился собеседник.

— Не попробуете, не узнаете, — улыбнулась я и поспешила к булочкам.

Как обычно заведено в супермаркетах, из десяти касс работало две. Я пристроилась за парой, которая выгружала на резиновую ленту детское питание, и увидела около соседней кассы Люсю.

— Дайте мне непрозрачный пакет, — громко потребовала она.

— Сколько нужно? — спросила девушка.

— Не знаю, — немедленно разозлилась Люся. — Бросьте их сюда, я возьму, чтобы продукты разложить.

— Не могу так поступить, — вежливо ответила кассир, — мешки платные. Назовите нужное количество, я пробью чек.

— Чушь! — взъерепенилась Люся. — Почему на соседней кассе сумок навалом?

— Они простые, — терпеливо объяснила сотрудница, — их дают бесплатно. А черные за деньги.

— Натуральный грабеж! — взвыла Люся. — Борис!

Муж с готовностью вынул кошелек.

— Пробейте десять мешков. Если окажется мало, я возьму еще.

— Идиот! — завизжала супруга. — Мы постоянные покупатели! Нам обязаны сумки так раздавать!

— Что случилось? — спросил запыхавшийся парень, подходя к кассе.

— Вы кто? — окрысилась Люся.

— Старший администратор Евгений, — представился молодой человек.

— Шикарно! — выпалила Люся и завелась.

За минуту, что длилось ее выступление, окружающие услышали много «комплиментов» в адрес супермаркета. Люся могла говорить гадости часами. Но и Евгений поднаторел в общении со скандальными бабами, он быстро нагнулся, вытащил из-под кассы пачку черных пакетов и бросил их на покупки истерички со словами:

— Подарок от магазина. Как любимому клиенту!

Люся повернулась к Борису.

— Понял? Если постараться, всего добьешься! А ты трус и кретин!

У меня от визгливого голоса вздорной бабенки закружилась голова. Я полезла в сумочку, вынула конфету, прихваченную из дома, и быстро сунула ее в рот.

Вдруг Борис, не говоря ни слова, взял из корзинки пакет картошки и высыпал клубни на пол.

— Офигел? — ошарашенно спросила Люся. — Что ты делаешь?

Боря улыбнулся.

— Ты мне надоела. Лопнуло мое терпение. До свидания, Люся. Я от тебя ухожу и больше никогда не вернусь. Почему мне раньше эта идея не пришла в голову? Отчего я терпел твои издевательства? Не знаю. Сегодня встретил умную женщину, она посоветовала тебя послать. А я подумал: отправлю жену в известное место, так она же вернется! Лучше сам убегу. Прощай!

Люся была настолько ошарашена поступком затюканного мужа, что смогла лишь задать вопрос:

— Кто заплатит за покупки?

Борис двинулся к выходу.

— Не знаю, Люся, — сказал он на ходу. — Я ушел навсегда и унес свои кредитки.

Он исчез за дверью, а жена бросилась за ним с воплем:

— Боренька, я тебя люблю! Подожди, милый!

— Ишь, краса ненаглядная, — громко сказала старуха, стоявшая позади меня, — услыхала про кошелек и перетрухала. Иди, иди, парень, не тебя она обожает, а твою зарплату...

Я вздрогнула. Почему слова старухи показались мне важными? Что в них особенного?

— У вас только булочка и сок? — спросила кассирша.

Я кивнула, заплатила, вышла на улицу, глянула на еду и почувствовала, как к горлу подступает тошнота. Открыла машину и бросила пакет на заднее сиденье. Аппетит неожиданно исчез. В голову полезли черные мысли.

Мы с Юрой никогда не обсуждаем финансовые вопросы. Я успешный писатель, зарабатываю больше милиционера и никогда не требую от Шумакова класть зарплату в тумбочку. Официально наши отношения не оформлены, и у меня нет морального права требовать, чтобы Юра оплачивал коммунальные расходы, приобретал еду и бриллианты для меня. У Шумакова нет средств на дорогие презенты, но он внимателен и частенько приносит мне милые мелочи. Когда Юра преподнес мне двух плюшевых обнявшихся собачек, у которых на спинах вышито «Love», я была тронута до глубины души. Наверное, я покажусь вам идиоткой, но игрушечная парочка для меня дороже, чем диадема из изумрудов.

А теперь вспомним о деньгах. В основном нашу жизнь оплачиваю я. И уж если совсем честно... Мне тяжело писать книги, они даются с огромным трудом. Меня часто поругивают в издательстве, не прощают ни одного промаха и совершенно точно не подарят и рубля за красивые глаза. Но в «Элефанте» есть звезда, имя ее Милада Смолякова. Мне никогда не потеснить на вершине славы трудолюбивую коллегу — Милада строчит по детективу в месяц. Правда, поговаривают, что за нее пашет бригада литературных негров. Уж не знаю, правда ли это, но читателю все равно, работает Смолякова сама или рулит коллективом. Детективы под ее фамилией обожают и сметают с полок, а мои продаются со скрипом. Я постоянно озабочена поиском сюжетов, элементарно боюсь не сдать вовремя книгу и не получить гонорар. Вот если бы Юра помогал мне финансово, если бы я не взяла кредит, чтобы купить нереально большие хоромы, если бы мне не приходилось постоянно думать о зарабатывании денег... если бы...

Из глаз покатились слезы. Я судорожно порылась в бардачке в поисках бумажных платков, не нашла их и горько зарыдала. Почему с самого детства судьба пинает меня? Вместо любимых папы-мамы, бабушки-дедушки девочке Таракановой досталась сильно заливающая за воротник Раиса! Почему после смерти родителей лучшей подруги Тамарочки я стала ломовой лошадью, а Томочка осела дома и без особых треволнений вела хозяйство?[1] Почему Юра мне нагрубил? Он превращается в подобие Олега Куприна? И какие у нас с Шумаковым отношения? Может, я, как Борис для Люси, просто кошелек Юры?

Голова закружилась, руки затряслись, горло как будто перетянул кожаный ремень, воздух исчез, мне стало холодно, затем жарко.

Минут десять я лила слезы и жалела себя. Потом откуда-то пробился тихий голос разума: «Вилка, что с тобой?» Я взяла бутылку воды, выпила ее одним махом, вытерла лицо и впала в изумление. Со мной случилась истерика. Но какова ее причина? Поверьте, я не принадлежу к породе женщин, готовых капризничать по любому поводу. Что заставило меня внезапно потерять рассудок?

Я попыталась сосредоточиться, но так и не поняла, отчего вдруг принялась проклинать злую судьбу и упрекать Юрасика в неумении зарабатывать. Отлично знаю, что Шумаков не Крез. И я не ищу богатых кавалеров-спонсоров, это не в моем характере. Так почему мне вдруг сорвало крышу?

Может, у меня аллергия? На что? Последний раз я пила кофе еще до беседы с Надеждой Савельевой, несколько часов назад. Поздновато для реакции на этот напиток. Никаких лекарств я не

---

[1] Здесь героиня вспоминает события, описанные в книге Дарьи Донцовой «Черт из табакерки», издательство «Эксмо».

принимала, новую одежду не надевала, косметику не меняла, машину не мыла. Отчего я про автомобиль вспомнила? Поясню. Вскоре после Нового года мне взбрело в голову почистить салон малолитражки, и я отвезла ее на мойку. А когда получила назад, незамедлительно покрылась красными пятнами: химические составы, которые применяются при обработке машин, оказались слишком ядовитыми. Но сегодня-то моя букашка грязная!

Мало-помалу ко мне вернулось спокойствие. Я завела мотор и поехала в сторону дома. Может, злость, которую источала Люся, заразна? Постояла я около бабы и подцепила инфекцию? Глупое предположение. Но ничего более умного в голову не шло. Однако странно, что Юра мне ни разу не позвонил, у него ведь сегодня отгул. Как правило, в редкий выходной день он засыпает меня эсэмэсками, а вечером мы идем в кино или просто гуляем, шляемся по магазинам. Шумакову редко достаются свободные часы, у него плотный рабочий график, я тоже постоянно занята.

Мысли о собственной злой судьбе вылетели из моей головы, их место заняла тревога. Ночью Юре было плохо, он просидел в туалете почти до утра. Правда, потом сказал, что буря в животе улеглась, и заснул. Но, вероятно, у Шумакова начался грипп, он часто стартует с кишечных неприятностей. Я оставила дома больного Юру одного! Решила утереть ему нос! Ну да, задумала сама найти убийцу Кирилловой и Ускова, хотела бросить любимому человеку в лицо: «Ты просил меня не соваться туда, куда не просят, а я не послушалась и узнала правду»...

Виола, как тебе не стыдно!

По щекам покатились слезы. Нога нажала на

педаль газа, малолитражка ринулась вперед со скоростью обезумевшей мухи. Меня трясло и колотило, по спине тек пот, руки дрожали, а горло снова перетянуло ремнем.

ГЛАВА 23

Едва я вошла в подъезд, как лифтерша Мария Сергеевна ринулась ко мне с воплем:

— Виола! Вы пришли!

По дороге она зацепилась за край паласа, которым застлан холл, пошатнулась, но, к счастью, удержалась на ногах.

Я попятилась. Мария Сергеевна милая тетка, у нее небольшой оклад, поэтому я всегда поздравляю лифтершу с праздниками, без раздумий преподношу ей коробку шоколадных конфет с приложенным конвертом, где лежит скромная сумма чаевых. Лифтерша испытывает ко мне самые светлые чувства, всегда рада меня видеть, но до сегодняшнего дня никогда не бросалась мне навстречу сломя голову.

— Господи! — твердила старушка. — Я места себе от беспокойства не находила! И боялась кому-нибудь сказать! Вдруг посчитают за сумасшедшую и уволят? А у меня маленькая пенсия, где приработок найти...

— Что случилось? — напряглась я.

Мария Сергеевна округлила глаза.

— Юру и ваших гостей, милых молодых людей, унесли инопланетяне!

Первым моим желанием было расхохотаться. Потом я посмотрела на небольшой телевизор, укрепленный на стене холла, и сказала:

— Дорогая Мария Сергеевна, не смотрите ужастики, для вас лучше сериалы «Папины дочки» и «Счастливы вместе».

— Глаза болят, — пожаловалась пенсионерка, — не включаю ящик, новости по радио слушаю. Вот поэтому я и молчала, шум не подняла. Знала, меня примут за психическую больную. А ведь когда представителей внеземной цивилизации увидела, хотела в газету позвонить... Или надо было правительству сообщить? Но меня остановила мысль: посчитают за придурочную, сдадут в сумасшедший дом.

Я нажала на кнопку лифта, вошла в кабину и пообещала старушке:

— Сейчас привезу вам отличный чай. Пью его, когда голова болит. Никакой химии, травяной сбор.

Подъемник плавно сдвинул двери и понесся вверх, Мария Сергеевна не успела отреагировать на мои слова.

Подойдя к своей квартире, я начала искать ключи. Ну почему производители сумок не додумались сделать в них освещение? Если вы открываете дверку холодильника, то внутри вспыхивает лампочка. Отчего бы не применить эту замечательную идею к сумкам? Несчастные девушки роются впотьмах в глубоких торбах, а нужная вещь никогда не попадается под руку сразу!

Пальцы нашарили брелок. Ну наконец-то! Я выпрямилась, хотела воткнуть ключ в замочную скважину — и уронила связку. Между косяком и створкой белела бумажка со штемпелем и надписью «Опечатано «НГСЦЗНоИиЭ Мармонид». Несколько минут я тупо изучала непонятные слова, потом бросилась к лифту.

Марья Сергеевна сидела на стуле с закрытыми глазами. Я закричала:

— Что у нас случилось?

Бабушка вздрогнула и ответила:

— Говорила ведь! Инопланетяне всех унесли.

Я постаралась унять сердцебиение. Вилка, не дергайся, вряд ли зеленым человечкам взбредет на ум опечатать чужую жилплощадь...

— Немедленно опишите пришельцев! — накинулась я на лифтершу.

Она прочистила горло.

— Много их было. Пятеро, а может, десятеро. По головам я не считала. Да и не было у них башки. Ни волос, ни лица! Кожа кругом, блестящая, как на сапогах. Видала, какую мне обувь невестка справила?

Марья Сергеевна выставила вперед ногу в ослепительно ярком лаковом ботильоне апельсинового цвета.

— Красиво, да? Небось дорогущие!

— Супер, — автоматически похвалила я обновку. — Человечки имели оранжевый окрас?

— Угу, — закивала бабушка. — Вместо глаз консервные банки, там, где у нормальных людей нос, — хобот.

— Хобот? — повторила я. — Как у слона?

Марья Сергеевна призадумалась.

— Нет. Больше смахивает на шланг от пылесоса. У меня дома «Циклон», лет ему немерено, купила его на премию в одна тысяча девятьсот семьдесят не помню каком году. Советское качество, пашет, не кашляет. А инопланетяне кхекали. На руках имели по два пальца, типа наш большой и указательный. Говорили по-ихнему.

— И что сказали? — прервала я поток бреда.

— Кхе, кхе, кхе, мармелад, хр-хр, — старательно воспроизвела чужую речь старуха. Один вещал, остальные молчали. Видать, он у них за главного.

— Может, мармонид? — переспросила я.

— Шипело у них в горле и трещало, может, и так, — кивнула Марья Сергеевна. — Поднялись они наверх, долго не выходили. Затем гляжу — тащат Юру. Завернули бедного в пленку, как для теплицы, и волокут. Дальше гостей понесли, так же запеленутых. На носилках, плашмя. И все! Я думала, закончилось похищение, вылезла из-под стола, чаю напилась, отдышалась. Опаньки! Из лифта еще пара спускается, с баллонами. Видно, им наш воздух не подходит.

Я решила не впадать в панику.

— Уходя, они вам ничего не сказали?

— Кха, кха, мармелад, кха, кха, справа, кха, кха анализ чумхолосп, хр-фр-пр, — продекламировала Мария Сергеевна.

— Как вы могли впустить в дом посторонних? — упрекнула я бабулю.

Старушка всхлипнула.

— Виола, с пришельцами не спорят. Намедни я фильм смотрела, там один американец решил воинов с планеты Зур победить... Тогда бы война получилась! Я за страну испугалась. Встану на пути у этого... господи, как его в фильме-то звали... О, вспомнила — Марлук... Подумала: помешаю ему, а он Россию огнем сожжет.

— Да, один из героев сериала «Битва планет» откликался на имя Марлук. Значит, несмотря на больные глаза, вы смотрите телевизор? — язвительно отметила я.

Мария Сергеевна обиделась.

— Не включаю ящик, по нему одни глупости идут. Внучка подарила магнитофон, он показывает то, что хочешь.

— Какая разница, увлечены вы телепрограммой или видеозаписью, — ввязалась я в тупой спор.

— Большая, — уперлась Мария Сергеевна. — Интеллигентный человек не трогает ящик!

Я молча кинулась к лифту, доехала до нашего этажа, сорвала с двери печать, вошла в квартиру и чуть не задохнулась. Внутри стоял едкий запах. Чихая и кашляя, я бросилась распахивать окна, потом вспомнила про котопса и начала искать несчастное животное. В самый разгар поисков заработал мобильный. Я посмотрела на дисплей и завопила:

— Юрасик! Ты где? Что случилось?

— Вилка, — зашептал Шумаков, — скорей! Нас держат в какой-то лаборатории. Отняли одежду, телефон... Еле упросил медсестру дать мне на минуту сотовый!

Я упала на стул.

— Вас захватили инопланетяне?

— Нет, врачи, — серьезно пояснил Юра. — Говорят, что мы из поездки по странам Африки, Индии и прочих могли привезти заразу.

Я вздрогнула. А Шумаков продолжил:

— Находимся на улице Волынкина. Приезжай, забери меня домой, пока всю кровь на анализы не высосали! Объясни дуракам, что я никуда не выезжал. Найди мой загранпаспорт и продемонстрируй его свихнувшимся айболитам. Пусть убедятся: в прошлом году я был неделю в Турции, а больше нигде.

— Примчусь как можно скорее, — залепетала я. — Ты не знаешь, где котопес?

— Здесь, — совсем тихо сказал Юра. — Его какой-то штукой полили. В общем, сумасшедший дом.

— Милый, солнышко, — залебезила я. — Уже скачу, краса моя ненаглядная!

Оставалось только удивляться, почему я выпалила последние слова — мне не свойственно употреблять выражения, присущие сказочным героям. Вероятно, их подсказала мне моя совесть. После сообщения Юры о поездках в Африку с Индией в моей голове забрезжило понимание происходящего.

Ночью я пыталась вызвать «Скорую помощь». Муниципальная служба посчитала расстройство желудка малозначительным делом, диспетчер посоветовала утром обратиться к районному терапевту. Тогда я решила побеспокоить платную службу. Дежурный начал задавать вопросы, в частности поинтересовался, посещали ли больные экзотические страны.

Мне сразу стал понятен ход мыслей медика — с берегов реки Ганг можно привезти что угодно. И, желая поскорее увидеть на пороге врачей, я нагло соврала про экскурсию Юры по Африке, Индии и уже не помню где еще. Но потом Юра спокойно лег спать, а я отменила вызов. Вот только что-то не сработало. Или, наоборот, сработало слишком хорошо.

Я схватила необходимые документы и поспешила к машине. Может где-то в глубинах Вселенной и обитают разумные существа, но сегодня они в Москву не прилетали. Марья Сергеевна обсмотрелась кинушек, которые ей подсовывает заботливая внучка, старушка приняла докторов в специальных защитных костюмах за пришельцев. Получается, что кашу заварила я сама. Бедный Юрасик, отличный у него выдался выходной!

На парадном входе в здание, где держали в плену Шумакова и жениха с невестой, красовалась вывеска «Негосударственный городской санитарный центр защиты населения от инфекций и эпидемий имени доктора наук Мармонида. НГСЦЗНоИиЭ Мармонид»[1]. Чуть ниже виднелся звонок и печатный листок: «Звонить аккуратно!»

Я нажала на пупочку, в двери приоткрылось небольшое зарешеченное окошко.

— Вы к кому? — спросил дребезжащий голос.

— К главврачу, — храбро ответила я.

— Он в отпуске.

— Тогда к его заместителю.

— Она в отпуске.

Я начала нервничать.

— Завотделением есть?

— В отпуске.

— Но центр работает? — разозлилась я.

— Да, охраняем население.

— Позовите самого главного человека, — попросила я.

— Он в отпуске.

— В учреждении есть должность под названием «самый главный человек?» — вскипела я.

— Не знаю, — признался неведомый собеседник, — тут всякого народа полно. Но он в отпуске.

Голова моя пошла кругом. Я чихнула, полезла в сумку за носовым платком, вытащила вместо него шоколадную конфетку, одну из тех, что прихватила утром из дома, развернула ее, засунула в рот и прожевала. Понятно, незнакомец принадлежит к породе людей, которых называют «каменная башка». Ладно, продолжим беседу, рано или поздно мне удастся убедить его открыть

---

[1] Название придумано автором. Любые совпадения случайны.

дверь. Главное — не выходить из себя, а беседовать спокойно.

— Хорошо, позовите доктора.

— Они все в отпуске.

— Отлично! — восхитилась я. — Кто же лечит в учреждении больных?

— Центр охраняет здоровье, — пояснил голос.

— Как собака дом? — усмехнулась я.

Внезапно дверь распахнулась, на пороге показался мужчина лет сорока.

— Простите, — вежливо сказал он, — наш секьюрити слишком бдителен. Вы к кому?

Я решила начать заново.

— К главному врачу.

— Он в отпуске.

Ну, и как бы вы поступили? Я растерялась. А собеседник продолжил:

— Охотно решу ваши проблемы. Меня зовут Алексей Мармонид.

— Центр носит ваше имя! — обрадовалась я.

— Нет, моего деда, — уточнил Алексей. — Я замглавного врача по лечебным вопросам. Идемте в кабинет.

Минут через двадцать после моей покаянной речи мужчина улыбнулся.

— Вы отменили вызов, но наш центр создан для того, чтобы отлавливать опасные заболевания. Мы являемся коммерческой организацией, берем за анализы небольшую сумму, но, поверьте, лучше сдать кровь у нас, чем в инфекционной больнице — там вы можете подцепить заразу.

Я кивнула.

— Сейчас только сообразила. Наверное, набирая во второй раз номер платной «Скорой», я попала не по адресу. Со мной беседовал сонным голосом мужчина, он не произнес обычную фразу диспетчера типа «Вторая, слушаю». Наверное, очень разозлился за то, что его разбудили, и решил отомстить, наврал про отмену вызова. Но я теперь отлично разобралась в механике процесса: одна платная структура помогает другой. Если частная «Скорая» обнаруживает больного с подозрением на какую-нибудь чуму, то сообщает об этом не туда, где несчастного освидетельствуют бесплатно, а звонит вам. Сотрудники вашего центра хватают бедолагу, держат его необходимое время под наблюдением и затем вручают счет.

Улыбка Алексея стала шире.

— Госструктуры не справляются, у них недостаточное финансирование, не очень современное оборудование и скученность в отделениях. У нас другая картина. И обследование недорогое — господину Шумакову, например, выставили счет всего-то на пять тысяч рублей. Учтите, ему провели множество анализов, его исследовали на томографе и покормили обедом.

— Наверное, вы не в курсе, сколько в нашей стране получают пенсионеры, — вздохнула я, — для них названная вами сумма огромна.

— Стоит ли нам сейчас переходить на социальные темы? — проворковал Алексей.

Мне вдруг стало жарко, потом холодно, по спине потек пот, глаза наполнились слезами, и я выпалила:

— Ну почему мне так не везет с самого детства!

На лице Алексея появилось выражение бескрайнего изумления. Я попыталась побороть желание зарыдать, но не смогла справиться с плачем.

Дальнейшее я помню плохо. Словно из ниоткуда материализовался Юра в смешной зеленой пижаме. Шумаков обнял меня, что-то спросил.

Я видела, как шевелятся его губы, но не слышала ни звука. Затем комната неожиданно закачалась, пол стремительно ушел из-под ног, стены завертелись, и погас свет.

— Вилка, ты как? — долетели до меня слова как сквозь вату.

— Хорошо, — ответила я и открыла глаза.

Первый, на кого упал взгляд, был Юрасик.

— Ну и напугала ты нас! — выдохнул он.

— Подобное случалось с вами ранее? — деловито осведомился Алексей, который стоял с другой стороны кровати.

Я села.

— Ничего не помню. Кто принес меня в палату?

— Ты начала размахивать кулаками, — проигнорировав мой вопрос, сказал Шумаков, — говорить странные вещи.

— Я попросил устроить вас в лучшей палате, — влез со своим замечанием Алексей. — Вы беременны?

— Нет, — решительно ответила я. — А почему вы интересуетесь?

— В процессе вынашивания ребенка у будущей матери изменяется гормональный фон, — пустился в пояснения доктор. — Женщина становится излишне эмоционально возбудима, плаксива и истерична. Аналогичная ситуация случается с подростками и с дамами в климактерический период.

Я легла, натянула одеяло повыше и старательно закуталась в него.

— Давно забыла о тинейджерских проблемах, а до климакса мне еще далеко, и я не жду ребенка.

— Принимаете лекарства? — не отставал Алексей. — Противозачаточные пилюли? Медикаменты по жизненным показаниям?

Я поежилась.

— Иногда от головной боли цитрамон. Могу выпить аспирин. Очень редко, может, раз в год, — валокордин.

— Невинное лекарство, — задумчиво протянул Алесей. — Вам холодно?

— Слегка знобит, — призналась я.

Дверь в палату приоткрылась, появилась симпатичная медсестра.

— Алексей Николаевич, анализы готовы.

Врач пошел к выходу.

— Сейчас посмотрю на результаты и сообразим, что с вами, — пообещал он.

Мы с Юрой остались вдвоем. Шумаков кашлянул и неожиданно произнес:

— Вилка, я тебя люблю.

Меня охватило беспокойство.

— Доктор о чем-то умолчал? Я умираю?

Юра замахал руками.

— Нет, конечно! Почему ты спросила?

— Ты решился признаться в своих чувствах, — с подозрением пояснила я.

Шумаков поджал губы.

— Я часто говорю тебе хорошие слова.

— Нет. Может, хочешь сказать, но вслух не произносишь, — не согласилась я.

— Я стараюсь доставлять тебе радость, — продолжал Юра, — иногда покупаю цветы, детективы. Хм, смешно, ты ведь сама себе все это приобрести можешь... Еще картошку жарю на ужин. Не часто, но готовлю! Извини, больше я ничего не умею.

— Картошка у тебя замечательная получается, — облизнулась я. — Знаки внимания тоже очень приятны, но вот слов «люблю тебя» я практически не слышу.

— Зачем они? — пожал плечами Юра. — Неужели ты сомневаешься в моих чувствах?

Я протянула к нему руку:

— Нет, но хочется послушать.

Шумаков почесал в затылке.

— Ну, ладно. Правда, на мой взгляд, глупо талдычить про амуры, но, если тебе так надо, я постараюсь.

Я откинула одеяло.

— Еще, пожалуйста, говори мне побольше комплиментов. Слова «Вилка, ты самая красивая, умная, талантливая, великая писательница всех времен и народов» подействуют на меня лучше любых конфет. Сразу скажу: знаю, что они неправда, но это не имеет значения.

— Ты обиделась, что я попросил тебя не лезть в дело Кирилловой? — грустно спросил Юрасик.

— Кто тебе сказал? — удивилась я.

— Ты сама, — вздохнул Шумаков. — Рыдала и жаловалась на жизнь, расстраивалась, что я тебе нагрубил, переживала из-за несчастливого детства, сравнила меня с долдоном Куприным. Я ощутил себя редкостным скотом, помесью альфонса с гиеной.

Я обняла Юрасика.

— Тихо шифером шурша, крыша едет не спеша... Это про меня. Я подцепила какой-то вирус. Ты лучший!

— Да уж, — покачал головой Юра, — просто бобр в норковой шубе.

Мне стало смешно.

— Зачем бобру манто из норки?

— Для красоты и статуса, — хмыкнул Шумаков. — А вообще не очень я хороший кадр. Ты заслуживаешь богатого и знаменитого.

— Упаси бог! — подскочила я. — На свете есть

один замечательный мужчина, и он принадлежит мне.

— А теперь вам жарко, — заметил Алексей, возвращаясь и оглядывая меня.

— Наверное, температура поднимается, — предположила я. — Подцепила грипп.

— Нет, — не согласился врач, — вас угостили интересным коктейлем из нескольких препаратов.

ГЛАВА 24

— Чего? — вздрогнул Юра.

— Кто угостил? — в свою очередь спросила я.

Алексей сел в кресло.

— В крови у вас обнаружилось высокое содержание лекарств. Журналисты любят щеголять в статьях словами «сыворотка правды». На самом деле единого препарата, который лишает вас воли и заставляет честно отвечать на вопросы, не существует. Или, может, я не владею точной информацией, и в арсенале спецслужб он, вероятно, и есть. Но врач или опытный провизор может составить коктейль, который превратит человека в психопата-истерика либо в покорное существо.

— Зачем? — не понял Шумаков.

— Явно не для лечебных целей, — сказал Алексей. — Дестабилизированной личностью легко управлять. В особенности женщиной. Я подозреваю, что те, кто отправляет смертников взрывать себя в людных местах, кормят камикадзе подобными препаратами. Не зря среди воинов Аллаха большинство женщин. Они более эмоциональны и зависимы от гормонов. Но вернемся к нашему случаю. Виола, ваши временные изменения настроения и поведения вызваны большой химией.

Юра сжал кулаки.

— Когда она приняла «лекарство»?

Алексей почесал щеку.

— Трудно сказать. Но комбинация начинает действовать быстро, максимум минут через пятнадцать.

— Кофе! И чай! — встрепенулась я. — Пила в кафе.

Врач начал щелкать пальцами, потом спохватился.

— Простите, дурная привычка. Автор коктейля не дурак, он, думаю, имеет отношение к медицине или химии, поэтому никогда не смешает лекарство с чаем. В последнем содержится тиамин, вещество, которое может изменить действие препарата. Никогда не запивайте пилюли чаем. Есть мнение, что этот напиток нейтрализует даже некоторые яды. Я не в материале, не имею отношения к токсикологии, но наш профессор на лекциях упоминал о побочном действии наикрепчайшего чая. В кофе — кофеин, его тоже нельзя объединять с фармакологией. Необходимо нечто нейтральное.

— Вода, — подсказала я.

— Один компонент из тех, что сейчас выявили в лаборатории, имеет ярко выраженный сладкий вкус, — задумчиво протянул Алексей. — Подобное лечи подобным...

— О чем речь? — удивилась я.

— Камень легче всего спрятать в груде булыжников, а сахар надо утопить в меду, — сказал Юра.

— Точно! — обрадовался Алексей. — Вы правильно расшифровали мое замечание. Виола, вы употребили нечто сладкое, скорее всего небольшое по размерам, вроде мармеладки. Пирожное можно не доесть, и тогда часть препарата не попадет в организм, мармелад человек сует в рот целиком. И еще он липкий, пачкает пальцы, долго его в руке не держат.

Я хлопнула ладонью по одеялу.

— Конфета! Вернее, конфеты. Две штуки. Одну я проглотила после посещения супермаркета. Зашла в магазин после беседы с Надеждой Савельевой, решив наградить себя чем-нибудь вкусным, но столкнулась со скандальной теткой по имени Люся и расхотела лакомиться булочкой. Просто съела конфетку. Через пару минут на меня напала шиза. Накатили обида, тоска, жалость к себе, заколотило от холода, потом стало жарко.

— Классические симптомы, — кивнул Алексей.

— Вторую конфетку я слопала возле вашего центра, — продолжала я. — Пообщалась с вашей охраной — и схватилась за сладкое.

— Эффект не замедлил проявиться, — потер руки врач. — У вас такие конфеты еще остались?

— В сумке, но сколько — не помню, — кивнула я.

Юра встал, открыл шкаф, пошарил в моем ридикюле и вытащил яркий комочек.

— Одна есть.

— Разрешите забрать? — осведомился Алексей. — Наша лаборатория произведет экспресс-анализ.

Когда доктор испарился, Юра напал на меня с требованием:

— Немедленно вспомни, кто тебя ими угостил!

— Сама взяла, — быстро ответила я.

— Где? — рассердился Юра.

— В вазочке на буфете, — уточнила я, — перед уходом из дома запустила в нее руку.

— Так... — с угрозой в голосе протянул Шумаков. — Отматываем ленту назад — в каком магазине ты приобрела сладости?

Я свесила ноги с кровати.

— Не покупала их. Думала, ты принес.

— Кон-фе-ты? — по слогам произнес Юра. — Если уж я загляну в супермаркет, то в мясной или винный отдел!

— Иногда ты угощаешь меня мороженым, — улыбнулась я, — фисташковым или сливочным. Порой притаскиваешь бананы или курагу. Конфеты меня не удивили.

— Я их в глаза не видел, — отрезал Шумаков.

— Я тоже не приносила в дом шоколадки с вареньем внутри, — вздохнула я. — Возникает вопрос: как они к нам попали?

— Уж не сами прибежали, — скривился Юра. — Сосредоточься. Когда появились конфеты?

— Понятия не имею. Два-три дня назад, — протянула я. — Хотя нет! В воскресенье я обратила внимание на вазочку — она серебряная и быстро темнеет. Мне не понравилось, что на буфете стоит почерневшая «лодочка», и я ее почистила. Конфеты в ней отсутствовали.

— Уже лучше, молодец, — похвалил меня Юра. — Напрягай извилины дальше. Кто к нам заходил?

— До появления Оли Ковровой гостей не было, — твердо заявила я. — Кстати!

— Что? — округлил глаза Юра.

— Ольга принесла коробку «Ассорти», — вспомнила я. — Небольшую, недорогую. Сунула ее мне в руки со словами: «Это к чаю». Многие люди стесняются заходить в чужой дом с пустыми руками. Мы с Раисой бедно жили, но если я собиралась в гости, тетка всегда вынимала из загашника баночку варенья, присланную из деревни, и говорила: «Запомни: гость должен принести хозяевам хоть чего к чаю!» Раисина наука крепко засела у меня в голове, я теперь без презента, пусть и незначительного, в гости не хожу. Коврова подарила коробку, ее подают на стол с конфетами, никто не вытряхивает их в вазочку. И «Ассорти» не завернуты в фантики и не похожи друг на друга, они разной формы.

Шумаков спросил:

— Куда ты подношение Ковровой дела?

Я призадумалась.

— Вежливость предписывает непременно открыть коробку и подать чай. Но Ольга принялась рыдать, поэтому я забыла о презенте. После ухода Ковровой я заметила набор на подоконнике и убрала в шкафчик. Конфеты с препаратом не от Ольги.

— Все это странно, — буркнул Юра. — Слушай, а ведь прошлой ночью мы с Ниной отравились! И мне, и ей было плохо: понос, рвота. И теперь вот я провел свой выходной в центре, где у меня половину крови забрали на анализы...

— Извини, — сконфузилась я, — невероятно глупо получилось. Сейчас все объясню.

Когда из меня перестало бить фонтаном раскаяние, Юра встал со стула, подошел ко мне и обнял.

— Теперь я знаю, что у меня здоровье, как у коня.

— Правильно говорить «лошадиное», — хихикнула я.

Юра поцеловал меня.

— Я мужчина и никак не могу быть лошадью, исключительно конем. Но вопрос! Отчего нас с Нинкой сломало, а? Улавливаешь тенденцию?

— В непонятно откуда взявшихся конфетах психотропные и гормональные лекарства, а еще у нас на столе оказалась какая-то еда со слабительным эффектом. Нас пытаются отравить? — испугалась я.

Шумаков сел на кровать.

— Скорее напугать. Интересно, кто автор этого сценария?

Я устроилась около Юры и положила голову ему на плечо.

— В доме, кроме нас, живут Нина, Гена и Варвара. Ой!

— Что? — испугался Юра. — Тебе снова плохо?

— Нет, просто я подумала: тетка вернулась после общения с тамадой, не нашла никого дома и сейчас волнуется. Надо ей позвонить, — ответила я.

— Вы похожи на голубков, — улыбнулся Алексей, врываясь в палату. — Все подтвердилось: в конфете доза препарата, грамотно рассчитанная. Человек съест ее и минут через пятнадцать впадет в истерику.

— На меня подействовало быстрее, — возразила я.

— У вас маленький вес, и нельзя исключать индивидуальную реакцию, — важно пояснил Алексей. — Восхищен профессионализмом составителя. Конфета не шоколадная, а соевая, внутри яблочная масса, то есть неагрессивная среда. Автор подобрал отличный, так сказать, контейнер для лекарства.

— Верните остаток конфеты, — попросил Юра.

— Его нет, все использовали для анализа, — ответил врач.

— Черт! Я сглупил, — крякнул Шумаков, —

перестал ловить мышей. Следовало отправить эту гадость в нашу лабораторию.

— Сомневаетесь в моем профессионализме? — обиделся доктор. — Я на исследованиях собаку съел. О! Собачка! Ваш питомец спит в холле. Милейшее существо! Даже не фыркнул, когда его обработали. Извините, но он посинел. Это от дезинфекции.

Я решила не спрашивать, по какой причине несчастного котопса облили обеззараживающими растворами, и пошла в кассу оплачивать услуги центра. Сумма в графе «Итого» совершенно мне не понравилась.

В холле вместе с котопсом, который напоминал диковинную плюшевую игрушку, плод больной фантазии производителя, тихо сидели Нина и Гена. В отсутствие Варвары Михайловны парочка не ругалась, а трогательно держалась за руки.

Моя крошечная машинка не предназначена для перевозки большого количества пассажиров, поэтому я, открыв салон, извинилась:

— Заднее сиденье узкое, вам двоим будет не очень удобно. Юра сядет впереди.

— Ерунда, — откликнулся Гена, — один раз мы восьмером на велосипеде катили.

— Как вы там уместились? — удивился Шумаков, застегивая ремень.

— Не знаю, — ухмыльнулся жених, — но никто не жаловался.

— Я похудела, — внезапно сообщила Нина, — позавчера джинсы внатяг были, аж трещали, а сегодня сваливаются. И футболка на мне болтается. О, круто! Теперь платье свободно сядет. Корсет влегкую застегнется.

Я притормозила.

— Свадебный наряд!

— Что не так? — забеспокоилась Нина.

— Это я молодец, — не упустил возможности похвалить себя Гена, — нашел похудательную фирму. Не все вокруг обманщики! Взяли с нас пять тысяч, немаленькие деньги, но выполнили обещание. Нинка постройнела за сутки!

— Боюсь тебя разочаровать, — подал голос Шумаков, — но трехлитровая банка, которая пару минут стояла у тебя на спине, не является оборудованием для липосакции. Было у нас дело, связанное с пластической хирургией, видел я аппарат, необходимый для откачки жира. Поверь, ничего общего с баллоном, где хранятся маринованные огурцы-помидоры, оно не имеет.

— Вот именно, — подхватила я. — Нина, «доктора» дали тебе пакет с заваркой, велели пить чай. Ты их послушалась?

— Ага, — донеслось с заднего сиденья. — Залила кипяточком и, как приказали, четыре чашечки за час вылакала.

— Интересно... — протянула я. — Когда тебя в туалет потянуло?

Нина засопела.

— Врачи ушли, мама на меня налетела и ну шпынять. И дура-то я, которая никого, лучше Генки, не нашла, и денег не зарабатываю, ей на старости придется милостыню просить, и жирная, как свинья, дорогое платье не налезает, и...

Я повернула направо.

— Ты лучше о начале болезни сообщи.

— Так я говорю, а меня останавливают, — возмутилась невеста. — Мама ругалась и чаю мне подливала. Я его пила, пила, пила... а потом к унитазу прилипла.

— Отлично, — остановила я девицу-красавицу. — Юра, а ты после чего в сортире поселился?

Шумаков поерзал на сиденье.

— Пить захотелось, пришел на кухню, на столе чайник — красный в белый горох, ты им редко пользуешься.

— Верно, — согласилась я, — он очень большой, на три литра, в обыденной жизни нам столько заварки не требуется.

— Открыл крышку, понюхал. Пахло вкусно, словно клюквенным вареньем, — вздохнул Юра. — Ну я и выпил пару кружечек.

— Наливал его в свою любимую чашку, которая размером с бассейн? — усмехнулась я.

Шумаков кивнул.

— Диагноз ясен, — обрадовалась я. — Нина, ты в чем заварила траву, выданную тебе лжеврачами?

— В здоровенном чайнике, красном, в белый горох, — отрапортовала невеста.

Я въехала во двор родимого дома, припарковалась и, когда все вошли в лифт, сказала:

— В некотором роде Гена был прав. Люди, которые явились к нам в качестве бригады скорой похудательной помощи, не совсем мошенники. Трехлитровая банка с антенной просто аксессуар, который действует на психику дураков, наивно полагающих, что можно потерять килограммы без диеты и занятий спортом, и на тех, кто понятия не имеет, как проводят липосакцию. Вреда от баллона нет. Все дело в чае. В нем содержатся вещества, которые вызывают понос, рвоту и частое мочеиспускание. Просидит клиент ночку на унитазе, утром встанет на весы: вау! Потерял три кило! Никаких претензий к айболитам не возникнет: обещали скорый эффект от своей процедуры, и вот он, налицо! То есть, конечно, не на лицо, а совсем на другую часть тела. Только долго оставаться похудевшим не удастся, чай вывел из организма большое количество воды, жир остался на месте. Через пару дней стрелка весов у привычной цифры окажется. Но, если вы броситесь к айболитам с жалобой, они спокойно ответят: «Минуточку. Вы лишились веса? Мы свое обещание выполнили. А то, что вы вернули килограммы, говорит лишь о вашей прожорливости». Юра, ничем вы с Ниной не болели!

— Ну и че? Опять корсет не застегнется? — заканючила Нина.

— Если ограничишь себя в еде, то станешь стройной, — пообещала я. — Откажись от жирного, сладкого, копченого, острого, забудь про выпечку, колбасные изделия, перейди на салаты, белое куриное мясо, рыбу.

— «Оливье» вкусная штука, — решил простимулировать любимую Гена, — я его могу целыми днями есть.

— Никакого майонеза, — предостерегла я, — исключительно заправка из лимонного сока и пары капель растительного масла.

— Ну уж нет! — возмутилась Нина. — Пусть траву кузнечики жрут!

— Тогда корсет треснет, — вздохнул Юра и отпер дверь.

— Явились... — заплакала Варвара Михайловна. — Бросили маму! Никому я не нужна! Вся моя жизнь — сплошное горе! Катастрофа! Ни дня без страданий!

— Знакомый текст, — растерянно произнес Шумаков.

— Чего такое с ней? — попятилась Нина. — Эй, мамуля!

— За что? — рыдала Варвара. — Никакой радости! Мужики козлы! Степан бабушкины часы спер и продал!

— Вау! — подпрыгнула Нина. — Ты же говорила, что они расстегнулись и с руки неведомо где упали.

— Дмитрий сыром в масле катался, — заливалась слезами Варвара, — два года обещал со своей женой развестись, божился, что с ней давно не спит, живет из жалости. А потом Зиночка родилааааа...

— Мама! — вытаращила глаза Нина. — Ты спала с Никитиным? Ни фига себе!

— Пять абортов сделала, — жаловалась Варвара, — нет, шесть. Хотя все же пять. От Димки. Следующие были от Федора, Сергея, Николая, Валентина и... забыла, как его звали... командированного из Питера...

— Чего только о теще не узнаешь, — флегматично произнес Гена. — Нина, твоя мать со всеми бортниковскими мужиками перетрахалась?

Нина кинулась на него с кулаками.

— Не смей нападать на мою маму! Она приличная!

— Приличная кто? — схамил жених. — В хорошую семью я попал. Слышь, Нинк, а ты точно до меня ни с кем?

— Сам знаешь, — огрызнулась невеста. — Я досталась тебе невинной!

Гена поскреб макушку пятерней.

— Говорил мне Жора: «Странно, что баба до тридцати лет никому не понадобилась. Либо она стерва большая, либо врет. Сейчас операции делают: сбегают к врачу, и снова девочки».

Варвара неожиданно перешла от фазы безграничной жалости к себе к всплеску агрессии.

— Ты меня не позорь! Я в Бортникове уважаемый человек, директор школы, у меня правильный моральный облик. А вот в других местах я просто женщина. В Карасевке, Ильине, Матихине, Вереталине, Ужове, Колпелове...

— Сейчас твоя мать по всей Московской области пройдется и за Ленинградскую примется, — заржал Гена. — Теща у меня сексуальный путешественник. Отъедет от родного городка и гуляет потемному. То-то я все гадал — чего директора школы никогда по выходным дома нет? В какие такие командировки Варвара Михайловна гоняет? Вау! Нинка, твоя мать эта, ну как ее... Черт, забыл. Пенелопа! Вот!

Я стряхнула с себя оцепенение.

— Пенелопа всю жизнь ждала Одиссея.

— Это она так говорила, а на самом деле по округе шлялась, — высказал свое мнение Геннадий, — сказку сочинили потом. В истории правды нет. Например, монголо-татарское иго. Точно было? А кто докажет? Вот, то-то и оно!

— Нина, уведи Варвару в спальню и уложи в кровать, — распорядился Юра. — Вилка, посмотри, сколько конфет осталось в вазе.

— Пять, — отрапортовала я.

— Зачем считаете? — надулась Нина. — Думаете, мы их сожрали? Коробка-то недорогая!

— Коробка? — переспросила я. — Какая?

Воспитанная Варварой Михайловной дочь сочла нападение лучшей защитой.

— Если не хотите людей угощать, уносите еду в комнату или запирайте! Открыла я шкафчик, а там коробка «Ассорти». Надумала шоколадкой угоститься, подняла крышку, гляжу — странно, все конфеты в фантики упакованы. Развернула одну, куснула и выплюнула. Фу, она с вареньем! Вытряхнула оставшиеся в вазу, и все.

— Зачем было конфеты в «лодочку» перекладывать? — не сообразил Юра.

— Так красивее, — ответила Нина.

— Сработала детская привычка, — произнесла я. — Ниночке мама не разрешала открывать коробки с конфетами и их есть, говорила: «Это для гостей припасено! Теперь на стол не подать, пустого места много». Дочка принималась плакать, мама быстро пересыпала конфеты в вазочку и вздыхала: «Не реви. Теперь никто не сообразит, что из коробки отъели». Нина запомнила: если съела без спроса часть «Ассорти», надо переложить остальное в конфетницу. Так?

Нина схватила впавшую в ступор Варвару и поволокла ее в коридор. На выходе невеста буркнула:

— Больно умная! Небось сама жрачку тырила!

— Конечно, — засмеялась я, — водился за мной грешок. Еще я в подростковом возрасте тайком брала у Раисы духи. Помните, они назывались «Красная Москва», флакон был сделан в виде башни Кремля. И уж совсем некрасиво с моей стороны было пользоваться пудрой и тушью тетки. Уложи Варвару, думаю, она мирно проспит до утра.

ГЛАВА 25

Юра разбудил меня в семь, поцеловал и сказал:

— Уношусь. Ольга Коврова по-прежнему без сознания. Вопрос, почему она принесла нам отравленные конфеты, повис в воздухе. Отдам их в нашу лабораторию, велю вытащить из материала все, что возможно. Может, в Ольге взыграла ревность?

Почти у всех мужчин завышенная самооценка. Теперь мне слова о терзаниях Ковровой показались смешными, но вслух я произнесла иное:

— Сам же рассказывал, ваш роман длился недолго, никаких поползновений реанимировать умершие отношения Оля не делала. Вспомнила она о тебе, лишь попав в беду. Не глупо ли приносить отравленные конфеты в дом человека, от которого ждешь помощи?

— Да, нелогично, — согласился Юрасик. — Но она принесла!

— Темный курьер... — задумчиво произнесла я. — Их иногда используют наркодельцы. Человека просят привезти из Афганистана в Москву сувенир для знакомых, вещицу самого невинного вида, ну, допустим, банку с чаем. Ничего не подозревающий турист соглашается и доставляет жестянку. А внутри был героин. Кто-то вручил Ольге конфеты, кому-то она сказала: «Побегу к Шумакову, он мне поможет»... Нам остается лишь ждать, пока Коврова очнется.

— Если очнется, — мрачно поправил Юра.

— Всегда надейся на лучшее, — оптимистично возразила я.

— Позвоню, как только узнаю подробности, — пообещал Шумаков.

— Проверь по базе, не было ли заявлений от граждан, чьи родственники внезапно впали в истеричное состояние, — посоветовала я. — Соседи или близкие могли вызвать милицию, если человек, впав в агрессию, принялся ломать мебель или попытался покончить с собой на фоне стихийно возникшей депрессии.

— Дельная мысль, — похвалил меня Юра. — Сама чем займешься?

Я честно поделилась планами:

— Поеду к Алисе Мешанкиной. Ее приемная дочь Светлана погибла при тех же обстоятельствах, что и Эльвира Разбаева. Эти преступления разделяет почти двадцать лет, но они совершены словно под копирку. Девочки сами влезли на подоконник и нырнули из окна вниз. Эльвира потянулась за куклой, Светлана, думаю, хотела достать разноцветного слона — по словам Зои, ее любимая игрушка была редкостной уродливости: туловище зеленого цвета, уши красные, лапы синие. Небось герой из мультика. Сергей Сергеевич купил у Нади секрет — Савельева разболтала ему о роли Антонины Михайловны в гибели Эльвиры. Смею предположить: каким-то образом собиратель чужих тайн прикоснулся и к делу Светланы Мешанкиной.

— Зыбко, но попытка не пытка, — кивнул Шумаков.

— Значит, мне можно совать нос в твои дела? — не выдержала я.

— Ты моя лучшая коллега, секретный помощник. С этой поры всегда будем работать вместе, я очень выиграю в глазах начальства, повышу раскрываемость и займу пост главного мента всех народов. А ты получишь мешок сюжетов и легко победишь Миладу Смолякову, — с абсолютно серьезным видом оттарабанил Юра.

— Чисто теоретически я могу представить тебя в кресле «главного мента всех народов», — рассмеялась я, — но детективщице Арине Виоловой без шансов приблизиться к Смоляковой.

— Шанс есть всегда! — отрезал Юра. — И нам надо понять одну простую истину: если хотим жить вместе долго и счастливо, необходимо разговаривать друг с другом. Ну как я мог понять, чего ты хочешь?..

Не дожидаясь моего ответа, Шумаков убежал. Я подошла к окну, увидела, как он выходит из подъезда и садится в машину. Юра прав, надо разговаривать. Глупо надеяться, что человек, пусть даже близкий и любимый, поймет ваши невысказанные мысли. Скандал с рефреном: «Ты идиот, жить с дураком не желаю», — это не беседа. Кое-кто из женщин, отчаявшись наладить дружбу с мужем, заводит любовника и жалуется ему: «Супруг меня не понимает, а ты другое дело, тебе можно все рассказать». Может, попробовать стать откровенной с тем, чью фамилию носишь?

Есть маленький психологический тест, пройдя который вы сразу поймете, насколько близки с супругом. Ничего сложного, простые вопросы. Кем ваш муж хотел стать в детстве? Чего он боится? Кем он восхищается? Где расположен на работе его стол? Он способен поменять профессию? Какая у него любимая книга или кинофильм? Если не можете точно ответить на эти вопросы, тогда вот вам еще раунд. Сколько муж зарабатывает? Что любит на второе: рыбу или мясо? Он ездит на рыбалку или имеет какое-то другое хобби? Если со второй частью вопросов порядок, вы озвучиваете размер оклада, в курсе любви супруга к котлетам и изредка попрекаете его за сидение с удочками у реки, то вы плохая жена. Вас волнует только быт, вы ни разу не поинтересовались душой партнера. Может, не поздно туда заглянуть? Вдруг откроете интересную личность, совсем не того Колю, Васю или Вову, которого потчуете бифштексами.

Я отошла от подоконника и приказала себе: Вилка, прекрати философствовать, отправляйся к Мешанкиной. Да не звони Алисе предварительно, лучше застать женщину врасплох. Она сейчас точно дома, у нее маленький ребенок.

Дверь квартиры мне открыли сразу.

— Ваша хозяйка дома? — пропела я, окидывая взглядом девушку лет двадцати, одетую в недорогое темное платье.

— Алиса Викторовна и Владимир Николаевич уехали, — вежливо ответила домработница.

Я решила не унывать. Ничего, подожду Мешанкину: либо посижу в машине, либо выпью чай в ближайшем кафе. Наивные люди полагают, что детектив бегает с пистолетом по улицам, ловит преступников, а потом допрашивает их в комнате с хитрым зеркалом. На самом деле все обстоит намного прозаичнее: большую часть времени сыщик проводит в ожидании чего или кого-либо.

— Когда вернутся хозяева? — спросила я.

— А не знаю, — легкомысленно отмахнулась девушка. — Они позавчера в Америку улетели. Владимир Николаевич сказал, года на три пока. Я квартиру стерегу. Сдавать жилплощадь они не хотят. И правильно, загваздают жильцы комнаты, ремонт делать придется.

За спиной послышалось шипение — это открывал двери приехавший лифт. Раздались быстрые шаги, меня бесцеремонно отпихнули в сторону.

— Ой, здрассти, Кира Петровна, — пролепетала горничная, — давно вас не видела.

— Где Алиса? — грубо прервала прислугу коренастая, полная тетка. — Зови ее сюда, живо. Ну! Бегом, Анжела!

Девушка втянула голову в плечи.

— Они уехали. В США! Неужели вам не сказали?

Кира Петровна привалилась к стене.

— Не сказали, — эхом повторила она.

Анжела воспряла духом.

— Адреса они не оставили, телефоны у них там другие будут, московский выключат — роуминг очень дорогой.

— Роуминг дорогой, — проскрипела Кира Петровна. И вдруг ее понесло: — Ах ты...! ...! ...! Да! ...! ...! Тебя...! ...! ...!

За секунду приличная с виду дама превратилась в фурию. Я испугалась и без приглашения влетела в квартиру Мешанкиных. Анжела ухитрилась закрыть дверь. Створка затрещала под ударами.

— ...! ...! ...! — доносилось с лестничной клетки. — В Америку удрапали! Убийцы! ...! ...!

— Вдруг она сюда ворвется? — испугалась домработница.

— Навряд ли сможет выломать стальную дверь, — ответила я. — Кто такая эта Кира Петровна?

Анжела села на пуфик.

— У Владимира Николаевича был брат, вроде сводный, Петр Гуськов, он с Мешанкиным работал. Точно моя бабушка говорит: «Пришла беда — отворяй ворота». Петр за старшей дочкой хозяев присматривал, мы его звали нянь. Летом он Свету повез в поликлинику, а малышка выпала там из окна.

— Ужасно! — воскликнула я.

Анжела кивнула.

— Хуже не бывает. Алиса Викторовна рыдала без остановки! Но Владимир Николаевич с Петром не разругался. Хозяин в дом только родственников нанимает. Я дочка его двоюродной сестры.

— Ясно, — кивнула я, — наверное, он не доверяет чужим.

Анжела принялась активно хвалить работодателя:

— Владимир Николаевич замечательный, добрее его нет. Он меня предупредил: «Анжи, не смей даже взглядом осуждать Петю, его вины нет». Да, видно, Гуськов испереживался, вот и покончил с собой.

Я, продолжая прислушиваться к воплям, которые издавала Кира Петровна, спросила:

— Когда он умер?

— Чуть больше месяца назад прыгнул под поезд метро, — уточнила домработница. — Сначала решили, что его в толкучке толпа смела, а в морге в кармане записку нашли. Владимир Николаевич еле горе пережил и в США засобирался, у него там дом есть. Не хотели они с женой тут оставаться, постоянно вспоминать про бедную Светочку и Гуськова. Кира жена Петра, она совсем сумасшедшая. На девять дней сюда приперлась и бучу, как сегодня, затеяла. Рыдала, орала, Алису Викторовну ударила, в детскую кинулась, визжала: «Велели Пете Светку убить, а я Ирину в окно выброшу». Еле ее остановили.

— Хозяйка вызвала милицию? — предположила я.

Анжела вздрогнула.

— Нет. Какой от ментов толк? Это семейное дело. Жаль Свету, но она погибла случайно. Кажется, Кира Петровна ушла, тихо стало.

Домработница открыла дверь и осторожно выглянула наружу.

— Никого!

Я посмотрела на табло над дверями лифта. Кабина спускалась на первый этаж.

Не сказав «до свидания» приветливой горничной, я бросилась к лестнице и понеслась вниз, перескакивая через три ступеньки.

Коренастая фигура в темно-коричневом платье обнаружилась во дворе дома Мешанкиных. Жена Петра Гуськова сидела на скамейке у качелей и смотрела на малышей, которые с визгом пытались залезть на сиденья. Я устроилась рядом.

— Здравствуйте, Кира Петровна.

— Мы знакомы? — устало спросила Гуськова.

— Только что виделись возле апартаментов Мешанкиных, — осторожно уточнила я. — Вы как себя чувствуете? Хотите, куплю в аптеке для вас валокордин?

Кира Петровна прикрыла глаза.

— Не помогает мне он. Не берут меня ни лекарства, ни водка. Сегодня сороковой день со дня смерти моего мужа, вот я и ударилась в истерику. Ну зачем он Вовку любил? Ведь сколько раз тот брата подставлял! Но Пете урок не впрок. Убили они его. Сначала заставили от инвалида их избавить, а затем...

Кира откинулась на скамейку и стиснула кулаки.

— Вы в курсе того, что случилось со Светланой? — шепнула я.

— А вы кто? — очнулась Гуськова.

— Имя Эльвира Разбаева вам что-нибудь говорит? — задала я встречный вопрос.

Гуськова со стоном выпрямила спину.

— Первый раз слышу. Позвоночник словно выкручивают.

Я встала и протянула Кире Петровне руку.

— Нервный спазм пройдет от чашки хорошего кофе. Пойдемте в кафе, я угощаю. Эльвиру Разбаеву убили точно так, как Свету Мешанкину.

Гуськова застонала:

— Петя тут ни при чем.

Я кивнула.

— Знаю. Хотите, чтобы Владимир Николаевич и Алиса Викторовна понесли наказание за убийство старшей дочери?

— Да! — выкрикнула женщина. — Да!

— Тогда пошли в спокойное место, надо поговорить, — предложила я.

Понадобилось около получаса, чтобы наладить контакт с Кирой Петровной и вызвать ее на откровенность. Семейная история Мешанкина — Гуськова оказалась тривиальной.

Отец Петра умер, когда мальчику исполнилось три года. Вдова погоревала и вышла замуж во второй раз. Николай Мешанкин стал замечательным отчимом, воспитывал Петю как родного сына, не обделял мальчика ни любовью, ни вниманием. Детство и юность Пети были счастливыми. Мама постоянно твердила старшему сыну: «Ближе друг друга у вас с Володей нет. Ты обязан поддерживать младшего брата, помогать ему».

И Петя старался. От него никогда не скрывали правду, он с ранних лет знал: его родной отец умер. Николай не дал ребенку свои фамилию и отчество, посчитал это неправильным. Поэтому, когда паренек получил паспорт, его зарегистрировали как Петра Кирилловича Гуськова.

Сколько раз Петя выручал Вову! Младший брат постоянно попадал в неприятности и плохо учился. После окончания десятилетки отец пристроил неразумное чадо в институт, куда брали всех подряд мальчиков. Петя учился на престижном мехмате и покровительствовал Вове. Едва на горизонте появлялась угроза, как Вовочка кидался к старшему брату, и тот легко разгонял тучи. До родителей доходила едва ли десятая часть правды о младшем ребенке. Петя рано стал зарабатывать и охотно снабжал Володю карманными деньгами.

После смерти родителей Володя растерялся. Петя же утроил заботу о брате и, чтобы отвлечь того от горьких раздумий, пристроил на компьютерные курсы. Далее события раскручивались непредсказуемым образом. Никогда не проявлявший ни малейшего интереса к учебе, Вовочка стал усердно учиться, завел друзей среди компьютерщиков, через год открыл свое дело и разбогател.

У Пети, наоборот, жизнь покатилась под откос. Судьба решила, что обоим братьям нет резона быть успешными, отняла удачу у Пети и вручила ее Вове.

Теперь Владимир поддерживал старшего брата, давая ему деньги. А потом предложил: «Хватит пахать на чужого дядю за копейки. Лучше работай на меня».

Петя стал личным помощником, шофером, охранником Володи. Гуськов занимался домом, дачей, машинами... одним словом, избавил брата от многих проблем, за что (немаловажный факт) получал большую зарплату.

Киру Петровну раздражала позиция мужа.

— Прекрати стирать Вовке носки! — однажды потребовала она.

— С бельем машина справляется, — ответил муж, — и в нашем доме есть горничная.

— В нашем доме прислуга я! — разозлилась Кира. — А вот в квартире твоего брата, несмотря на наличие нигде не работающей Алиски, убираешь и готовишь ты. Тебе не противно служить кухонным мужиком?

— Володя моя родная кровь, — пояснил супруг, — и он мне положил достойный оклад.

— Мог бы и так брату денег дать, — скривилась жена.

— А я не возьму, — отрезал Петр. — Я не иждивенец! Закончим этот разговор. Продолжишь наезды на Володю — разведемся.

Кира притихла. Новый всплеск негодования накатил на нее, когда Володя предложил Пете должность няньки.

— С ума сошел? — кричала она на мужа. — Алиска обязана малышей воспитывать.

— Светлана больна, — пояснил Петя, — ее необходимо по врачам возить, а Ирочка совсем крошка. Не пыли, Кира.

Но Кира Петровна, в отличие от Петра, всегда думавшего о людях хорошо, понимала: Алиса не могла родить, поэтому и удочерила Свету. Ведь семья без детей — не совсем семья. Наверное, Мешанкина опасалась, что разбогатевший Владимир бросит ее. Приемная девочка в случае развода — гарант хороших алиментов. Кира отлично знала Алису и не верила в ее искреннее желание сделать чужую девочку счастливой. Когда у малышки одна за другой начали проявляться болезни, лечение которых требовало и средств, и времени, Гуськова злорадно подумала: «Бог все видит. Заполучила Алиска торт, да он внутри прокис. Возиться ей всю жизнь с инвалидкой...»

Но тут совершенно неожиданно Мешанкина родила собственную дочь. Вот это был удар для Киры. Несмотря на обоюдное горячее желание стать родителями, у них с Петей дети не получались.

«Наверное, по материнской линии брак передался, — вздыхал Гуськов, — Володька ведь тоже без родных детей».

И вдруг появилась на свет Ирина! Не очень рьяная по отношению к Светлане мамаша превратилась в самозабвенную родительницу. Приемную дочь сбросили на руки Пете. С младшенькой, кровиночкой, Алиса не расставалась.

ГЛАВА 26

После трагической кончины Светы Петр пил три дня. А через две недели сказал жене:

— Уйду в монастырь.

— Знаю, ты очень любил девочку, — посочувствовала супругу Кира, — но так решил господь.

А муж неожиданно гаркнул:

— Дура ты! Светку убил я! Она мне теперь каждую ночь снится, руки протягивает, глаза такие большие-большие... Я с ума сойду! Отправлюсь грех замаливать.

— Петя, — потрясенно прошептала Кира, — что значит «я убил»? Светлана сама из окна выпала, ты в тот момент находился в кабинете у врача. Твое алиби подтвердили доктор и медсестра.

Гуськов обхватил голову руками.

— Нельзя ментам правду открыть, плохо Вове с Алисой будет. Я в церковь пошел и исповедался, спросил совета у священника. Батюшка объяснил: это страшный грех, отмаливать его теперь мне до скончания лет. Можно в монастырь податься, работником там пожить, посмотреть, справлюсь ли. Если постригусь, то расстригаться нехорошо. И есть еще одна важная деталь: отец Иоким посоветовал тебе правду сообщить. Ты должна понять, почему я от мира отворачиваюсь, и отпустить меня со спокойной душой.

— Уж не идиотка! — возмутилась Кира. —

Прямо мечтаю одна жить. Мне мало радости, что ты в обители лоб об пол расшибешь.

— Отец Иоким предупредил: если близкие против, их злые слова помешают моим молитвам, — прошептал Петр. — Будешь меня проклинать, плакать, я грех не отмолю. Положено родному человеку правду открыть, причину ухода назвать, убедить его спокойно меня отпустить.

— Никогда! — отрезала Кира. — Спокойно я тебя только к психиатру отпущу!

Гуськов заплакал.

— Выслушай меня...

Жена опешила — она никогда не видела слез на глазах мужа. А тот, приняв ее молчание за согласие, начал говорить.

...Мать Светланы неизвестна, девочку нашли в туалете на вокзале. Когда Алиса и Владимир удочеряли ребенка, им ничего не рассказали. Потом, когда Света начала болеть, до Алисы дошло: разве хорошая женщина бросит новорожденную? Кукушка небось алкоголичка, наркоманка или и то и другое вместе. На Свету приходилось тратить много денег, а радости она приемным родителям не приносила — постоянно плакала, капризничала, ныла. Не такой представляла себе Мешанкина доченьку.

Когда родилась Ирина, Алиса почувствовала бескрайнее счастье. Родная девочка получилась замечательной. Ирочка постоянно улыбалась, рано начала узнавать маму, хорошо ела и опережала других детей в развитии. Ирой можно было гордиться, она очаровательно выглядела в розовом костюмчике и шапочке — круглые щечки, яркие глазки, пухлый ротик, белокурые кудряшки. Ирина обещала стать красавицей. А бледно-синяя Света, покрытая пятнами диатеза, казалась около сестрички уродцем. И у нее никак не отрастали волосы, на макушке топорщились три пера. Светлана не имела шансов попасть в участники конкурса «Лучший малыш России», а Ирочка гарантированно отхватила бы там Гран-при.

Когда Ирине исполнилось два месяца, врачи огорчили Алису сообщением:

— У Светланы проявилась еще одна болезнь, очень редкая, практически незнакомая российским врачам. Здоровой Света никогда не станет, в лучшем случае она доживет до восемнадцати лет. И то, если ее будут интенсивно лечить, лучше всего за границей.

Алиса выяснила, в какую сумму выливается один курс, и поняла: надо забыть о частном детском садике, открыть который она мечтала, о строительстве загородного дома, о поездках на курорты. Владимир обеспеченный человек, но не олигарх, весь его заработок уйдет на приемыша.

Алиса пошла к мужу и потребовала:

— Надо вернуть Светлану в приют.

— С ума сошла? — напрягся Мешанкин.

— Из-за нее Ирочка лишится всех благ, — зарыдала мать. — Чужая девчонка получит лучших врачей, а родной доченьке что? Даже на апельсины не хватит!

— Замолчи! — приказал муж.

Но Алиса не закрыла рот. Каждый день в семье бушевали скандалы. На беду, Света подхватила грипп и незамедлительно заразила Иришу. Представляете реакцию матери? Ее здоровенькая малышка подцепила от приемной девчонки вирус!

Алиса ворвалась в кабинет мужа, сунула ему на колени красную от температуры Иришку и процедила:

— Ладно, грипп вылечим, хотя он очень опасен для младенцев. Но что, если Светка ей свою хворь передаст?

Владимир испугался. Однако постарался не идти на поводу у супруги.

— Не городи чепуху! У Светы генетическое заболевание, оно ей досталось от биологических родителей.

— Кто знает? — зудела Алиса. — Болезнь плохо изучена. Вдруг через пару лет докажут, что она, как корь, легко передается. Ты готов рискнуть здоровьем родной дочери?

Вечером того же дня Володя признался Пете:

— Сам теперь постоянно думаю про Светину болезнь. Вдруг Алиска не зря переполошилась? Я, конечно, девочку из дома не выгоню, но ее придется лечить, а она все равно долго не проживет. Не повезло нам.

— Скорей не повезло Свете, — уточнил Петр, который привязался к девочке.

— Да уж, — согласился младший брат. — Лучше б ей сразу умереть — доктор предупредил, что последняя фаза болезни очень мучительная. Надо ребенка избавить от страданий.

— Что ты имеешь в виду? — прямо спросил Петр.

— Ты правильно меня понял, — кивнул Владимир. — Назад девочку не отдать. Если мы откажемся от родительских прав, газеты из нас с Алиской монстров сделают. Но... Вдруг и Ира заболеет? И где мне такие деньги на лечение Светы взять? Операция в Германии стоит двести тысяч евро, еще пятьдесят на реабилитацию, каждый месяц уколов на тридцать кусков, дозу лекарств придется увеличивать... Через два-три года на Светлану в месяц будет улетать около сотни тысяч евриков. Нету у меня таких средств!

— Таких детей должно государство лечить! — возмутился Петя.

— Зараза редкая, — пожал плечами Владимир, — на нее средства из бюджета не выделены. В Америке есть программа, там лечат бесплатно.

— Уезжай в США, — посоветовал Петр, — у тебя там есть дом.

Владимир усмехнулся:

— Наивняк! Без денег только граждане США лечатся.

Разговоры братья вели около трех недель, фоном им служили истерики Алисы и кашель Иры — грипп у младшей девочки осложнился бронхитом.

В июле Владимир сказал Пете:

— Завтра надо отвезти Свету в поликлинику.

— Хорошо, — кивнул брат.

Мешанкин отвел глаза в строну.

— Оставь девочку одну в коридоре, посадив в безопасный стул, а сам иди в кабинет. Да задержись у врача. Хорошо будет, если и медсестра там же очутится.

— Вова, что ты задумал? — обмер Петр. — И откуда знаешь про безопасный стул? Сам ведь никогда Свету в клинику не сопровождаешь.

Младший брат скрестил руки на груди.

— Я принял решение, оно нелегко мне далось. Есть человек, Петя, который все берет на себя. Наше дело Светлану в коридоре оставить. Одень девочку покрасивее. И купи ей по дороге мороженого, конфет.

— Нельзя малышке сладкое, — напомнил Петр.

— Уже можно, — каменным голосом объявил Володя.

— Не поеду, — отказался Петр. — И девочку не дам.

— Пойми, Петенька, впереди у Светы боль и страдания, — зашептал Мешанкин. — Нет у нее будущего. Сейчас ей плохо, а станет невыносимо.

Владимир долго уговаривал брата, и в конце концов Петр выполнил его просьбу...

Когда муж замолчал, Кира закричала:

— Ты здесь ни при чем! Драгоценный братец себе алиби обеспечивал. Начнет милиция трепыхаться, поинтересуется, кто девочку к врачу привез, ответ — Гуськов. Мешанкины вне подозрений. Они и близко к той больнице не подходили. Кто бедняжку из окна выбросил?

— Не знаю, — вздохнул Петр. — Вова случайно имя назвал, Сергей Сергеевич, он организатор. Немало денег Вовке отдать пришлось, запредельную сумму отсчитал.

— Кто такой Сергей Сергеевич? Где его найти? — накинулась на супруга Кира.

— Без понятия, — еле слышно сказал тот, — откуда его Вовка взял, я не интересовался.

Кира попыталась утешить мужа, но Петр снова заплакал и сказал:

— Когда я в кабинет уходил, Света на меня посмотрела так, словно все понимала. Глазки круглые, а в них вопрос: «За что?» Потом рукой мне помахала. Раньше никогда так не поступала, а тут... Потом я ее уже на земле увидел — девочка лежала на животе, ноги чуть согнуты, одна ручонка в сторону игрушки протянута. Мне бы заплакать или закричать, а у меня в мозгу все странная мысль крутилась: откуда у Светы этот разноцветный слон? Я покупал ей лишь пластиковые игрушки, боялся аллергии на материал и наполнитель. Я, Кира, самый главный виновник, знал и не остановил казнь. Нет мне прощения. Отпусти в монастырь...

Двое за соседним столиком неожиданно начали громко ссориться, и Кира Петровна умолкла.

— И вы согласились? — спросила я.

Она кивнула.

— Да. Петр выглядел не совсем нормальным, спорить с ним мне показалось неправильным. Утром он сказал: «Поеду к Володе, объясню свою позицию. Брат должен знать о моем решении».

Я поежилась.

— Зря Гуськов отправился к Мешанкиным.

Кира Петровна схватила зубочистку, сломала ее и бросила обломки на скатерть. Углы ее рта скорбно опустились.

— Я ничего плохого не подумала. Владимир и Петр... они... словно пальцы на одной руке. Неразъединимы.

— Если отрубить указательный, безымянный останется на своем месте, — парировала я. — Что сказал ваш муж после визита к брату?

— Больше мы не виделись, — всхлипнула Кира. — Я ему звонила, но он трубку не снимал. А затем вдруг ответил какой-то мужчина и сообщил, что Петя погиб.

— И вы не рассказали обо всем милиции! — воскликнула я.

Правую щеку Киры Петровны свело мимолетной судорогой.

— Начитались в детстве стихов Михалкова? Верите в дядю Степу? Или думаете, что в отделении можно встретить капитана Ларина?[1] Наивно! Где доказательства преступления? Пустые разговоры в расчет не примут. Смерть Светланы признали несчастными случаем. Алиса на кладбище

---

[1] Капитан Ларин — один из героев телесериала «Менты». — *Прим. автора.*

так рыдала! Плохо ей стало, «Скорую» вызывали. Все знакомые в курсе: Мешанкины девочку любили-лечили. В поликлинике врачи подтвердят — привозили Свету, лекарства приобретали, одевали, кормили. Придраться не к чему. А улики какие? Имя Сергей Сергеевич?

— Если Петр верил в бога и захотел удалиться в монастырь, он не стал бы совершать самоубийство, — вздохнула я.

Гуськова засмеялась.

— Ой! Вот это, конечно, всех убедит, и Владимира посадят... Есть факт — мужчина упал на рельсы с запиской в кармане: «Простите». Не рукой написана, на принтере напечатана в квартире Мешанкина.

— Прямая улика! — обрадовалась я. — Сразу напрашивается вопрос: почему Гуськов не воспользовался компьютером дома?

Собеседница опустила голову.

— У нас его нет. Я после известия о якобы самоубийстве мужа заболела. Знаете, странно получилось. Как узнала жуткую новость, сообщила Володе. Тот примчался, напоил меня какими-то каплями, увез в свою квартиру, и — дальше я ничего не помню. В день похорон я немного встрепенулась, потом опять забытье. На восьмой день меня отпустило, я к себе уехала. А на следующее утро закатила Мешанкиным скандал. Не вспомню, что орала. Потом, во вторник, меня к следователю вызвали. Разговаривали вежливо, не хамили, воды подали и мило так сказали: «Младший брат покойного объяснил, что ваш муж был в депрессии, постоянно заговаривал о смерти. В день самоубийства Петр Кириллович Гуськов вроде воспрял духом, попросил разрешения воспользоваться компьютером — хотел напечатать резюме, надумал найти себе работу. Владимир Николаевич, конечно, разрешил. Гуськов просидел за клавиатурой менее пяти минут, попрощался и ушел. Мешанкин встревожился, открыл файл, увидел слово «простите», кинулся звонить Петру, выбежал на улицу. Но что он мог? Дело закрыто». Вот так!

— Сочувствую вам, тяжело потерять мужа, — вздохнула я.

Кира Петровна потянулась за новой зубочисткой.

— Вы не сказали следователю про Сергея Сергеевича? Промолчали о желании мужа уйти в монастырь? — опять пристала я к вдове Гуськова с вопросами. — Почему?

— Испугалась, — откровенно сказала та. — На девятый день Владимир всунул мне в руки деньги. Я их брать отказывалась, а он процедил сквозь зубы: «Бери, Кира, а то я подумаю, что Петя тебя чем-то напугал. Наверняка глупостей наболтал. Я давно приметил: мой старший братец не в себе. Сейчас, когда его нет, могу приоткрыть тайну. Знаешь, отчего его родной отец умер? Повесился. Я случайно от мамы правду узнал и хранил ее, не хотел Петю огорчать. Ученые давно доказали, суицидальные наклонности по наследству передаются. Так что бери материальную помощь. Знаю, ты меня недолюбливаешь, так нам больше общаться и не надо. Я помог с похоронами-поминками, принес тебе денег на житье, дальше сама поплывешь. Поняла, Кира? Не лезь в нашу с Алисой жизнь, не затевай глупостей. Совсем забыл! Я ведь для Пети двойное место на кладбище взял... Ты, конечно, еще не старая, но все в жизни случается, будешь тогда с мужем рядом».

— Коротко и ясно, — кивнула я.

Кира Петровна опустила голову на скрещенные руки:

— Зачем я те деньги приняла?

— Вашего мужа уже не вернуть, а жить надо, — попыталась я утешить Гуськову.

— Кровавые они, — заплакала женщина. — Я все думала, думала, а сегодня, на сороковой день, решилась. Жить мне не хочется. Петя на том свете, других близких нет. Самой повеситься или с крыши прыгнуть страшно. И вот придумала: пойду к Вовке, расскажу, что все знаю, и он меня точно убьет. А они в Америку смылись! Решили эту историю в Москве оставить, в США новую жизнь начать. Сволочи! Ну и потемнело у меня в глазах, все ноги об их дверь испинала, испортила хорошую обувь. Где теперь новую брать? У меня оклад копеечный!

Я поманила официантку и попросила счет. Если Гуськова озабочена ботинками, ее слова о самоубийстве можно серьезно не воспринимать.

— Сунул мне четыре тыщи евро! — зло сказала Кира Петровна. — Откупился копейками! Я думала, он потом еще даст. Если он Петю убил, то обязан вдову содержать. А они в Америку!

Мою жалость к Гуськовой сдуло, как перышко с горы. Так вот зачем вдова на сороковой день явилась к Мешанкину — задумала его шантажировать. И вот по какой причине она не стала выкладывать в милиции правду — не хотела лишаться источника заработка.

— Как вы считаете, если этого Сергея Сергеевича поймают и он расскажет правду, Алису с Вовой вернут в Москву? — не успокаивалась Гуськова.

— Такой вариант, в принципе, возможен, —

стараясь обойти все острые углы, ответила я. — Но про Сергея Сергеевича ничего не известно.

— Плохо, — пригорюнилась собеседница.

— Постарайтесь вспомнить, что Петр говорил об организаторе убийства Светы, — попросила я.

— Только имя, — угрюмо буркнула Кира Петровна.

— А внешность? Как он выглядел? — пыталась я вытащить хоть крошку информации. — Голос? Запах?

— Так Петя мерзавца не видел! — воскликнула вдова. — Ушел в поликлинике в кабинет, не встречался с подлецом.

Я с огромным усилием удержалась, чтобы не сказать: «Все хороши». Гуськов хоть раскаялся, пожелал отмаливать грех, Петра мучила совесть, не давало спать воспоминание о маленькой ручонке, приветливо машущей доброму дяде, который уходил, оставляя жертву киллеру. Но ведь именно Гуськов привез Свету в поликлинику! Все остальное — последствия его поступка.

— Слон! — неожиданно обрадовалась Кира Петровна. — Игрушка, которую нашли у тела погубленной Владимиром малышки! Петя ей такую не покупал. Значит, убийца принес ее с собой. Это поможет?

ГЛАВА 27

Я дошла до машины и села за руль. Слон хорошая зацепка, я знаю, как надо действовать. Берем фото игрушки, оно есть в деле о несчастном случае, ищем производителя плюшевого урода, узнаем, в какие магазины фабрика поставляла это изделие, и начинаем обходить торговые точки, расспрашивать работников, пытаясь выяснить, не вспомнят ли они покупателя. Благо мне известно описание его внешности — усатый, бородатый, кудрявый, в очках. Возможно, одна из продавщиц воскликнет: «Ой, точно! Видите у слоника одно ухо чуть надорвано? Это я его неаккуратно с полки взяла. Игрушку купил мужчина, оплачивал кредиткой».

Мгновенно поднимаются финансовые документы, и — опля, мы имеем паспортные данные человека.

Далее последует нудная, кропотливая работа, на нее уйдет не один день, но иногда она приводит к успеху. Впрочем, чаще бывает иначе. К тому же слон не имеет примет, его никто не опознает.

Вот только мне не надо стаптывать любимые балетки, носясь по филиалам «Детского мира». Я отлично знаю: жутковатого слоника принесла Антонина Михайловна. И к окну несчастную Светлану подманила Кириллова. Сергей Сергеевич — кукловод, он дергал за ниточки и остался в тени. Я зашла в тупик. А ведь слон мог помочь: выясни в свое время оперативники, занимавшиеся происшествием в поликлинике, что игрушка принадлежит не Светлане, у них возник бы вопрос: а где девочка взяла плюшевое чудовище?

Я вздохнула. Ну какой смысл сейчас повторять: если бы да кабы! Все уже случилось. Единственное, что можно сделать для бедной Светы Мешанкиной, это отыскать Сергея Сергеевича, который подстроил убийство девочки. Он же, полагаю, лишил жизни и Антонину Михайловну. Кириллова стала ему не нужна, поскольку выполнила свою роль, а отработанный материал убирают. Правда, немного странно, что на тот свет бухгалтер отправилась вместе с Николаем

Ефимовичем. Сергей Сергеевич хитер и умен, он не из тех, кто совершает ошибки по глупости или допускает оплошности. Усков явно лишний в этой истории. Или...

От неожиданной мысли я вздрогнула и тут же схватила мобильный.

— Шумаков! — четко произнес Юра.

Если он отвечает подобным образом, значит, он на совещании или находится в окружении посторонних. Мой номер вбит в телефонную книжку, у Юры на дисплее сейчас высветилось, только не смейтесь: «Таракашечка». Мы давно договорились с Шумаковым: если он реагирует на мой звонок официально, мне необходимо отсоединиться и позвонить позднее. Я старательно соблюдаю этот договор, но сегодня не смогла сдержаться. И выпалила:

— Думаю, он убил сразу двух не нужных ему людей — Антонину Михайловну и Ускова. Мы сбросили со счетов Николая Ефимовича, посчитали его случайной жертвой, а зря!

— Олег Петрович, твоя идея не лишена смысла, — ответил Юра. — Но сейчас я нахожусь на вызове. Освобожусь и звякну. Мышкину привет, я надеюсь с ним сегодня встретиться часов в десять-одиннадцать вечера.

Я молча отсоединилась.

«Мышкин» — еще одно мое прозвище, известное только нам с Юрасиком.

У Шумакова на столе не одно дело. Я, забыв обо всем, могу самозабвенно заниматься Кирилловой, а с майора начальство требует отчета по многим направлениям. И еще момент. Предположим, мне так и не удастся выяснить, кто такой Сергей Сергеевич. Я буду считать себя дурой, которую обманул преступник, лишусь аппетита, проведу несколько бессонных ночей, но потом постепенно забуду о деле. Конечно, навсегда оно из моей головы не выветрится, я из породы людей-самоедов, нет-нет да и скажу себе: «Вилка, помнишь девочку Светлану? Ты так и не сумела вывести на чистую воду организатора ее убийства». Но это будут моральные терзания.

Не верьте людям, которые говорят: «Менты бесчувственные чурбаны, им лишь бы дело подальше на полку запихнуть». Шумаков и его коллеги очень переживают, когда преступнику удается улизнуть. Но вдобавок к моральному дискомфорту на майора обрушатся административные неприятности. Для начала он получит нагоняй от начальства, поминать неудачу Шумакова будут на всех совещаниях, и его накажут по полной программе. Ему придется забыть про денежную премию в конце года и про повышение по службе, обещанное в октябре. А для мужчины очень важна карьера.

Мое дело помочь любимому. Юра сейчас находится на месте преступления, в Москве же постоянно что-то случается. А я свободна и могу поехать в офис Ускова, осмотреться там как следует, поговорить с подчиненными Николая Ефимовича. Мы ведь пока совсем не занимались Усковым. Но если одна дорога привела в тупик, надо вернуться к началу пути и посмотреть повнимательнее, вдруг там обнаружится крохотная, не замеченная ранее тропинка?

Руки резко повернули руль, нога отпустила педаль тормоза, малолитражка живо понеслась по проспекту. Я вздохнула. Все мои рассуждения про помощь Шумакову хороши, но, если честно, это всего лишь попытка оправдать собственное желание немедленно броситься на фабрику «Лохматая обезьяна». Мы с Юрой договорились действовать сообща, значит, мне следует получить разрешение напарника на поездку. Но майор занят!

Ой, Вилка, не лукавь. Юра четко попросил «Мышкина» подождать до вечера. Да только кое-кто не послушал и сейчас летит стрелой в офис фабрики.

В моем понимании производство — это корпус заводоуправления и цеха, где около конвейера суетятся рабочие. Но ничего подобного за дверью с табличкой «ООО «Лохматая обезьяна» не обнаружилось. Сначала я попала в небольшой коридор, затем очутилась в холле, где было две двери. На одной написано «Директор Н. Е. Усков», на другой непонятное «Планово-технический художественный отдел». Еще тут был стол, а за ним сидела женщина лет сорока пяти, которая, не замечая меня, рылась в ящиках.

— Здравствуйте, — негромко, но четко произнесла я.

Тетка вздрогнула и подняла голову.

— Фу, напугали! Кто вы?

— Пришла поговорить с кем-нибудь, кто хорошо знал Николая Ефимовича, — строго сказала я.

— Вы из милиции! — обрадовалась женщина. — Ой, правда, что наших Коврова отравила?

— И откуда вам это известно? — насторожилась я.

Незнакомка смутилась.

— Полина болтала. Она тоже здесь работает, сейчас болеет.

Я села на стул, предназначенный для посетителей, и представилась:

— Виола Тараканова. А вы кто?

— Зинаида Ромина, — испуганно ответила тетка. — Знаете, я никогда бы на Ольгу не подумала — такая милая девушка. Ох, не зря в народе говорят: подряд три беды приходят.

— Вы хорошо знали Николая Ускова? — я решила сразу направить разговор в нужное русло.

— Ну конечно, — закивала Зинаида, — замечательный человек.

Следующие пять минут я слушала вдохновенный панегирик. Ромина говорила о покойном начальнике исключительно в превосходной степени. Спокойный, умный, никогда не повышал голоса, не ругал сотрудников, замечания делал в корректной форме, не приставал к женщинам, не распускал рук, не пил, не курил. Ровно в девять утра Николай Ефимович появлялся на рабочем месте. Уходил Усков позже всех, а вот Зинаиде задерживаться не позволял. В семнадцать ноль-ноль директор заглядывал в кабинет, где она сидела, и всегда произносил одну фразу: «Делу время — потехе час. Беги домой».

Усков создал для своих работников идеальные условия. Зарплата на предприятии, пусть и небольшая, выплачивалась регулярно. Под Новый год давали дополнительный оклад, в день рождения человек получал премию. Отпуск составлял двадцать четыре рабочих дня, а бюллетень оплачивался.

— Просто рай, — не выдержала я, — похоже, производство приносило хороший доход.

Зинаида грустно улыбнулась.

— Мы держались на плаву. Хотя я не понимала, каким образом Николай Ефимович концы с концами сводит. А все из-за его честности. Обычно-то бизнесменам плевать на рабочих, большинство хозяев считают подчиненных за скот. До фирмы Ускова я работала у Галины Фурсовой, дама выпускает постельное белье.

Система та же, что и у Николая Ефимовича: пашут надомники. Усковские делают игрушки, а фурсовские строчили комплекты белья. Галина нам оклад не платила, зависели мы от продаж, имели от них процент. Но только в конце месяца получалось, что простыни-пододеяльники не покупают, сосите лапу, ребята, бабок нет. Здорово, да? Для нас копейки не находилось, а Фурсова на новенькой иномарке раскатывала, сынок ее по заграницам учился. Я однажды не выдержала и сказала: «Галина Сергеевна, вы полгода за эскизы рисунков ничего не даете. У меня дети, они кушать хотят!» А та спокойно ответила: «Бизнес плохо идет. Не нравится, увольняйся. Но на выходное пособие не рассчитывай». А Усков ездил на неновых «Жигулях» и очень скромно одевался. Зато самая распоследняя надомница получала вовремя всю заработанную сумму.

Женщина помолчала. И вдруг всхлипнула:

— На него народ молился. Я сама свечки за здравие Николая Ефимовича в церкви ставила. Мы с Полиной в жуткой растерянности, ничего не понимаем. Кому достанется производство?

— Наследникам, наверное, — предположила я.

— Так их нет, — шмыгнула носом Зинаида. — Усков совершенно одинокий! Даже в день рождения тут сидел. Ни жены, ни детей, ни родителей.

— Немного странно, вам не кажется? — спросила я. — Спрос на мужчин в наши дни велик. Николай Ефимович был не красавец, но и не урод, почему он чурался женщин? Или Усков имел нетрадиционную ориентацию?

Ромина непонимающе заморгала. Потом до нее дошло, что я имею в виду, и она рассердилась.

— В постель я к нему не лезла. Может, и была у него любовница, но сюда не приходила. А на гея Усков совсем не походил! Обычный среднестатистический мужчина. Только очень порядочный. Да, не зря говорят: «Беда три раза повторяется».

Зинаида уже один раз произносила эту фразу, но только сейчас я удивилась:

— Три беды? Какие?

Ромина вытащила из коробки бумажную салфетку.

— Антонина Михайловна умерла и Николай Ефимович!

— Это две. А где третья? — не отставала я.

Зинаида замялась:

— Э... э... э... Душно-то у нас как! У меня голова кружится. Надо принять лекарство. Простите.

Зинаида начала хлопать ящиками стола, а я встала, открыла окно и машинально посмотрела вниз. Там шумела улица да виднелся козырек подъезда, заваленный пустыми бумажными стаканчиками, пакетами и прочим мусором. Похоже, в офисном здании работали свиньи, а администрация корпуса под стать арендаторам. Неужели нельзя вычистить козырек?

Зинаида перестала искать лекарство. Она смотрела на меня и повторяла:

— Куда-то подевался цитрамон. Ношу его с собой. И где он? Цитрамон... Куда подевался цитрамон?

— Вы что-то скрываете, — сурово констатировала я. — Лучше расскажите. Любая тайна рано или поздно выплывает наружу!

— Это не тайна, — еще сильнее испугалась Ромина. — Просто Николай Ефимович просил никому не рассказывать. Понимаете, на рынке игрушек очень жесткая конкуренция. В Россию поступает огромный поток товаров из Китая, а там шьют быстро, отдают изделия недорого и очень оперативно реагируют на новые веяния. Трудно конкурировать с китайцами, они живо секут ситуацию. Вышел новый мультфильм? Тут же смастерят его героев. Загляните на рынки, в палатках полно копеечной продукции с иероглифами на бирках. Уж сколько говорили людям: не покупайте детям изделия за десять копеек, они часто токсичны, ступайте в большие магазины, там есть контроль качества. Вот известная фирма из Германии — у них потрясающая продукция! Но цена... Крошечный мишка — тысяча рублей. Кто себе это может позволить? Вот и бежит народ на рынок за дешевкой.

Зинаида вытерла глаза салфеткой и продолжила:

— А магазины? Там в отделе закупок настоящие сволочи сидят, им лишь бы свой карман набить. Увидят наши игрушки и носы воротят: несовременно, не пойдет товар. Взятки вымогают! Дашь им на лапу — возьмут партию. Ну а Николай Ефимович не всегда верно реагировал. Оля Коврова, секретарша, неглупая девушка, Ускову предложила: «В Интернете задолго до появления детского фильма о нем пишут. Киностудия пытается сохранить тайну, но информация просачивается, и если порыться, можно найти фото героев. Давайте сделаем так: я найду необходимые рисунки, пошьем небольшую партию «плюшек», законтачим с кинозалами и в день премьеры устроим там продажу». Мне ее идея показалась дельной, но Усков засомневался: «Надо лицензию покупать, мы не имеем права тиражировать мультперсонажи. Необходимо заключать договор с иностранцами, а он стоит больших денег».

Зинаида снова потянулась за салфеткой.

— Можно подумать, китайцы по лицензии

шьют! Они такой ерундой не заморачиваются и миллионы огребают. А Николаю Ефимовичу порядочность мешала.

— Давайте оторвемся от рабочих проблем и вернемся к третьей беде, — напомнила я.

Ромина затеребила край кофты.

— Я объясняла вам, Усков нас про Леночку молчать просил. Из-за скандала объем продаж мог упасть.

— Называйте последнюю беду, — приказала я.

— Она первая по счету, — пролепетала Зинаида, — сначала Леночка заболела, а потом несчастье с Усковым и Кирилловой произошло.

— Кто такая Леночка? — насторожилась я.

Собеседница опустила голову.

— Сотрудница. Нас в офисе немного. Полина занимается надомницами — материал им выдает, забирает готовую продукцию и ведет учет сшитых игрушек. У швей оплата по факту: взяла ткани и фурнитуры на десять зайчиков, сдай расчетное количество косоглазых. За людьми присмотр необходим, чуть вожжи отпустишь, и они тебе пять штук принесут, а вторую половину сами на рынке толкнут.

— С Полиной понятно. Кто такая Лена? — бесцеремонно перебила я Зинаиду. Но та предпочла не услышать моего вопроса и продолжала выдавать ненужную информацию:

— Антонина Михайловна ведала финансами, а я художник. На мне разработка новых видов изделий. Очень непростая работа, творческая, но нужно учитывать реалии...

— Лена! — вновь перебила ее я. — Меня интересует исключительно Леночка.

— Оля Коврова здесь была секретарем, принимала посетителей. Полина Касаткина...

— Лена! — уже рявкнула я. — Создается впечатление, что первая беда слишком серьезна, раз вы о ней говорить не хотите.

Зинаида осеклась, потом забубнила:

— Николая Ефимовича нет, с фабрикой непонятно что. Ладно. Лена Косулина работала с магазинами. Она постоянно отыскивала для нас новые торговые точки, моталась по Москве и области. Вообще-то безвылазно в офисе находились только я, Антонина Михайловна и Оля, остальные часто отсутствовали. Николай Ефимович встречался с заказчиками.

— Вы недавно говорили, что Усков приходил в девять и жил в кабинете, — удивилась я.

— Да, точно, — кивнула Ромина, — но иногда он отъезжал. Говорил Оле: «Помчался в центр, авось привезу заказ». И уматывал на весь день. Возьмет свою жуткую сумку и в машину. Портфель он не любил, везде с баулом ходил.

— И добивался успеха? — задала я праздный вопрос.

Зинаида пригорюнилась.

— Плохой из него был переговорщик, наивный и честный. Все расстраивалось, не заключались контракты, дни впустую тратил.

Я опомнилась. Зина вновь заговорила о редкостной порядочности Ускова и уводит меня подальше от Лены.

— Вернемся к Косулиной! Выкладывайте, что с ней случилось!

— За день до беды с Усковым Лена неожиданно приехала в офис в середине дня, — завела Зинаида.

— Это странно? — уточнила я.

— В принципе, да, — неохотно подтвердила она. — Леночка допоздна по Москве носилась.

Если ее в офисе с утра не было, значит, Косулина в поиске. Иногда она на телефоне висела, могла неделю никуда не выезжать, но коли укатила, назад не жди.

— Так, — кивнула я, — дальше.

— О чем-то они с Николаем Ефимовичем гутарили, — наконец-то стала откровенной Зинаида. — По рабочим вопросам — Лена в кабинет с папкой вошла. Двери у директора плотные, Николай Ефимович обил их звукоизоляцией...

Я не поняла.

— Звукоизоляцией? Но тут не радиостудия.

Рассказчица начала сметать со стола невидимые пылинки.

— Усков страдал головной болью, ему мешал шум. Громкий звук мог вызвать у Николая Ефимовича мигрень. Так вот, что-то они очень серьезно обсуждали, я голоса слышала, но слов не разобрала. Потом Косулина ушла, за ней уехал Усков. Около четырех он вернулся, нас с Полиной, Антонину Михайловну позвал и огорошил: «Трудно говорить, девочки, но у нас беда!» Мы втроем одновременно спросили, что случилось. «Право, мне нелегко говорить, но Лена уволена», — сообщил Усков. Нашему изумлению не было предела, даже слов не нашлось. «Понимаю вас. Сам потрясен, — продолжал Николай Ефимович. — Косулина нас обманывала, завышала отпускную цену, сдавала игрушки в магазины дороже, чем нам говорила, разница оседала в ее кармане. Я случайно узнал правду. Вы уж не болтайте — такой удар по имиджу фирмы!»

Вот вам наша первая беда — воровка в коллективе.

— Малоприятная история, — согласилась я. —

Зиночка, крохотное уточнение. Справа дверь в кабинет Ускова?

Ромина ткнула пальцем:

— Там табличка.

Я расплылась в сладкой улыбке.

— А ваше рабочее место вон в той комнате напротив?

— Правильно, — насторожилась Зинаида.

Я встала, открыла тяжелую дубовую дверь, отделяющую рабочее помещение хозяина от общей территории, увидела небольшой тамбур, еще одну, обитую кожей створку и повернулась к Роминой.

— У вас, однако, уши горной козы. Только это животное способно уловить что-либо за двумя дверями.

Тетка опустила глаза.

— Оля отпросилась в парикмахерскую, я сидела тут, заменяла секретаршу.

— Все равно я сомневаюсь, что из кабинета могли долететь какие-то звуки, — уличила я Ромину во лжи. — Николай Ефимович постарался, чтобы шум не проникал в его комнату и из нее.

Художница схватила новую салфетку, скомкала ее и заплакала.

— Мне стало интересно, чисто по-человечески, о чем они там болтают. У Лены был такой загадочный вид! Обычно она ходила насупленная, угрюмая, а тут — просто майский день. Влетела в приемную, рот до ушей и тараторит: «Зинуля, приветик! На улице суперская погода». Что это ее так обрадовало? Ну я и решила узнать.

— Удалось? — сурово спросила я.

— Нет, — выдохнула Ромина. — Звукоизоляция слишком хорошая. Я догадалась присесть и ухо к замочной скважине приложить. Сначала одно «бу-бу-бу» доносилось, потом Лена громко и четко сказала: «В магазине «Роже» был ваш брат? Не смешно! И как с моим предложением?» Затем вновь начался бубнеж. Больше ничего. Честное слово.

ГЛАВА 28

Очень часто мы не обращаем внимания на очевидные вещи. Оперативно-следственная бригада, изучая кабинет Николая Ефимовича, не задалась вопросом: зачем владельцу крохотного, дышащего на ладан предприятия, который экономит на одежде и раскатывает на непрестижной дешевой машине, тратить серьезные деньги на установку в своем кабинете двери из цельного массива дуба? Причем вторая обита кожей, под ней прощупывается пухлый изоляционный материал, в тамбуре на полу лежит толстый палас, а стены отделаны особым шумопоглощающим материалом, который используется в радиостудиях. Будь Усков владельцем завода, производящего ракеты, я бы поняла меры предосторожности, но кому нужны лохматые обезьяны? Навряд ли конкуренты засылали в офис шпионов. Что хотел скрыть директор? На светлый облик покойного наползла серая тень.

Я открыла дверь в кабинет и без приглашения шагнула во владения Николая Ефимовича. Ничего особенного, за исключением большой витрины, где за стеклом были расставлены игрушки. На второй полке, между розовым щенком и ядовито-зеленой лягушкой, восседал разноцветный слон, родной брат найденного возле несчастной Светланы Мешанкиной.

— Образцы нашей продукции, — дрожащим голосом пояснила вошедшая за мной Зинаида.

Я молча осматривала комнату. Ну почему опербригада не заинтересовалась игрушкой? Ведь Антонина Михайловна решила сэкономить и взяла уродца на работе! Хотя зря я осуждаю коллег Шумакова. Такого слона можно приобрести и в магазине. Вот только я сейчас получила лишнее подтверждение причастности Кирилловой к смерти Светланы Мешанкиной. Но одновременно мне в голову пришел новый вопрос: случайна ли смерть Ускова? Двери в его кабинет очень смущают. Зачем столь серьезная звукоизоляция?

Я повернулась к Роминой:

— Вы подслушивали одна?

— Вдвоем неудобно, — потупилась Зинаида.

— Ни Полина, ни Оля в этом не участвовали? — не успокаивалась я.

— Коврова сидела в салоне, а Касаткина ушла обедать, здесь больше ни души не было.

— Где сейчас Полина? — спросила я Ромину.

— Не знаю, — пожала плечами Зина. — Говорю же, мы в растерянности. Она сегодня не явилась в офис.

— Дайте ее телефон и адрес, — приказала я.

— Сейчас, — дрожащим голосом пропищала художница. — Только не разговаривайте со мной так сурово! Я ни при чем, и мне страшно. Приехала на службу и не знаю, куда деться. Решила стол разобрать — кто-то ведь должен этим заняться. Вот, смотрите, тут и адреса, и телефоны, и снимки, включая самого Николая Ефимовича.

Я вынула мобильный.

— Можете переслать мне информацию эсэмэской, а снимки по ММС?

Зинаида кивнула и опять заплакала. Мне стало жаль ее.

— Успокойтесь, убийцу вашего начальника и бухгалтера непременно найдут.

— Кого хоть подозревают? — всхлипнула Ромина.

Я отделалась стандартным ответом:

— Идет активная работа по делу.

Мы вернулись в приемную. Художница начала рыться в ящиках стола.

— Где-то здесь книжка есть, — бормотала она, — с нашими данными. Нашла! Записывайте: Полина Николаевна Касаткина...

Я тщательно занесла информацию в телефон, но не успокоилась.

— Теперь попрошу дать сведения о Косулиной.

— А их нет, — пролистала книжку Зинаида, — страничка вырвана. Я только ее отчество помню, Анатольевна, номер телефона и адрес не знаю.

Меня снова царапнуло беспокойство.

— Это не я сделала! — поспешила откреститься Ромина. — Наверное, Николай Ефимович Оле велел, чтобы на фабрике ничто о Косулиной не напоминало. Я его понимаю.

Сев в машину, я позвонила Зое.

— Забыла про мой баклажановый торт из помидоров? — упрекнула меня подруга. — Почему вечером не зашла?

— Прости, но мне снова нужна твоя помощь, — перебила я Зойку. — Ты на работе?

— Нет, лежу под пальмой на Мальдивах, пью коктейль «Манхэттен», ем мороженое и кокетничаю с «Мистером Вселенная», — на одном дыхании выпалила Зойка.

— Здорово, — в тон ей ответила я. — Наверное, прихватила ноутбук? Нарой для меня адрес Елены Анатольевны Косулиной, жительницы Москвы, до недавнего времени сотрудницы фабрики игрушек. А еще узнай все про Ускова, мне нужна его детальная биография.

— Не вопрос, — фыркнула Зоя. — Эне, бене, рабе, квинтер, финтер... квинтер, финтер... финтер квинтер...

— Жаба, — подсказала я. — Ай-ай, стареешь. Забываешь считалочки.

— Полная жаба, — сказала Зойка. — Адрес я тебе скажу без проблем, но она пропала.

— Кто? — удивилась я.

— Женщина, — вздохнула Зойка. — Елена Анатольевна Косулина. Заявление о ее исчезновении подала подруга Полина Николаевна Касаткина.

— Крутой вираж! — вырвалось у меня. — Зинаида не в курсе произошедшего, самой Полины в конторе нет. А ведь нечисто на фабрике «Лохматая обезьяна»...

— Эй, о чем речь? — зашумела Зоя.

Но я быстро отключилась и уже нажимала на кнопочки мобильного. Спустя короткое мгновение услышала веселый голос:

«Здравствуйте, вы позвонили мне, умнице и красавице Поле Касаткиной. Все боятся честно сказать: «Меня нет дома», — думают, вор услышит и ограбит пустую квартиру. Мне плевать, красть у Полечки нечего, поэтому — меня нет дома. Вернусь после девяти. Звоните. Как только переступаю порог, отключаю автосекретаря. Люблю вас. Бай-бай».

Я побарабанила пальцами по рулю. Итак, что мы имеем?

Лена уволена за воровство. По словам Зинаиды, Косулина ни с кем на фабрике не дружила. Но когда она пропала, заявление в милицию подала ее коллега Полина. Касаткина сегодня не вышла на работу и не подходит к телефону. Николай Ефимович и Антонина Михайловна убиты, еще две сотрудницы исчезли.

Я схватила трубку и попыталась дозвониться до Юры. «Вызываемый абонент включил режим запрета входных звонков». Вот невезение! И что теперь делать?

Я опять начала терзать телефон. На сей раз набрала короткий номер справочной и попросила:

— Дайте адрес магазина «Роже»[1].

— Бутик элитной мужской одежды, — заученно оттарабанила девушка, — улица Неглинная...

Дверь в торговую точку мне открыл охранник, одетый в костюм и белую рубашку. Одежда секьюрити выглядела намного более дорогой, чем та единственная пиджачная пара, что висит в шкафу у Юрасика. Я почему-то разозлилась на Шумакова. Ну когда он наконец-то приобретет себе приличные вещи? Потом рассердилась на себя. Хорошая жена, пусть даже гражданская, должна позаботиться о гардеробе мужа. Почему я разрешаю любимому бегать в старых джинсах и вытянутых свитерах? Судя по взгляду, которым одарил меня страж дверей, Шумакова он бы и на порог не пустил. Ну, погоди, сейчас я покажу, на что способна.

Я капризно оттопырила нижнюю губу:

— И где продавцы?

— Здесь торгуют мужской одеждой, — не словил мышей парень.

— Добро пожаловать в бутик «Роже», — приветливо прожурчала блондинка модельной внешности, вплывая в зал.

---

[1] Название придумано автором, любые совпадения случайны.

Все правильно. Именно так и должна выглядеть продавщица в лавке, которую в основном посещают представители сильного пола. Обтягивающее черное платье, туфли на каблуке, белокурые кудри, силиконовый бюст, губы, увеличенные при помощи геля, и ногти на руках, как когти у грифа. Я бы на месте мужчин здорово обиделась. Хорошего же мнения о своих клиентах владелец бутика, если считает, что их можно приманить такой красотой!

Неприязнь, как и любовь, чаще всего бывает взаимной. Я тоже не пришлась по душе продавщице. Она окинула меня взглядом, живо подсчитала стоимость одежды, сумки и туфель посетительницы и убавила меда в голосе:

— Чем могу служить?

Я вытащила визитку.

— Хочу купить мужу костюм, пару пиджаков, дюжину рубашек, штук семь-восемь свитеров, ну и мелочи, вроде ремней-перчаток.

Лицо продавщицы засияло, словно хрустальная пробка от графина, на которую упал луч солнца.

— Здравствуйте, садитесь в кресло. Чай, кофе? Я младший менеджер Анна. Разрешите, поставлю вам под ноги скамеечку...

Я опустилась на мягкую подушку и ткнула пальцем в секьюрити:

— Он мне сказал, что тут торгуют исключительно мужской одеждой. Намекнул: дамочка, убирайтесь прочь.

— Уволим! — закричали справа.

— Валерий, немедленно извинитесь! — раздалось слева.

— Наш старший менеджер Татьяна и менеджер среднего звена Лариса, — представила коллег Анна. — Таня специалист по брюкам, Лара — по аксессуарам. Девочки, к нам пришла сама Арина Виолова!

— Вау! — подпрыгнула Таня. — Обожаю вас! Вы потрясающи в телесериалах! Так играете!

— Супер! — подхватила Лариса. — Мы счастливы обслужить звезду.

— Арина Виолова — писательница, — пояснила младшая коллега.

Таня метнула на Анну злой взгляд, Лариса бросилась исправлять оплошность:

— Телесериалы по вашим книгам здоровские!

— Обожаю вас, — повторила Таня. — Вы потрясающе пишете, не оторваться. «Абориген из Пингвинии»... Надо ж было до такого названия додуматься! А где находится Пингвиния? Я специально по карте смотрела и не нашла.

Я ослепительно улыбнулась:

— Об этом лучше спросить литератора Миладу Смолякову, «Абориген из Пингвинии» написала она.

— Татьяна, лучше молчи, — прошипела Лариса. — Извините ее, она вечно все путает.

— Простите, — заканючила Таня, — столько писателей развелось, разве в них разберешься? Хорошо было в девятнадцатом веке, там жил один Пушкин.

— Еще Лермонтов, — продемонстрировала невероятную эрудицию Аня.

— Наверное, к вам нечасто заходят прозаики, — поддержала я содержательную беседу.

— В основном бизнесмены, — кивнула Лариса.

— А звезды поп-муза? — спросила я.

Таня выпрямила спину.

— У нас классическая одежда для мужчин элегантного возраста. Стразов и джинсов в дырках здесь не найдете.

— Еще политики, — дополнила Аня, — топ-менеджеры, чиновники. Понимаете?

— А правда, что авторы ничего не придумывают? — полюбопытствовала Таня. — За жизнью наблюдают и потом в книгу записывают. Я вот не понимаю, откуда люди истории берут!

Я обрадовалась вопросу.

— Можно легко нафантазировать. Ну, например. В ваш бутик входит клиент и начинает выбирать одежду. Внезапно появляется симпатичная девушка, бросается к нему с вопросом: «Вы брат Николая Ефимовича?» Мужчина поражен: «Да! Верно. Откуда вы знаете?» Ну и пошел раскручиваться детектив.

— Ой, как интересно, — ажитировалась Лариса.

— А у нас так было! — подпрыгнула Таня.

Я прикинулась удивленной:

— Да? Я придумала сюжет секунду назад.

— Было очень похоже на то, что вы рассказывали, — обрадовалась девушка. — Прикатил Осипов. Замечательный клиент!

— Вениамин Харитонович душка, — чирикнула Аня, — всегда хорошие чаевые отстегивает.

— Аня! — предостерегающе посмотрела на коллегу Лариса. — Мы не берем вознаграждения, это запрещено хозяином.

— Ага, — покраснела младший менеджер, — совсем забыла.

— Осипов начал костюм мерить, и тут — ну прямо как вы придумали, — захлопала в ладоши Таня, — входит девка, не особо хорошо одетая, не в тренде, без брэндов, на улице вслед не обернешься. Я решила, что она ошиблась дверью, увидит — бутик мужской, для бизнесэлиты, и смоется. А она прямиком к Осипову. «Здрасти!» — говорит и называет имя, я не запомнила какое, но не Вениамин Харитонович.

— А мы где были? — хором спросили Лариса с Аней.

— Обедать уходили, на два часа утопали, меня одну отдуваться оставили, — запоздало обиделась Таня. — Осипов ей и отвечает: «Обознались, наверное». Но она не успокаивалась: «Узнала, это точно вы...» И снова не его имя говорит.

— А ты стояла и слушала, как к одному из лучших клиентов пристают? — возмутилась Лариса. — Не позвала охрану?

— Валера покурить отлучился, — сдала секьюрити Таня, — во дворе был.

— Супер, — процедила Аня, — а мне ставку среднего менеджера не дают. Говорят, подготовки не хватает. Да я бы в жизни так себя не вела, как ты, Танька. И что Осипов?

— Улыбнулся девчонке: «Милая, на свете много похожих людей, но человек, которого вы упоминаете, мой двоюродный брат. Надеюсь, он вас ничем не обидел? Я с ним давно не встречался».

— Вениамин Харитонович прелесть, — умилилась Аня. — Другой бы хай поднял, завизжал.

— И чего девчонка сделала? — проявила любопытство Лариса.

— Потопталась на месте, посмотрела, как Осипов пиджаки перебирает, и спрашивает: «Вы точно не он? Ну одно лицо!» Владимир Харитонович не вскипел, ответил: «Милая, ну как мне вас убедить? Спросите у продавщиц, кто я», — и ко мне поворачивается.

Лариса вскинула брови.

— А ты?

Татьяна пожала плечами:

— Сказала: «Осипов Вениамин Харитонович, наш любимый клиент. Отлично его знаю, у него скидка двадцать пять процентов на весь ассортимент». А он засмеялся: «Ну, краса ненаглядная, вы успокоились?» Девчонка растерялась и убежала.

— Спасибо, что ты адрес Осипова ей не сообщила, — язвительно хмыкнула Аня. — Зачем про скидки направо и налево трендеть?

Лариса одернула платье и вспомнила о работе:

— Ваш муж какой размер носит?

— Пятьдесят или сорок восемь. А может, пятьдесят второй, — прикинулась я дурочкой.

— Надо точно знать, — пропела Таня, — а еще лучше супруга привести.

— Пиджак без человека не купишь, — авторитетно заявила Аня.

— Сейчас покажу его фото! — радостно сказала я и достала сотовый. — Минуточку, оно у меня в разделе «Галерея». Вуаля!

ГЛАВА 29

Из всех девушек я выбрала для демонстрации снимка Таню, сунула ей под нос трубку и спросила:

— Можете определить размер?

— Вау! — удивилась продавщица. — Ваш муж Вениамин Харитонович? Осипов?

Я постаралась достойно играть роль.

— Нет. Супруга зовут Юра.

— Но вы показываете фотку Осипова. Девчонки, позырьте! — велела Таня.

Аня и Лариса, чуть не столкнувшись лбами, наклонились над моим телефоном.

— Зайка, — умилилась первая.

— Он самый! — восхитилась вторая.

Я повернула сотовый экраном к себе.

— Ой, простите, девочки, вечно я не на те кнопки нажимаю. Это на самом деле мой... ну... э... приятель. Понимаете, да? Очень надеюсь на вашу деликатность. Плиз, не болтайте, а то Осипову не понравится. И не рассказывайте ему, что я забегала за гардеробом для мужа! Вениамин Харитонович одет с большим вкусом, сразу понятно: его костюмы подбирали профессионалы. Я осторожно спросила, где он делает шопинг. Ситуация деликатная. Муж и Осипов! Ну... в общем...

— Нет проблем, — округлила глаза Аня, — у нас разное бывает. Один раз Верещагина в кладовке пряталась. Привела за обновками бойфренда, а в бутик ее муж вошел. Валера, конечно, идиот, но сообразил дверь придержать. Нина Алексеевна каблук сломала, так в подсобку бросилась.

— Аня! — топнула ногой Лариса.

— Чего? Я ничего! — зачастила младший менеджер. — Успокаиваю писательницу, объясняю, какие мы партизаны. Станут раскаленные гвозди под ногти запихивать и пытать, никогда клиентов не выдадим. Точка!

— Взглянем на фото мужа! — повысила голос Лариса.

Я продемонстрировала снимок Шумакова.

— Душка! — восхитилась Аня.

— Мачо! — кивнула Лариса.

— Вениамин Харитонович тоже очень симпатичный, — защитила Осипова Таня, — импозантный.

— Муж супер! — перекричала коллегу Лариса. — Вы умеете выбирать мужчин, одни красавцы!

— Брюки ему не найдем, — расстроилась Таня, — фотка по пояс.

— А свитер вот этот, — предложила Лариса и показала кашемировый джемпер розового цвета.

— Не пойдет, — закапризничала я, — он такой не наденет.

Девушки наперебой стали меня уговаривать.

— Надо ломать стереотипы в одежде.

— Этот цвет — хит сезона.

— Мужской подиум весь в розовом.

— Кашемир лучший материал.

— Воротник-хомут — тренд.

Меня стало подташнивать.

— Девочки, Юра военный.

— Генерал! — всплеснула руками Аня.

— Красавец! Представляю, какой он шикарный в форме! — закатила глаза Таня.

— Тогда беж, — объявила Лариса и поменяла шмотку.

Менеджеры переглянулись и двинулись на меня сплоченными рядами.

— Пудровый оттенок на пике.

— К нему вот эти брюки и нет тотал-лука.

— Военная тематика у всех модельеров.

— Мы предлагаем вещь с намеком на эполеты.

— Коллекция самых престижных фирм имеет похожие пуловеры.

— Обратите внимание на швы.

— Ворот хорошо фиксируется.

— Нет проблем с химчисткой.

— Если предпочитаете яркие тона, взгляните на красный.

— Вот рубашка, расцветка «леопард».

— Идеальный комплект.

— Пуговицы сорочки в тон пуловера.

— ИТ-бойс всего мира выбирают двойки.

Я постаралась усидеть в кресле. Кто такие ИТ-бойс? Что означает таинственный термин «тотал-лук». Из него стреляют или имеются в виду зеленые перья, которые иногда режут в салат?

А менеджеры стрекотали сойками.

— «Леопард» несомненно тренд.

— «Ягуар» трендее.

— Самый трендовый — микс из полосок с клеткой!

— Обратите внимание на пуловер «гранж», цвет милитари, с трендовым намеком на хай-лук.

Я вздрогнула: опять слово «лук», но теперь с приставкой «хай».

— Грамотно оперируя трендовыми познаниями, легко создать визаж, чуть отличный от тенденций.

— Смиксуйте особо пиковую вещь с простой не дабланутой кожей[1].

— Выявится уникальность.

— Леопердовость уберем.

— Штришок от визажности.

— Тотал-лук не моден.

— Да-да, попахивает забрендовостью.

— Вам не нужно копировать подиум.

— Оттенок пудры плох в шортах.

— Лучше кожаное боди с фолк-рубашкой!

Тряпки летали вокруг меня, девицы жонглировали свитерами, размахивали шарфами, разматывали ремни и говорили, говорили, говорили...

---

[1] Жатая кожа. *(Сленг.)*

— Комбез с намеком на хаки.

— Чудесная примочка. К ней хороши квазиботинки.

— Толстая подметка брутальна.

— Но осторожнее с мачизмом.

— Усилим интеллектуальность остротой майки.

— Длинный носок штиблет из кожи угря сексуален.

— Шикарно смотрится берет с черепами.

— Вы говорили, что торгуете исключительно классикой! — пискнула я, придавленная шмотками.

Мое заявление вызвало шквал эмоций:

— Черепушки классичны.

— В комбезах ходят президенты.

— Сорочки с эполетами на френдах всех чинов.

— Желаете посмотреть прошлогоднюю коллекцию?

— Там всего восемьдесят четыре позиции.

— Нет! — в ужасе закричала я. — Беру это!

— Что? — разом спросили мучительницы.

— Пуловер, — в изнеможении пролепетала я.

— Голдовый или леопердовый?

— Со шнурами?

— Стиль Осулоко?

— Да, именно его, — чуть не заплакала я, — осу... э... осу...

— Осулоко! Но он излишне романтичен.

— Танаяки круче.

— Ямамото очень хорош.

— Мы не показали скандинавов.

— Не надо! — воскликнула я. — Дайте его!

Мой палец указал на серо-синюю тряпку.

— Шикарно! — одобрила Аня.

— Супер! — похвалила Лариса.

— Изумительный вид! — не осталась в стороне Таня. — Но к этому джемперу необходима рубашка.

— О нет! — дернулась я.

Однако меня не услышали, начался новый виток мучений.

— Воротничок в форме наконечника копья фараона.

— Планка на индийский манер.

— Звучат мотивы фолка.

— Россикаванню увлечет этникой.

— Не отбрасывайте лук от Мандрины.

— А обувь Кавалетти!

— Сумка! Сумка!

— Вау! Забыли про аксессуары!

— Кошелек под цвет джемпера.

— Визитка из подушечек лап детеныша барса.

— Не хочу! — завопила я. — Нет!

Девушки притихли. И Аня спросила:

— Почему? Подушечки лап детеныша барса трендовее тренда!

Я потрясла головой.

— Я по убеждениям противница убийства животных.

Продавщицы впали в восторг.

— Гринпис!

— Вау, вы в тренде!

— Великолепно!

— Модно очень.

— Мадонна носить обувь из кожзама.

— Сейчас принесем коллекцию для тех, кто любит природу.

— Сто семьдесят восемь позиций.

— Рубашки из риса. Как у Стинга.

— Ботинки из парусины. От них Киркоров в восторге.

— Ремни, кошельки из холста.

— Трендовский лук!

Я закрыла глаза и начала про себя считать до ста.

Через два часа, оставив в бутике сумму, на которую рассчитывала безбедно жить полгода, я плюхнулась в свою машину и поставила на заднее сиденье два пакета.

Упаковка покупок оказалась отдельной процедурой. Сначала джемпер и рубашку уложили в разные коробки, потом обрызгали духами, закрыли папиросной бумагой, наклеили сверху цветочек из лоскутков, закрыли крышкой, перевязали ленточкой, положили в пакет, ручки перевязали ленточкой, поставили в матерчатую сумку, ручки перевязали ленточкой, поместили в пластиковый мешок, ручки перевязали ленточкой... Я чуть не умерла, пока девицы отматывали метры шелковых тесемок.

Надеюсь, Юра оценит красоту трендовых шмоток и замечательный лук сезона...

Я вздрогнула. Вилка, успокойся, кошмар миновал. Девушки-продавцы сюда не придут.

В стекло постучали. Я подняла взгляд и испытала желание заползти под торпеду.

Около «букашки» улыбалась Таня:

— Подарок от бутика, — заговорщицки сказала она, — парфюм от лучшего производителя ботинок Чезаре-Чезаре.

Я вздрогнула. Интересно, какой аромат мог придумать обувщик? Лучше не думать об этом. Слава богу, именно в ту минуту, когда Татьяна открыла рот, чтобы рассказать мне о том, в каких муках Чезаре-Чезаре рождал одеколон, зазвонил мой мобильный. Таня успела пискнуть:

— Букет бергамота с нотками ванили и бабушкиного кекса... — Но я уже схватила трубку и крикнула:

— Кто там? Алло! Зоя? Говори, я вся внимание.

Продавщица помахала мне рукой и убежала в магазин.

— Николай Ефимович Усков, — зачастила подруга, — по образованию химик, работал в школе, затем на заводе пластмассовых изделий. В девяносто первом попал в аварию, еле выжил. Ничего особенного, рядовой случай: шел осенью через дорогу в неположенном месте, его сбила машина. Водителя признали невиновным — Усков нарушил правила. После выхода из больницы Николай Ефимович неожиданно стал заниматься пошивом игрушек.

— Странный вираж от химика к плюшевым мишкам, — не удержалась я от комментария.

— Самое начало девяностых, — напомнила подруга, — революция, в стране почти голод, химики-лирики в России без надобности, нужны бизнесмены всех мастей. Расцвет бандитизма и резкий взлет тех, кто попал в гости к удаче. Некоторые нынешние миллиардеры именно тогда заложили фундамент своего богатства. Один, кстати, начинал с торговли резиновыми игрушками, а сейчас меняет яхты, словно носки. Но Николай Ефимович не мог похвастаться особой коммерческой хваткой. Он основал фирму, но не разбогател. К его детищу никаких претензий у налоговиков нет, бумаги в полном ажуре.

— Где Усков нарыл начальный капитал? — не успокаивалась я. — Сомневаюсь, что школьный учитель и сотрудник завода, где делали мыльницы, хорошо зарабатывал.

— Повторяю, — вздохнула Зойка, — девяносто первый год. Смутное время. Никто никого ни о чем не спрашивал. Состояния у людей складывались за неделю и за день исчезали. Где-то он надыбал валюту, рубль тогда не ценился. Украл, ограбил кого, стырил у государства природные ископаемые — до правды не докопаться. По бумагам Николай Ефимович взял кредит на развитие фермерского хозяйства.

— Здорово получилось! — усмехнулась я. — Деньги дали на покупку тракторов, а Усков занялся лохматыми обезьянами.

— Вилка, не ищи порядка в начале девяностых, — вздохнула Зоя. — Банк, который кредитовал Николая Ефимовича, лопнул, возвращать деньги было некому. Но это единственный скользкий момент в биографии Ускова. Дальнейшая его жизнь чиста, аки слеза младенца. Да, кстати, он никогда не попадал в поле зрения правоохранительных органов, исключая день дорожного происшествия, когда очутился в больнице и давал показания о смерти Огневой.

— Кого? — не поняла я.

— Разве я не сказала? — удивилась Зоя. — Николай Ефимович бежал в темноте через дорогу вместе со своей коллегой, Екатериной Огневой. От удара машины женщина скончалась, а Ускову сильно травмировало левую руку, врачи кости по частям собирали.

— Назови его родственников, — потребовала я.

— Никого нет, — отрапортовала Зойка. — Мать давно умерла, женат никогда не был, детей не завел. Всю жизнь обитает в одной и той же квартире на 9-й Парковой улице. Зеленый, но сейчас совсем не престижный район. Является счастливым обладателем машины «Жигули» пятой модели. Автомобиль не новый, до него в распоряжении Ускова были колеса все того же завода. Дачи нет, земли в собственности тоже.

— Журнал «Форбс» не поместит милого директора в золотую сотню, — протянула я.

— Ага, — подтвердила Зойка. — Его фабрика не первый год еле-еле сводит концы с концами.

— Никаких двоюродных братьев? — уточнила я. — У его отца-матери имелись близкие родственники?

— О папаше сведения отсутствуют. Ирина Ефимовна Ускова брак не оформляла, алименты не получала, — мгновенно ответила Зойка. И пояснила: — Отличная штука компьютер, один клик — и человек как на ладони.

— Если имеешь доступ к нужным базам, — уточнила я. — Похоже, мальчик Коля получил отчество и фамилию дедушки.

— Некоторые мамочки-одиночки так и делают, — согласилась Зоя. — Ирина Ускова была единственным ребенком в семье.

— Хорошо, теперь Елена Косулина. С ней что? — перевела я разговор на иную тему.

— Обычная женщина, — заявила Зоя. — Двадцать шесть лет, служила продавщицей. Три года назад перешла на работу к Ускову. Ну и все. Анкета — как родниковая вода. Ни мужа, ни детей, ни родителей. В райотделе есть заявление о ее пропаже, поданное подругой Полиной Касаткиной.

Я решила не сдаваться.

— Насколько я поняла, ты в непосредственной близости от компьютера?

— Обожаю огрызочек, — засмеялась Зоя. — Он мой лучший друг и учитель!

Мне показалось, что я ослышалась.

— Огрызочек?

— На крышке моего замечательного белого ноутбука красуется недоеденное яблоко, — объяснила Зоя, — поэтому он огрызочек.

Мне не свойственна любовь к железкам, поэтому восторг подруги я не разделила.

— Посмотри данные на Осипова Вениамина Харитоновича.

— Уно моменто, — пропела Зоя. — Ага! До девяносто первого он шофер, а потом стал бизнесменом. Сейчас индивидуальный частный предприниматель, владеет баней-сауной, бильярд-кафе прилагаются. Бизнес приносит хорошую прибыль. На Осипова записана дорогая иномарка и квартира на улице Радужная. Это на Юго-Западе, хороший район. Жены-детей не имеет. Это по документам, что на самом деле — неизвестно. Не судим, не привлекался. Знаешь, Вилка, один мой бывший любовничек частенько повторял: «Слишком белая репутация навевает черные мысли. У каждого человека есть грешки».

Я решила завершить разговор:

— Похоже, твой обоже нежно относился к человечеству.

— Точно, — засмеялась подруга, — он адвокат.

— Ну, тогда понятно, — протянула я. — А мобильный Осипова можешь найти?

— Щелк да щелк, — запела Зоя, — ща пороемся, пошарим в загашниках сотовых операторов. Супер! Записывай.

— Так быстро и просто? — усомнилась я. — Вроде списки абонентов — коммерческая тайна?

Зоя чихнула.

— По Горбушке давно ходила? Прогуляйся и купишь за двести рублей диски со всеми секретами. Извини, меня вызывают к начальству.

Я не успела даже сказать подруге «спасибки»,

Зоя отсоединилась. А я тут же набрала только что полученный номер.

Вениамин Харитонович взял трубку не сразу.

— Да, — прохрипел он.

— Можно Осипова? — попросила я.

— Да, — раздалось из телефона, — ну... я здесь.

Я проявила заботу:

— Вы, похоже, сильно простудились.

— Ну... э... да, — просипели в ответ. — Ваще, кто это?

— Из бутика «Роже» беспокоят, — отчеканила я. — Вы оставляли брюки подшить?

— Ну... э... да, — промямлил Осипов, — типа... хорошо.

Я продолжала изображать сотрудницу пафосного магазина:

— Можем привезти готовое изделие на дом.

— Ну... э... не знаю, — отнюдь не обрадовался предложению бизнесмен.

Я решила надавить на педаль жадности.

— Курьерше платить не надо. Одежду доставит Виола Тараканова.

— Ну... э... не знаю... перезвоните, — прокашлял Вениамин Харитонович и отсоединился.

Я осталась сидеть, сжимая трубку в руке. Спустя пару минут снова набрала номер Осипова. Занято. Через пять минут ситуация повторилась — Вениамин Харитонович затеял с кем-то долгий разговор. Что ж, ладно. Я решительно свернула с Садового кольца на Ленинский проспект.

Похоже, я разбудила мужика. Если Осипов подхватил грипп-простуду, он сейчас лежит в постели. Если странная речь мужчины объясняется вульгарным опьянением, то он, с большой долей вероятности, тоже дома. Я не боюсь инфекций (как известно, зараза к заразе не пристает), а с алкоголиками умею вести беседы, как никто другой, у меня огромный опыт общения с пьянчугами всех мастей. И вдобавок, кроме Осипова, в моем расследовании нет ни одной ниточки к Ускову. По линии Антонины Михайловны мне к таинственному Сергею Сергеевичу не подобраться. Может быть, Вениамин Харитонович расскажет что-нибудь о Николае Ефимовиче? Вспомнит о врагах директора фабрики игрушек? Нельзя прожить на свете много лет и не заиметь ни одного недруга. Девушки из бутика слышали, как их обожаемый, щедро раздающий чаевые «зайка» назвался двоюродным братом Ускова. Вероятно, он таки близкий родственник Николая Ефимовича и здорово похож на него внешне, раз Лена Косулина перепутала своего начальника и Осипова. Кстати, продавщица в бутике «Роже», когда я ей показала на своем сотовом фотографию Ускова, приняла его за Осипова. Почему в документах директора фабрики игрушек нет упоминания о его родных? Пока я не могу ответить на этот вопрос, но непременно узнаю, в чем тут дело, поговорив с Вениамином Харитоновичем.

Квартира Осипова располагалась в многоэтажной башне, отделанной панелями, имитирующими красный кирпич. Вход преграждал кодовый замок. Я хотела набрать номер квартиры, но тут из подъезда вышла женщина, и мне удалось прошмыгнуть внутрь, не побеспокоив Осипова.

Минут пять я нажимала на звонок, потом схватила мобильный и услышала: «Абонент недоступен». Вениамин Харитонович решил избавить себя от докучливых разговоров.

В растерянности я прислонилась к запертой створке. Хозяин дома? Спит после бурной вечеринки? Напился вчера до поросячьего визга и мается похмельем? Вениамина Харитоновича подкосил грипп, и он не испытывает ни малейшего желания видеть посторонних, даже курьера из магазина, который приволок новые брюки? Или Осипова нет в квартире? Он остался у друзей? Лечит грипп у любовницы?

ГЛАВА 30

Я внимательно осмотрела дверь. В любом случае я не имею права вламываться в чужое жилье без согласия хозяина. Впрочем, Вилка, будь честна! Имейся хоть крошечная возможность попасть в апартаменты Осипова, ты бы уже стояла у него на кухне. Но дверь крепко заперта, а замки у Вениамина Харитоновича хитрые. Я умею открывать шпилькой и пластиковой карточкой простые устройства, но с этим электронным чудом мне не справиться. Придется отбывать восвояси в состоянии глубочайшего разочарования.

Я сделала шаг в сторону лифта, и тут за дверью раздался оглушительный звон, женский визг, и опять воцарилась тишина. Я забарабанила в стальную панель руками, потом принялась жать на звонок и одновременно пинать створку ногами. Внутри кто-то есть! Почему только что оравшая тетка не спешит в прихожую?

— Кто там? — прошелестело из домофона.

— Курьер к Вениамину Харитоновичу Осипову из бутика «Роже», — отрапортовала я.

— Его дома нет, — еле слышно пояснила женщина, — он уехал.

Я изобразила удивление:

— Не может быть! Мы с ним договорились!

— Ничего не знаю, — шелестел голос.

— А вы кто? — нагло поинтересовалась я.

— Домработница, — быстро представилась незнакомка.

— Может, возьмете брюки? — заныла я. — Мне влетит, если я вернусь в бутик, не отдав штаны. Ну пожалуйста, проявите сострадание!

Ответом послужила тишина. Из домофона доносились потрескивание и тяжелое дыхание.

Я заканючила снова:

— Не бойтесь! Вы же меня видите! Я хрупкая женщина, никаких мужчин рядом нет.

Прислуга не реагировала. Я разозлилась.

— Хорошо. Буду сидеть на лестнице, пока не вернется Осипов. Если соседи проявят любопытство, отвечу: «Приволокла брюки Вениамина Харитоновича, а его горничная не желает забрать пакет».

Створка приоткрылась, высунулась тонкая рука, на запястье которой виднелся еле заметный белый шрам.

— Давай!

Я быстро рванула на себя дверь, впрыгнула в прихожую, увидела стройную девушку и весело сказала:

— Здравствуйте, Полина Касаткина. Не предполагала, что вы в свободное от работы время моете полы у Осипова.

Мой бывший муж Олег Куприн не уставал повторять: «Преступника необходимо ошарашить. В первое мгновение он растеряется, и тогда бери его тепленьким». Похоже, мне удалось выбить из седла Полину. Вместо того чтобы возмутиться наглости незваной гостьи, она отступила в глубь коридора и спросила:

— Откуда вы меня знаете?

Я решила действовать грубо.

— Догадайтесь сами. Перестаньте пятиться, споткнетесь об останки торшера. Вы уронили его, на полу полно осколков.

— Случайно получилось, — прошептала Касаткина, — зацепилась каблуком за провод, он почему-то по полу протянут.

Я перешла в открытое наступление:

— Домработница знает про все шнуры в подотчетной ей квартире! Вы не горничная Осипова! Как попали внутрь?

Полина опустила голову, и на секунду ее лицо показалось мне знакомым. Может, мы встречались раньше?

— Я просто вошла. А вы кто? Представились курьером, но к бутику не имеете отношения, никаких пакетов в руках нет, — запоздало сообразила Касаткина.

Я поманила Полину пальцем.

— Лучше сядем в комнате и поговорим.

— Мне пора уходить! — засуетилась девушка. — Дел полно!

Но я уже открыла первую по коридору дверь и ахнула.

— Да тут разгром! Книги вывалены на пол, картины выдраны из рам, мебель вспорота...

Полина молнией метнулась к выходу, но я была начеку — бросилась за нахалкой и вцепилась в нее. Касаткина молча попыталась ударить меня по лицу, но у меня большой опыт кулачных боев.

Все детство и отрочество госпожи Таракановой прошло в подворотне. Сейчас я выражаюсь не фигурально. Маленькая Виола на самом деле проводила много времени на улице, в компании детей из, как сейчас принято говорить, неблагополучных семей. Да и сама я не имела родителей-академиков. Мой отец сидел за очередное воровство на зоне, а мать я никогда не видела. Она смылась, когда дочурка еще лежала в пеленках. Кстати, в нашем доме да и в соседних тоже было много таких, как я. Драки у нас вспыхивали по поводу и без оного, и в первый класс я пришла отлично подготовленным кулачным бойцом. Я хорошо освоила простое правило: если не обладаешь большой физической силой, действуй хитростью. Вот, например, Олеся Попова из сорок пятой квартиры. В десять лет она была почти метр шестьдесят ростом, весила восемьдесят килограммов и легко сшибала с ног взрослых парней. Из Олеси мог бы выйти отличный борец сумо, а я всегда напоминала засушенного кузнечика. Поэтому я освоила весь арсенал нечестных приемов — подножки, подсечки, щипки, укусы, плевки в лицо, удары ногами по коленям и в пах. Я дралась не на жизнь, а на смерть. Если падала, то сразу вскакивала и повисала на противнике. В конце концов двор сообразил: Тараканова себя в обиду не даст. И меня начали уважать. На память о непростом детстве у меня остались два штифтовых передних зуба и шрам на затылке.

Полина не могла предположить, что маленькая хрупкая женщина в драке превращается в стаффордширского терьера. Касаткина попыталась ударить меня, промахнулась и была моментально наказана за агрессивность.

Спустя пару минут я сидела на спине Полины и связывала ей руки кожаным ремнем, весьма кстати обнаруженным на вешалке.

— Дура! Больно! — взвизгнула Полина.

— Не умеешь драться, не начинай, — пропыхтела я. — И не дергайся, хуже будет.

— Гадина, — зашипела Полина, — чего тебе надо?

— Я хотела спокойно поговорить, а ты решила мне нос сломать. Кто первый начал? — мирно напомнила я. — Смешно смотреть! Разве так кулак складывают? Оттопырила большой палец вверх!

— Какая разница, — глухо донеслось с пола.

Я встала и отряхнула джинсы.

— Большая. Вот сломаешь пальчик и поймешь. Что ты искала у Осипова?

— Ничего, — соврала Полина.

— Ну тогда лежи спокойно, отдыхай, — почти ласково сказала я и вынула мобильный.

— Эй, кому ты звонишь? — забеспокоилась Касаткина.

Я не стала скрывать своей цели.

— Сейчас вызову сюда людей, пусть они с тобой поболтают. Нехорошо забираться в чужую квартиру. Вениамин Харитонович заявление о взломе напишет.

— Мне неудобно, хочу встать, — заныла Полина.

— Придется помучиться, пока не приедет бригада, — ответила я, с тоской слушая, как сотовый курлыкает: «Абонент недоступен».

— Ты сволочь, да? — ныла Касаткина. — Сама поваляйся мордой в пол, когда руки за спину вывернуты.

Я присела около пленной на корточки.

— Если меня поймают в чужой квартире среди полнейшего кавардака и мирно предложат побеседовать, я никогда не начну драку и не окажусь в позиции под названием «рыбка». У тебя был шанс спокойно объяснить свое поведение. Я бы тебя внимательно выслушала, поняла и, вероятно, попыталась помочь. Но ты избрала иной путь. И теперь пожинай урожай.

— Играешь в доброго следователя? — глухо сказала девушка. — Есть дураки, которые в это верят? Менты суки! Им человека пристрелить, как воды выпить. Если они так с простыми гражданами поступают, то что ждет того, кто с прямой дороги случайно съехал? Козлы поганые!

— И волки позорные, — добавила я. — Не повторяй чужих глупостей. Милиционеры бывают разные. Встречаются грязные менты, а есть отличные профессионалы, умные и, как это ни странно, сострадательные. Рано или поздно сюда протолкается по пробкам Юрий Шумаков — вот он из когорты милицейских сотрудников, за которых не стыдно.

— Три ха-ха-ха, — буркнула Полина. — Я пыталась в отделении к следователю попасть, да меня послали.

Я снова села около девушки.

— А зачем ходила? Что случилось?

— Пошла на ...! — выругалась Касаткина.

Я скривилась.

— Фу! Настоящая леди знает ругательства, но никогда их не употребляет. Если сказать на понятном тебе языке, то не айс материться.

— Можно подумать, в твоей ментовке все исключительно вежливы, — простонала пленница.

Мне пришлось сказать правду:

— Я не сотрудник милиции.

— А кто? Тогда вообще права не имеешь меня стреноживать! — возмутилась Касаткина

— Скорей уж стреручивать, — засмеялась я. —

Лежи смирно. Я частный детектив, а заодно писатель Арина Виолова.

— Блин! — вскричала Полина. — То-то лицо твое мне знакомым показалось! Весь мозг сломала, соображая, где мы встречались. Ты меня не помнишь?

— А должна? — растерялась я.

— Шоу Андрея Балахова, — выпалила Полина, — ты принимала в нем участие в качестве гостьи. Писательница-звезда. Я была редактором по гостям, встретила тебя на центральном подъезде и отвела в гримерку. Каблуки! Испорченные туфли!

Сейчас же в моей памяти всплыла картинка.

Вот я стою около железных ворот металлоискателя, за ними виднеется турникет и милиционер.

— Куда идем? — бурчит он.

— На шоу Андрея Балахова, — смиренно отвечаю я.

Менты, охраняющие вход в главный телецентр страны, особая каста. Каждый день они видят немереное количество звезд всех пород и мастей. Деятели шоу-биза, депутаты, чиновники, генералы, артисты театра и кино, ученые, просто теле-ведущие, чьи лица известны в России даже бродячим собакам. Секьюрити строги, документы проверят у всех. Но есть маленький нюанс. Иногда охранник, не меняя бесстрастного выражения лица, говорит человеку, который подходит к турникету: «Здравствуйте, Иван. Где ваш пропуск?»

Если вас узнала охрана Останкина, да еще поздоровалась, да назвала по имени, вот тут смело распускайте пальцы веером: вы настоящая звезда. Это даже круче, чем стать героем анекдота.

Но меня, естественно, парень в форме в тот день не поприветствовал.

— Спуститесь вниз и идите к бюро пропусков, — вежливо, но очень холодно сказал он, — там собираются зрители. Пойдете единым потоком.

— Простите, но я гость программы, писатель, — зачастила я.

Однако секьюрити не отреагировал.

— Отойдите влево и подождите сопровождающего.

Я отступила и ощутила себя полной дурой.

— Арина, простите, — зазвенел голосок, — я очень виновата! Понимаете, так спешила к вам, что сломала каблук.

Я повернула голову и увидела рыжую девушку в джинсах и серой рубашке с этническим орнаментом. В правой ноздре у нее посверкивал розовый камушек, уши украшали многочисленные колечки, на запястьях звенели разнокалиберные браслеты.

— Полина, — задыхаясь, представилась она. — Вот, смотрите!

Редактор подняла ногу и сказала:

— Была шпилька, стала балетка. Круто?

— Хорошо, что не упали! — посочувствовала я.

— Ой! Вы не злитесь! — обрадовалась девушка.

— На что? — удивилась я.

— Стояли здесь, как простой человек из массовки, вас не встретили как звезду, — пояснила Полина.

— В данной ситуации мне жаль ваши туфли, — засмеялась я. — Признайтесь, вы на них потратили всю зарплату.

Редактор горестно вздохнула.

— Я столько не получаю, пришлось копить.

Надеюсь, их можно починить. Ой, простите, какое вам дело до моих проблем... Здравствуйте, Арина, пойдемте в гримерку.

Мы без проблем дошли до лестницы, поднялись на второй этаж, я сделала пару шагов по коридору и — чуть не упала. Хорошо, что редактор успела схватить меня за талию. Мне совсем не хотелось заработать репутацию припадочной, поэтому, сказав: «Ерунда!» — я попыталась идти дальше. Но вдруг начала заваливаться назад.

— Вы сломали каблук, — сдавленно сказала Полина. — Вот, смотрите.

Я уставилась на свои туфли, потом оглядела ногу Полины и выпалила:

— Это заразно! У тебя есть врагиня? Можем сейчас подойти к ней и напустить инфекцию на ее лодочки.

Полина прыснула, я рассмеялась. Согласитесь, редко можно встретить двух одинаково невезучих девушек.

Примерно через полгода меня снова позвали к Балахову, и я прихватила для Полины сувенир — брелок для ключей в виде туфли. Мы поболтали с ней, как старые знакомые. Но более не встречались. О том, что Полина больше не работает на телестудии, я случайно узнала в тот день, когда приехала Ольга Коврова, — мне позвонили и пригласили на шоу...

— Загляни в мою сумку, — сказала сейчас пленница, — она стоит у входной двери. Там связка ключей, а на ней твой брелок.

Я развязала ремень и помогла Касаткиной сесть со словами:

— Сделай одолжение, не дерись больше!

— Не стану, — еле слышно пообещала Полина.

— Тебя не узнать, — запоздало удивилась я. —

И цвет волос другой, и прическа. Рыжей ты была эффектнее, длинные локоны шли тебе больше, чем стрижка. Где пирсинг? Фенечки? Браслеты? Почему ты променяла интересную работу в шоу Балахова на фабрику игрушек «Лохматая обезьяна»? Ты заболела? Плохо выглядишь!

— Ты тоже другая — тогда были и стрижка, и макияж, и платье красивое. Я тебя не сразу узнала. А мне в самом деле очень плохо, — прошептала Полина. — Так худо, что и не передать словами!

— Вызвать врача? — засуетилась я. — «Скорую»?

— Не поможет, — одними губами ответила Касаткина. — А твой друг-мент правда не сволочь?

Я кивнула.

— Нет. Что ты искала у Осипова? Давай уйдем, пока Вениамин Харитонович домой не пришел. Вот тогда нам точно влетит. Как ты открыла его квартиру?

Полина вытерла кулаком нос и буркнула:

— Он не вернется.

Я сильно удивилась:

— Не может быть! Недавно я разговаривала с Осиповым. И хоть тот произвел впечатление то ли пьяного, то ли больного, но рано или поздно он вернется.

— Он умер, — покачала головой Поля.

Я вдохнула.

— Нет, говорю же, я общалась с ним час назад.

— Ты беседовала с настоящим Осиповым, — медленно сказала Полина. — Он алкоголик, живет на съемной квартире, ему дают денег за то, что его документами другой пользуется. Тот, кто здесь обитал, уже покойник, сюда не придет. Сомневаюсь, что хоть один человек, кроме меня, это знает.

Я попыталась разобраться в ситуации.

— Некий человек купил жилье на имя Осипова, обзавелся по его паспорту шикарным автомобилем, а настоящий Вениамин Харитонович живет в обнимку с бутылкой?

— Верно, — согласилась Полина.

— Очень глупо оформлять имущество на пьяницу, — только и сумела вымолвить я.

Полина неожиданно засмеялась.

— Да у него денег несчитано! Что ему эта трешка? Небось сделал так, что после смерти Осипова его наследником станет. Только вон чего вышло! Николай Ефимович первым к червячкам отправился. Или тело Ускова еще в морге?

Я окончательно перестала что-либо понимать.

— При чем тут директор фабрики игрушек?

Полина неожиданно оборвала смех.

— А ты зачем сюда пришла?

— Пытаюсь выяснить, кто отравил Антонину Михайловну и Ускова, — честно ответила я. — Долго рассказывать, как я узнала про Осипова. Думала, он близкий родственник директора и расскажет о его знакомых и друзьях.

— Супер! — выпалила Полина. — Пальцем в небо угодила! Хотя, думаю, врагов у Николашки армия, да они не знают, где его искать и как его зовут. Все жутко запутано, я сама не до конца разобралась, хотя кой-чего разнюхала. Такое дерьмо! Но в одном ты права: Осипов лучший друг и прямо-таки ближайший родич Ускова. Ближе некуда. Поняла?

— Брат? — предположила я.

Полина хмыкнула.

— Нет, и не сын, не внук, не зять. Вениамин

Харитонович и Николай Ефимович один и тот же человек. Осипов равен Ускову и наоборот. Ленка Косулина не дура была, сообразила, что к чему, увидев на его шее ссадинку. Ко мне прилетела и рассказала. А потом он ее убил. Как всех!

ГЛАВА 31

Я села на пол около Полины.

— Кто кого лишил жизни?

Девушка поджала ноги.

— Николашка Ленку. Я ей сказала: «Косулина, бросай все, чеши в Питер, вали в Ростов-на-Дону, Нижний Новгород, Тулу. Городов много, спрячешься!» Но Лена ответила: «Нет, теперь пусть он меня боится. И заплатит за мое молчание. Мы много чего знаем, пора ему бой дать».

— Ничего не понимаю, — призналась я. — О Николае Ефимовиче, кого ни спроси, говорят только хорошее. У него замечательная репутация. Милый, интеллигентный, мягкий, никогда не повышает голос. Из-за неконфликтного характера Усков плохо вел дела, бизнесмен должен быть жестким. И Оля Коврова, и Зинаида Ромина в один голос хвалили директора.

Полина склонила голову.

— Они врали! Потому что боялись!

— Чего? — не поняла я.

Касаткина вытянула руку и сжала пальцы в кулак.

— Во где он всех держал! Как ты думаешь, почему они на фабрике работали, копейки получали?

— Не знаю, — ответила я.

Полина поежилась.

— Кириллова хороший бухгалтер, какой ей

смысл на дохлом предприятии вкалывать? Ромина шикарно рисует. Я на телевидении работала, у меня там карьера начала складываться. Косулина в популярном магазине служила, процент с продаж имела. С чего мы все на помойке оказались? С какой радости стали прислуживать хозяину «Лохматой обезьяны»? Зебра сестра леопарда!

— Кто? — вздрогнула я.

Полина оперлась рукой о пол и медленно поднялась.

— Игрушки на фабрике производили бредовые. Один раз пошили зебру. Голова и передние ноги нормальные, в бело-черную полоску, а зад в пятнах, как у леопарда. Зинка онемела, когда увидела, налетела на меня. А я виновата? Мне приказали швеям материал отвезти — я выполнила, не затормозила. Кто в пакеты разные тряпки напихал, не моя печаль. Ромина репу почесала и выдала: «Раз склепали, будем продавать, назовем мутанта зебролеп или лепозебр». Я прям от смеха зарыдала. Зебролеп ржачно, но лепозебр круто. А Косулина и говорит: «Напишу в накладной: «Зебра сестра леопарда», всем понятно станет. Ну, вроде как мама-зебра налево сходила и вышло что вышло». Самое прикольное, что лепозебра в магазине влет разобрали. Представляешь?

Я пожала плечами.

— Полная нелепица.

Полина выпрямилась.

— Про всех правду не знаю, хотя о многом догадалась. Но вот моя жизнь — это действительно зебра сестра леопарда, невезуха вперемешку с глупостью. Пошли на кухню, тут дует.

Мы переместились на небольшую кухоньку, и Касаткина начала выкладывать свою историю.

Полина с детства мечтала работать на телевидении. Ей, девочке из многодетной, очень бедной семьи, хотелось славы и денег. Но у родителей были на наследницу иные планы.

— Иди учиться на парикмахера, — велела вечно беременная мать, — тебе четырнадцать, скоро сможешь нам помогать.

— Не хочу, — уперлась Поля, — у меня нет троек в году, буду учиться в десятом классе, мне надо поступить в институт.

— С ума сошла? — заорала мама. — Нас двенадцать человек, ты старшая, обязана копейку в дом нести.

— Вы с отцом как кролики! — не выдержала девочка. — Неужели ни о презервативах, ни о таблетках не слышали? Нарожали толпу... Я вас о сестричках-братиках не просила!

Закончилась беседа плохо — отец выпорол Полину и приказал:

— Пойдешь в парикмахеры! Они хорошо зарабатывают, чаевые имеют. И нас стричь будешь, все экономия.

Полина была непроблемным ребенком, она исправно посещала занятия, радовала учителей и помогала матери по дому. Но в тот день в голове у девочки возник вопрос: почему она должна отказаться от своей мечты? Старшая сестра не обязана обеспечивать младших детей. Мать не работает, вечно ходит с животом, а отец служит дальнобойщиком, свои регулярные длительные отлучки объясняет просто: «Чем длиннее рейс, тем больше денег в кармане».

Вот только Поля внезапно сообразила: отцу нравится побольше времени проводить вне дома. Ну да, вздорная от усталости жена и орава галдящих спиногрызов достанут даже схимника. Значит, отцу можно жить по своему вкусу, а дочери нет?

Поля без зазрения совести открыла коробку, где мать хранила деньги на хозяйство, забрала все, вылезла в окно и села на первую электричку. Городок Новомосковск остался в прошлом, впереди ее ждали Москва и телевидение.

Наивные надежды Полины разбились в первый же день. Внутрь телецентра ее даже не впустили, жить было негде, знакомые отсутствовали, и четырнадцатилетняя девочка испугалась. Ей даже на секунду показалось, что лучше вернуться домой. Но Полина тут же затоптала пораженческую мысль. Родители теперь увидят дочь лишь по телевизору, когда та станет вести свое шоу на первом канале! Стоял июнь, было тепло, темнело поздно, Касаткина топталась у входа в телецентр и мечтала, как когда-нибудь войдет в эти стеклянные двери победительницей. Ничего, сегодня Полечка неудачница, но скоро все изменится...

— Красавица кого-то ждет? — спросил приятный мужчина, который только что вышел из здания, куда безуспешно пыталась проникнуть Поля.

На вид дядьке было лет шестьдесят. Решив, что от дышащего на ладан старикана засады ждать не приходится, девочка честно ответила:

— Хочу сюда на работу устроиться.

— Сколько тебе лет? — улыбнулся мужчина.

— Четырнадцать, — гордо ответила Поля, — я взрослая.

— Андрей Петрович, — крикнули из здоровенного джипа с намертво затонированными окнами, — вам Леонид звонит.

— Спасибо, Шура! — ответил хозяин.

В ту же секунду из телецентра вышел парень и окликнул мужчину:

— Андрюша, привет.

Полина замерла. Парень был известным телеведущим. В жизни он оказался не таким красивым, как на экране, но все равно — перед Касаткиной стоял принц.

— Здорово, Гена, — ответил Андрей Петрович.

— Будешь на дне рождения у Бархановой? — поинтересовался принц.

— Заскочу на минутку, — без особого энтузиазма ответил старикан.

Геннадий пожал собеседнику руку и нырнул в поданную иномарку.

— Вы здесь начальник? — зашептала Поля. — Возьмите меня! Все-все делать буду!

— Все-все? — усмехнулся мужчина. — А что мама с папой скажут?

— Они в Новомосковске, — призналась Касаткина, — кроме меня, в семье еще десятеро детей, родители лишний рот искать не будут. Я прям слышу, как отец матери орет: «Свалила дочь, и хорошо! Больше денег в семье останется».

— Отважная девочка, — похвалил Полину Андрей Петрович. — Где жить собралась?

— А не знаю! — весело ответила дурочка. — Как-нибудь устроюсь!

Андрей Петрович взял Полину за плечи и повел в свой джип.

— Поехали, поговорим.

Через полчаса Полина чуть не потеряла голову от счастья.

Андрей Петрович не работал на телевидении, не имел никакого отношения к зданию на улице Королева. Господин Федотов снимал кино и имел огромное количество знакомых.

Добрый дядя привез Полину в загородный дом, выделил ей комнату и предложил главную роль в новом фильме.

Вы, наверное, думаете, что наивная девочка попала в лапы педофила? Нет, Федотова совершенно не волновали ни девочки, ни мальчики, ни женщины. «Я инвалид на ниве секса», — частенько признавался он.

Федотов на самом деле снимал фильмы — раз в пять-шесть лет демонстрировал нечто тягомотное, скучное, не имеющее ни малейшего успеха. В среде кинематографистов Андрея Петровича считали излишне серьезным, но всегда хорошо отзывались о нем. Плохо говорят исключительно о знаменитых, талантливых и работоспособных, а тот, кто шесть лет тужится над лентой, которая проваливается в прокате, нравится и критикам, и коллегам. Правда, зрителей на произведения Федотова не тянуло, но от этого в среде киношников его любили еще больше.

Мало кто знал, что Андрей Петрович имеет параллельный невероятно успешный бизнес. Он выпекал порно. Хорошенькая Полина быстро выбилась в звезды кино категории «только для взрослых». Федотов серьезно поговорил с девочкой, обрисовал ей перспективу.

— До совершеннолетия тебя в Останкино не возьмут. Тебе нужны квартира, деньги и связи. В индустрии горячего видео редко кто выдерживает более трех-четырех лет. Сейчас ты обоснуешься в Москве, встанешь на ноги, а потом, когда покинешь мир порно, я тебя устрою на телевидение. Слушай меня — и очутишься на вершине славы.

Полина подчинилась, и Андрей Петрович не обманул ее: платил хорошие деньги, помог купить квартиру, устроил в институт на вечернее отделение. Когда подопечная влюбилась в неподходящего парня с уголовным прошлым, он крепко отчитал свою звезду и велел порвать с криминальным элементом.

Девочка опять послушалась Федотова. На память о трехмесячном бурном романе у Касаткиной осталось умение на раз-два открывать любые, даже самые сложные, современные замки. Ее любовник был асом своего дела, а Полечка впитывала любую информацию как губка. Она не делила ее на «хорошую» или «плохую», просто очень легко всему обучалась.

Когда Полине исполнилось восемнадцать, Андрей Петрович устроил ее в шоу Андрея Балахова.

— Начнешь с редактора по гостям, — объяснил он. — Пообвыкнешься, наберешься опыта, двину тебя дальше.

Через неделю после того, как Полине выдали заветный пропуск, ее «добрый гений» неожиданно исчез. Кружным путем до слуха Касаткиной дошла нехорошая весть: Федотов прячется где-то на островах, к нему огромные претензии со стороны бонз криминального мира.

Полина не заволновалась. От природы она рыжая с глазами цвета сливы, но на съемках была блондинкой с ярко-голубыми глазами. Вульгарный макияж сильно меняет внешность. Перестав быть примой категории XXV, Поля отпустила рыжие кудряшки, забыла про кроваво-красную помаду и черные стрелки на веках. Андрею Петровичу она была благодарна за все, но дружить с бывшим работодателем не собиралась. А еще Полечка знала, что основная часть продукции режиссера уходила в страны ближнего зарубежья, на российский рынок Федотов не лез. Договоров Касаткина не подписывала, в ведомости за полученные деньги тоже свою фамилию не рисовала. С чего нервничать?

Касаткина спокойно перевернула эту страницу судьбы и наконец-то стала вести ту жизнь, о которой мечтала. Фортуна повернулась к Полечке улыбающимся лицом. А потом настал момент наивысшего счастья — один дециметровый канал предложил девушке выйти в эфир. Всего-то на полторы минуты. В рамках утренней программы Касаткина должна была сообщить зрителям приятную новость вроде такой: «Сегодня в Москве расцвела сирень» — и коротенько рассказать о садах столицы. Руководство хотело побольше позитива.

Представляете состояние Полины? Конечно, она отлично понимала, что этот канал занимает чуть ли не последнее место в рейтинге, что минута в утреннем эфире — отнюдь не ведение программы «Время», но путь к вершине начинается с первого шага. От радости Касаткина так похорошела, что на нее стали заглядываться мужчины. Вот только девочка из порнобизнеса не хотела заводить романов, три года беспрерывного секса перед камерами отбили у нее охоту вступать в интимную связь. Первой и последней любовью был тот уголовник, ныне мотавший срок на зоне.

Счастье рухнуло в один день. Поздно вечером к Полине приехал человек по имени Сергей Сергеевич, представился другом Андрея Петровича и пропищал:

— За Федотовым долг, и чтобы с ним расплатиться, порнорежиссер продал тебя мне.

Полина засмеялась.

— До свидания! Я не картошка на рынке. Не знаю, какого бухла наглотался Федотов, но у него на меня прав нет.

Сергей Сергеевич кивнул и протянул коробку с диском.

— Хочешь поглядеть? — спросил он. — Там очаровательная главная героиня, зовут ее Сюзи. Вытворяет такие вещи, что даже я покраснел.

— Уберите, — прошептала Полина.

— Испугалась, краса ненаглядная? — гадко усмехнулся незваный гость. — Я имею полную подборку твоих хитов. Как ты думаешь, что скажет руководство канала, когда некий аноним пришлет в офис порнушку с паспортными данными Сюзи? Пошлый ты себе псевдоним выбрала.

— Вы этого не сделаете! — шарахнулась в сторону Полина.

— Почему? — удивился Сергей Сергеевич. — Выбирай. Или временно работаешь по моей наводке, или конец карьере на телевидении. Навсегда. Нынче в стране время семейных ценностей.

— Что нужно делать? — пролепетала Поля.

— Устроишься на службу к моему знакомому, — пояснил Сергей Сергеевич, — и будешь выполнять его указания.

— Можно не сейчас? — заплакала Полина.

— Можешь вообще меня не послушать, — нежно пропел Сергей Сергеевич. — Кстати, ты бывала в больнице имени Коронова? Врача Эдуардова знаешь?

Полина лишилась дара речи, а Сергей Сергеевич продолжал:

— Хороший доктор, но у него плохо с соблюдением тайн больных. У тебя целый букет был — гонорея, хламидии, цистит, гнойная инфекция. Понятно, в порнобизнесе всякое случается. Но ты молодец, всякий раз лечилась, не запускала болячки. Я честный человек, — писклявым голосом добавил Сергей Сергеевич, — три года отработаешь и катись. Верну тебе весь компромат. Возвратишься на телевидение, какие твои годы... Подумаешь, порнуха, другие людей убивают и после счастливо живут. Слушайся Николая Ефимовича, теперь Усков будет над тобой главный.

Полине пришлось уйти с телевидения и устраиваться на дурацкую фабрику игрушек.

На предприятии платили копейки, девушка стала тратить запас, отложенный на черный день. Тихий лысый Николай Ефимович сначала показался ей милым дядькой. Полина заподозрила, что директор тоже жертва Сергея Сергеевича, — уж больно приятным был Усков. Поручения Полине он давал, явно смущаясь. Вызывал девушку в кабинет, опускал глаза в пол и тихо говорил: «Проверь, хорошо ли дверь закрыта. Вот адрес и фото мужчины. Ты знаешь, что делать».

Рассказчица примолкла, а я поняла, почему Усков так заботился о звукоизоляции, он не хотел, чтобы посторонние узнали о том, какие поручения директор фабрики дает подчиненным.

— Всякий раз требовалось одно и то же, — мрачно добавила Касаткина. — Я встречалась с мужиком и тайком записывала, чем мы с ним занимались. Николай Ефимович выдал мне камеру, она была спрятана в брошке. Дорогая штука, шпионский вариант. Только не спрашивай, куда он потом «фильмы» девал. Не знаю и знать не хочу.

— Не буду, — пообещала я.

Полина поморщилась и продолжила:

— Время шло, у меня глаза открылись. Я не дура, способна пазл сложить. Через некоторое время стало понятно: фабрика «Лохматая обезьяна» — прикрытие, Усков на самом деле рулит другими делами. Ему не хотелось ни прибыли большой получать, ни расширяться. Секретарша Ольга — выскочка, блин, — Ускову задницу вылизывала, все пыталась эти гребаные игрушки распиарить, постоянно приставала к Николаю с предложениями. Один раз вхожу в приемную и слышу, как директор ей заявляет: «Сиди тихо, занимайся чем приказано. Мне не нужна головная боль с прибылью». Достала Коврова начальника да и остальных тоже. Очень шумная, много ее было слишком. Не знаю, что у нее там за секрет, на чем Ольгу подловили, но, видно, на совсем плохом, раз она перед Усковым так стелилась.

Я кивнула. Вероятно, Оля в самом деле была «ангелом смерти». Милиция не нашла улик против медсестры, а Сергей Сергеевич смог заполучить доказательства вины бывшей любовницы Шумакова и заставил Коврову служить Николаю Ефимовичу. Заодно мне стало понятно, почему Ольга спешно бросила редакцию журнала и по какой причине Усков не хотел, чтобы игрушечный бизнес набирал обороты. Директор не желал привлекать внимание к фабрике.

— Что Николай Ефимович приказывал делать своей секретарше? — спросила я.

Касаткина пожала плечами.

— Понятия не имею. Сотрудники между собой общались мало, никто не откровенничал. Но я поняла: каждая у него на крючке. А потом мы подружились с Ленкой Косулиной.

Полина протянула руку.

— Видишь шрам? Так меня жизнь достала, что я решила с собой покончить. Прямо в офисе. Накатила жалость к себе, потом безысходность. Ну, думаю, хватит с тебя, Полечка. Не помню, как в туалет зарулила, как ножом по запястью полоснула. Кровь потекла, а я стою, пустая-пустая... И вдруг Косулина вваливается! Замотала мне руку платком и повела на улицу. Видно, я до вены не добралась, кровить сразу перестало...

ГЛАВА 32

Девушки вышли из офиса, сели в метро на скамеечку.

— Конфеты у Николашки в кабинете ела? — спросила Косулина. — Брала у него из коробки в шкафу шоколадки в бумажках? Никогда не воруй.

Поля возмутилась.

— Это не воровство! Я полезла за пачкой бумаги в шкаф, увидела коробку, ну и взяла одну штучку. Так захотелось сладкого!

Лена укоризненно покачала головой.

— Усков строго-настрого запрещает в его кабинет без спроса входить. Зачем пошла?

— Бумагу искала, — чуть тише сказала Полина, — пачку формата А-4.

Косулина горько вздохнула.

— Не ври. Подходящий момент ты выбрала — время полвосьмого вечера, в офисе никого. Небось думала, одна осталась? Поэтому за обыск принялась?

Касаткина молчала, а Лена продолжала:

— Николашка в кабинете никаких документов не держит. Я сто раз его комнату обшаривала, где он компромат хранит — неизвестно. Что у него на тебя?

Полина испугалась и задала встречный вопрос:

— А почему конфеты лучше не трогать?

Косулина поморщилась.

— Сказку про Иванушку-дурачка знаешь?

— Их много, — удивилась Полина.

— Позвал отец перед смертью трех сыновей, велел им принести веник, выдернул оттуда по прутику и приказал сломать. Парни легко выполнили приказ. Тогда старик предложил им целиком веник сломать, — нараспев завела Елена.

Полина перебила коллегу:

— И ничего у них не вышло. Мораль: одного человека легко победить, а если он объединился с друзьями, то враг не страшен. С чего ты решила мне детские байки травить?

— Усков над нами властвует, потому что каждая из нас порознь, — произнесла Лена, — давай встанем плечом к плечу и дадим ему бой.

— Я пас, — быстро сказала Полина, — меня все устраивает. Я на фабрике работаю по собственному желанию.

Косулина придвинулась к ней вплотную.

— У меня был начальник, директор магазина ковров. Всех продавщиц через свой диван пропускал, ну и мне пришлось его обслужить. Думала, трахнет и успокоится, а он не отстал. У самого жена, ребенок маленький, но похотливого орангутанга семья не останавливала. Разговор был короткий: либо я с ним трахаюсь, либо он меня выгоняет вон. А у меня квартира съемная... Ну, это не интересные тебе подробности. В общем, я терпела, терпела, а потом не выдержала — сыпанула ему в термос с кофе хорошую дозу снотворного и слабительного. Нагадить решила, думала, он заснет и обосрется.

— Получилось? — хихикнула Поля.

— Ага, — мрачно ответила Косулина, — чумовой эффект. Не проснулся он. Оказалось, сердце у мужика было больное, о чем никто, кроме его жены, не знал. Умер он.

— Вау! — выдохнула Касаткина. — И что дальше?

— Жену его посадили, — сказала Елена. — Она о проблеме со здоровьем знала, кофе мужу готовила, была в курсе, что тот с посторонними бабами спал. И вот уж совпадение — у нее в аптечке то же снотворное нашли. А меня даже не заподозрили.

— Круто! — промямлила Полина.

— Дальше небось все как у тебя, — сказала Косулина. — Появился Сергей Сергеевич, и вот я у Николашки на побегушках. Теперь о конфетах. В них какая-то пакость, вызывает нервный стресс у женщин. Один раз слопаешь — истерика начнется. Если сладкое пару дней глотать, гарантированно с собой покончишь. Хотя все люди разные, вон тебя мигом на суицид потянуло. Я этими шоколадками баб по приказу Ускова кормлю. Знакомлюсь с ними, ну и... Понятно?

— Жесть, — прошептала Полина. И в свою очередь рассказала про порносъемки и букет венерических заболеваний.

Я молча слушала Полину. Вот и объяснение, почему Оля принесла Шумакову конфеты с эксклюзивной начинкой. Коврова наводила порядок в кабинете, протирала мебель и увидела набор. Оле требовалась помощь Шумакова, она решила, что с пустыми руками к бывшему любовнику идти неловко. Обычно мужчинам приносят бутылки, но Юра всегда за рулем, практически не пьет спиртное, зато любит сладкое. И Коврова взяла «Ассорти» из кабинета начальника. Она понятия не имела, что угощение с секретом. Зачем Усков держал набор в шкафу? Думаю, директор порой угощал посетителей. Если есть конфеты несколько дней подряд, решишься на самоубийство. Но одноразовая порция просто вгонит в истерику. Так случилось со мной, с Варварой, с Надей Савельевой — она упоминала, что ей Сергей Сергеевич внезапно протянул конфетку. Вот вам и прямое подтверждение того, что Усков был связан с мерзким мужиком. Конфеты! В случае с Савельевой их применили, чтобы окончательно сломить женщину.

Ничего не знавшая о моих мыслях Полина продолжала рассказ.

— Подумаешь, фоткалась голой, — усмехнулась Лена.

— Я хочу сделать карьеру на телевидении, — пояснила Касаткина. — Сейчас в моде семейные ценности, и порноактрису к серьезному эфиру не подпустят, и скажи, тебе приятно будет узнать, что ты работаешь в тесном контакте с человеком, у которого в прошлом гонорея, а? Где триппер, там и СПИД. Не объяснить ведь народу, что я давно здорова. А за что Зина и Антонина к Ускову попали?

— Понятия не имею, я боюсь с ними дружбу заводить, — призналась Лена. — И нам с тобой на работе надо держаться подальше друг от друга. Будем вместе искать, как избавиться от Ускова.

— Надо отравить его! — в запале заявила Полина. — Сейчас в аптеке яд купить можно.

Косулина обхватила плечи руками.

— Я за Николашкой давно слежу. Он постоянно таблетки жрет, они у него в столе лежат в железной коробочке. Видела?

— Не обращала внимания, — призналась Поля.

— Знаешь, я ведь тоже по вечерам у него в кабинете рылась, — сообщила Лена, — надеялась найти, где он компромат прячет. Наткнулась на коробку, на ней написано «Пастилки для свежего дыхания», но ментолом не пахнут, и они крошечные, как бусинки, много их там. Ну, я и подумала: что-то типа тех хитрых конфет. Я самоубийственные шоколадки раздаю, а другой человек эти пастилки разносит. Взяла одну и сволокла в коммерческую лабораторию.

— Какая ты смелая! — восхитилась Полина.

Косулина обняла Полю.

— Нет, просто очень хочу избавиться от Ускова. Я бы его убила, но боюсь, компромат в другие руки попадет. Знаешь, что в тех пастилках? Яд.

— Яд? — повторила Поля. — Он сам себя травит?

— В лаборатории парень нормальный попался, — вздохнула Лена. — Вроде я ему понравилась, и лаборант рассказал мне: «Существует очень старая методика, говорят, ею пользовались Борджиа. Они каждый день принимали небольшие порции змеиного яда, приучали к нему свой организм. Ну, вроде прививку себе делали. Если их враги отравить хотели, то ничего не получалось, организм побеждал смерть». Еще тот парень пояснил, что в древности очень-очень крепкий чай считался противоядием. Китайские императоры всегда завершали любую трапезу чернющим чифирем.

— Усков тоже после встреч с посетителями дико крепкую заварку глушит! — воскликнула Полина. — Ему Ольга напиток цвета нефти готовит. Но если посторонних в кабинете нет, он употребляет чай, смахивающий на мочу молодого поросенка, почти без цвета.

— Вот! — кивнула Косулина. — Кстати, Николай Ефимович по образованию химик.

— И что? — не поняла Полина.

— Врач боится заболеть, шофер — попасть в аварию, а тот, кто людей травит, опасается яда, — пояснила Лена. — Усков регулярно глотает маленькую порцию, чтоб его не скрутило, как крысу. Он, как и мы, живет в страхе. Нужно найти, где сволочь прячет досье на нас, и непременно выяснить, кого боится Николай Ефимович. Вот когда мы узнаем все, тогда и станем свободными.

Полина и Лена начали следить за Николаем Ефимовичем, но, как ни старались, ничего не обнаружили. А Усков, похоже, не сомневался, что его подчиненные беспрекословно слушаются и уходят домой в положенный час. Вот только Косулина с Касаткиной после девяти вечера возвращались в офис и обследовали каждую щель. Увы, поиски не принесли результата.

Один раз Полина притворилась больной гриппом, выпросила у Ускова неделю отдыха, а сама направилась домой к директору, вспомнив старые навыки (любовник-вор научил девушку легко открывать любые замки). Полина без проблем проникла в квартиру Ускова, а Косулина должна была предупредить подругу, если начальник покинет офис. Несколько дней Полина обыскивала чужое жилье и вновь ничего не нашла. Николай Ефимович не имел сейфа, не запирал шкафов. Небольшая, обставленная мебелью советских времен квартирка выглядела неухоженной и нежилой. В холодильнике стояла только невскрытая банка зеленого горошка, вещи лежали на местах, в бачке не было грязного белья, а на мебели серел слой пыли. На третьи сутки Полине даже показалось, что Николай Ефимович вообще тут не живет — в комнатах царил особый запах запустения. Но Касаткина следила за директором, несколько раз ехала следом за «Жигулями» и видела, как тот оставлял машину во дворе дома на Парковой, поднимался наверх, а ровно в девять в его окнах гас свет. Усков был жаворонком и рано укладывался спать.

За неделю до исчезновения Косулиной Николая Ефимовича укусила муха. В прямом смысле слова: какое-то насекомое цапнуло начальника за шею. Усков перепугался, погнал секретаршу Олю в аптеку, велел купить мазь с антибиотиком и налился чифирем. Полина старательно скрывала злорадство. Похоже, Усков перетрусил и решил, что неведомые враги подселили в его кабинет ядовитую тварь. На шее у директора образовалась ранка, ее затянуло корочкой. Усков расчесал шею, сорвал присохшую корку, получилась небольшая ссадинка.

В день, когда начальник расковырял болячку, около одиннадцати вечера Лена примчалась к Полине домой в возбужденном состоянии и рассказала, что сегодня после работы пошла в ЦУМ — хотела приобрести на распродаже хорошую сумку. Путь лежал мимо бутика «Роже», Косулина от нечего делать посмотрела на витрину и не поверила своим глазам: в торговом зале стоял Усков. Вот только Николай Ефимович был одет в дорогие шмотки и совсем не походил на их занюханного директора.

У Косулиной сдали нервы, она вбежала в магазин со словами: «Здрассти, Николай Ефимович».

Продавщица стала выталкивать девушку вон, одновременно уверяя ее, что элегантный мужчина — лучший клиент бутика Вениамин Харитонович Осипов. Торгашка была так убедительна, что Косулина ей поверила. К тому же Осипов не занервничал, не разозлился. Он назвался родственником Ускова и выглядел спокойным, казалось, ситуация его развеселила.

Косулина извинилась, и тут Вениамин Харитонович повернул голову, на шее показалась ссадинка, и сказал: «Ну, краса ненаглядная, успокоилась?»

Лена собрала в кулак все свое самообладание. Она поняла, какую глупость совершила на волне эмоций. Не следовало очертя голову бежать в бутик!..

Косулина прервала рассказ и схватила Полину за плечо.

— Сообразила? Это был он!

— Кто? — удивилась Поля.

— Неужели ты никогда не слышала, как Усков говорит «краса ненаглядная»? — зачастила Елена. — Он эти слова редко произносит, лишь когда злится. Если директор «красой ненаглядной» обозвал — все, туши свечи, значит, еле-еле от желания тебя ударить сдерживается. Я давно догадалась, что «краса ненаглядная» — это его личный психологический тормоз. Козлу надо себя только с положительной стороны демонстрировать, ведь нельзя же нас прилюдно гнобить, он успокаивается, когда так выражается. Сидит потом, улыбается, говорит: «Ничего, всякий может ошибиться, работай спокойно, коллектив тебя поддержит». А у самого глаза как пластмассовые фишки делаются.

— Точно! — подпрыгнула Полина. — Один раз он мне про красу загнул. Я его задание выполнить не сумела, не по своей вине. Так Николашка меня отчитал, а в конце сказал: «Ну, краса ненаглядная, не переживай. Будет шанс исправиться». Голос у него был сладкий-сладкий, но мне здорово не по себе стало. И что же выходит? Ссадина плюс словечки... Вениамин Харитонович Осипов — это Николай Ефимович Усков?

— Вообще-то надо проверить, но, думаю, мы нашли один его секрет! — потерла руки Косулина. — А теперь держись за стул, сейчас следующий услышишь. Помнишь Сергея Сергеевича?

— Его забудешь, как же, — горько протянула Поля.

Елена оперлась руками о колени.

— Когда он меня пугал, то в один момент сказал: «Нет, краса ненаглядная, так у нас дело не пойдет». Чуешь, откуда ветер дует?

Полина ощутила озноб.

— И мне тоже! Один в один была фразочка: «Нет, краса ненаглядная, так у нас дело не пойдет».

— Много ты знаешь людей, которые про красу говорят? — прищурилась Косулина. — Я ни от одного, кроме Осипова и Ускова, это не слышала. А теперь ряд пополнился. Получается, что Вениамин Харитонович равен Николаю Ефимовичу. И... Сергею Сергеевичу.

— Нет, — запротестовала Полина, — тот усатый, бородатый, лохматый, в очках. А Усков лысый, с бритым лицом.

— Щас увидишь! — торжествующе пообещала Косулина. — Включи свой комп, покажу прикол.

Когда на экран ноутбука загрузилась фотография Ускова, Елена бойким речитативом завела:

— Мы его слегка украсим, паричок водрузим, подбородок и верхнюю губу подрихтуем, очочки насадим... Ну и кого имеем?

— Сергей Сергеевич! — оторопела Полина. — Подожди, но он же выше Ускова!

— А ты вспомни хорошенько! Выше, но ненамного. Думаю, все дело в ботинках, в них скрытая платформа.

— Жесть... — прошептала Поля.

— И еще. Сергей Сергеевич виделся с нами всего один раз, — продолжала Елена, — объявлял, что купил наш секрет у кого-то, кто им владел, забрал-де тайну за долги, и отправлял нас к Ускову. Больше мы с ним не общались. Сергей Сергеевич исчезал, мы имели дело только с Николашкой.

— Но зачем весь этот спектакль? — растерялась Касаткина.

— Николай Ефимович следы заметал, хотел, чтобы мы думали, что он тоже жертва, которая пашет на шантажиста, — предположила Лена. — Возьмут нас, расскажем про Сергея Сергеевича, и Усков на него ответственность свалит. Представляешь, скольким людям он жизнь испортил? Владелец фабрики игрушек на самом деле — завскладом чужих тайн, он нас использует! Я таблетки для самоубийств раздаю, ты мужиков во время секса фоткаешь. Кириллова, Ромина и Коврова тоже без дела не сидят...

Полина задохнулась и, прервав повествование, посмотрела на меня.

— Вот дура! — не удержалась я. — Это я о себе. Ольга Коврова в разговоре со мной процитировала Ускова, сказав «краса ненаглядная». Надежда Савельева употребила то же выражение, но рассказывая о своем общении с Сергеем Сергеевичем. Мне следовало по крайней мере удивиться — действительно, не часто услышишь от современного человека этот оборот, он остался в сказках, в будничной речи его нет. И мне жизнь подсунула подсказку! Стояла в супермаркете на кассе и услышала, как бабуля в очереди воскликнула: «Ишь, краса ненаглядная!» Старуха говорила о наглой, скандальной бабе, от которой секунду назад ушел муж. Мне в тот момент восклицание пенсионерки показалось очень важным, еще немного, и я поняла бы, почему, но кассирша спросила: «У вас только сок с булочкой?» И я отвлеклась. Разгадка была рядом, а я ее не заметила.

Полина решила утешить незадачливую сыщицу.

— Мы сами не сразу сообразили, что Сергея Сергеевича не существует. Если б Косулина случайно на «Осипова» не наткнулась, а тот от злости «краса ненаглядная» не вякнул, не понять бы, кто из них кто. Усков здорово закамуфлировался, все предусмотрел! Он небось давно чужие секреты скупает, а на выражение, которое иногда произносит, внимания не обращал.

— Норка на рыбьем меху... — вздохнула я. — Моя тетка Раиса так говорила, когда речь шла о людях, которые пытаются выдать себя не за того, кем являются. Но неужели Косулина пошла к Ускову с откровенным разговором?

— Дура, да? — грустно спросила Полина. — Прямо к нему в кабинет поперла, а потом из офиса ушла. Мне эсэмэску прислала, сейчас прочитаю, я ее не стирала. Вот: «Поля, все супер. Он испугался. Через два часа отдаст мои документы. Це и лю. Вечером встретимся». Но ко мне Лена не приехала. И на следующий день на работу не явилась. Сотовый был выключен. А потом директор нам объявил: «Косулина уволена за воровство. Не болтайте о Елене, негативная информация может отразиться на продаже игрушек».

Касаткина шмыгнула носом:

— Я сразу поняла, что Усков ее убил!

— А потом вырвал из телефонной книжки

страницу с адресом и телефонами Елены, — дополнила я. — В принципе, Николай Ефимович не очень рисковал. Он подобрал штат из женщин с темным прошлым, которые в основном не имели подруг и родственников. Ни Кириллова, ни Ромина не поднимут шум из-за исчезновения Косулиной, а родни у Елены нет.

— Я отнесла заявление в милицию! — воскликнула Полина. — Сначала его брать не хотели, велели три дня ждать, затем взяли, но ничегошеньки не сделали. Сволочи! Им на простого человека плевать.

— И ты решила сама наказать Ускова... — протянула я.

Полина выпрямилась.

— Точно! Но, в отличие от Ленки, у которой сдали нервы, я не поперла напролом.

Касаткина вновь стала следить за Николаем Ефимовичем и внезапно поняла, какую ошибку совершила. Прежде она незаметно сопровождала директора до его дома, видела, как тот паркует во дворе «Жигули», и караулила около часа. А когда в окнах квартиры Ускова гас свет, уезжала, думая, что директор из породы жаворонков и ложится спать в девять вечера.

Но теперь-то Полина знала про Осипова и предположила: что, если подъезд дома имеет еще и черный ход? Девушка изучила окрестности и была поражена хитроумием объекта слежки. На первом этаже дома находился мини-маркет с простым ассортиментом: хлеб-молоко-яйца-пиво-плавленый сыр. Лавка имела выходы на проспект и во двор. Но хозяин торговой точки не желал упустить ни одного потенциального клиента, поэтому в магазинчик можно было попасть прямо из подъезда. Оборотистый торгаш сообразил, что жильцам не захочется выползать на улицу в дождь или снег, а вот если людям не понадобится накидывать верхнюю одежду и брать зонтик, то они охотно зайдут за хлебом и сахаром. Усков мог спуститься в магазин и выйти через него. Касаткина решила это проверить. Она увидела, как в квартире директора погасли люстры, но на этот раз не удалилась со спокойной душой, а затаилась, глядя на дверь лавки. Через пять минут оттуда бодрой походкой вышел Усков. Он не сел в «Жигули»-развалюху, пешком двинулся в глубь квартала, спустился в подземный гараж и выехал оттуда на новенькой иномарке.

Полина поработала лучше иного детектива. Она выяснила адрес Вениамина Харитоновича, и ей удалось узнать, что настоящий Осипов алкоголик. Вероятно, у него за плечами тоже было некое преступление, раз пьянчуга отдал свой паспорт Ускову. А может, Николай Ефимович просто платил запойному мужику. Полина решила: скорее всего, документы, компрометирующие сотрудников фабрики, директор держит в квартире, приобретенной на имя Осипова. Николай Ефимович прикидывается бедным, но имеет большие деньги, убивает и шантажирует людей по заказу, однако действует не своими руками. Исполнителями являются сотрудники фабрики, причем за выполнение заданий они ни копейки не получают.

ГЛАВА 33

Полина сделала глубокий вдох и повысила голос:

— И вот, когда картинка у меня сложилась, когда я поняла, что творит Усков, тогда...

Девушка замолчала.

— Тогда ты решила отравить его и насыпала в коньяк те самые «пастилки», — медленно закончила я фразу. — Знала о привычке Ускова иногда опрокинуть рюмашку. Мысль о том, что он за рулем, не мешала Николаю Ефимовичу выпить граммов пятьдесят. Но, к сожалению, Усков угостил еще и Антонину Михайловну. Поля, что же ты наделала! Тебя посадят за убийство!

— Ты чего? — подскочила Полина. — Я хотела только его припугнуть! Показать фотки, которые наснимала тайком, сказать, что негативы отлично спрятаны. Либо я ухожу, получив на себя компромат, либо он отвечает в налоговой и в милиции на массу вопросов, и самый невинный из них будет звучать так: «Почему вы, господин Усков, рассекаете на шикарной тачке Осипова, ночуете в его апартаментах и шляетесь по дорогим бутикам, называясь Вениамином Харитоновичем?»

— Ситуация с Косулиной тебя ничему не научила? — рассердилась я. — Не ври мне, Полина. Ты мало похожа на идиотку. Наверняка понимала: шантажом Ускова не взять. И поэтому отравила его.

— Не трогала я его! — заплакала Полина. — Это Кириллова его замочила, я знаю!

— Я могла бы тебе поверить, — вздохнула я, — кабы не одно обстоятельство: Антонина Михайловна отравлена. Небось свою смерть она не планировала?

Полина вскочила и забегала по кухне.

— Усков и бухгалтер умерли в среду утром. А во вторник я уходила с работы последней, было около девяти. Хотела ключ от своего кабинета на доску повесить, вижу, крючок бухгалтерии пустой, ну и пошла проверить.

...В небольшой комнатке с сейфом сидела Антонина Михайловна.

— Вы не ушли? — удивилась Полина. — Никита небось заждался!

Кириллова обожала своего сына, часто рассказывала о нем коллегам. А еще она любила звонить Никите с работы и отчитывать парня: «Ты где? Почему не на занятиях? Безобразие!»

Полине казалось, что не следует ей доставать юношу, который вступил в возраст, когда призывают в армию, но, естественно, никаких замечаний она не делала. Кириллова не Косулина, по возрасту Антонина Михайловна годилась бывшей порноактрисе в матери.

Бухгалтерша внезапно заплакала. Поля, думая, что та вновь поругалась с сыном, решила ее утешить:

— Не расстраивайтесь, Никита хороший!

Кириллова вдруг икнула, до носа Полины донесся характерный запах спиртного. Изумление девушки достигло предела. Бухгалтерша ранее не была замечена в злоупотреблении горячительными напитками.

— Жила-была женщина, — вдруг заговорила Антонина, — хорошая, работящая, сына любила. Но не было у нее квартиры, маялась она в коммуналке, мучилась, хотела ребенку комфорта. А потом представился случай: послал ей бог двушку. Нет, вернее, черт жилплощадь предложил. Но не за так! И мать совершила ужасную ошибку. Въехали они с мальчиком на новое место, хорошо устроились, да потом сыночек подрос и начал маму со свету сживать. Ни по одному вопросу их мнения не совпадали. В конце концов

Никита связался с юной прошмандовкой и ушел с ней. Домой забегает днем, когда я на работе, моется, рубашки берет... Понятия не имею, где они живут. То есть это не мой Никита, не о нашей семье веду речь.

— Конечно, — кивнула Полина, — я поняла.

— Хорошо, — снова икнула Антонина Михайловна. — Мы с ним во врагов превратились. Вернее, мать сыну была другом, а тот от ненависти к ней голос терял. И тут появился злой человек, он знал о моей ошибке, которую я совершила ради квартиры, заставил меня на себя работать и... и... и... страшную вещь сделать. Ужасную! Но я не могла не подчиниться. Ведь иначе бы о первой ошибке всем стало известно. И я еще много чего другого сделала из-за той первой ошибки. Понимаешь?

— Да, — тихо сказала Поля.

— Я знала, он меня еще заставит. И еще! И еще! Пошла к нему и попросила: «Отпустите, иначе совесть меня съест. Не сплю, не ем, умираю!» Но нет, он велел служить. И тут...

Антонина Михайловна уронила голову на стол.

— И тут... тот, самый главный, Сергей Сергеевич... рассказал Никите про мою ошибку и предложил ему: «Убей мать, получишь иномарку, деньги и квартиру в наследство».

— Ужас! — выпалила Полина.

— Н-нет, — заикалась Кириллова, — тонкий расчет. Узнал он, что я совсем духом пала, и придумал: надо Антонину убрать руками сына. Глупый мальчик оставит дома коньяк с отравой и уйдет. Я перед сном всегда рюмочку вместо снотворного пью, совсем чуть-чуть, тридцать граммчиков. Да яда много и не надо! И все будет шито-крыто. Никита заживет счастливо. А вскоре уже к нему Сергей Сергеевич заявится, заставит мальчика за свою ошибку платить, как со мной поступил. Он всегда так делает. Но на этот раз он просчитался! Прибежал сыночек к маме, поговорили мы, Никита коньяк-то отравленный и показал. Сказал: «Не могу я мать убить!» А потом ушел. Знаешь, я хотела сама отравиться, но сообразила: Сергей Сергеевич подумает, что Никита его поручение исполнил, и замучает моего сыночка. Поставила коньяк в буфет. Нет, не дождется он! Никогда! А затем письмо пришло, сыночек прислал. У нас компьютера дома нет, где он его взял, не знаю. Читай...

Антонина Михайловна выпрямилась, шевельнула мышкой. Полина пробежала глазами по тексту: «Мать, прощай! Жить не хочу! Я сын убийцы и насильника! И сам кого-нибудь убью. Я был готов тебя убить! Я тебя почти убил, но остановился. Если я тебя убью, то буду убийца, как ты. Я не хочу быть убийцей! Не хочу жить. Мне страшно. Сегодня я себя поборол, а что будет завтра? Прощай, я просто засну. Я никому не нужен! Никита».

Полина попятилась от экрана. Кириллова снова уронила голову на руки.

— Я чувствую, знаю, он умер. Душа моя опустела. Где тело сына, мне неизвестно. Завтра попробую поговорить с Никой. Да тебе это неинтересно.

— Ужасно, — прошептала Полина. — Надо сообщить в милицию.

Кириллова неожиданно засмеялась.

— Нетушки! Меня арестуют, а ОН на свободе останется? Завтра прямо с утра пойду к Ускову, покажу письмо, потребую ЕГО адрес и телефон. Я не умру, пока ЕМУ не отомщу. Остаток жизни этому посвящу! Никита умер, мне теперь нет смысла бояться. Я свободна, наплевать на всех, я свободна! А отравленный коньяк у меня в буфете хранится, он может мне понадобиться.

И Антонина Михайловна захрапела. Полина попыталась растолкать бухгалтера, но безуспешно...

— И что ты сделала? — спросила я.

Касаткина села на табуретку и сгорбилась.

— Уехала домой, Кириллова осталась в офисе. Я решила с ней на следующий день на трезвую голову побеседовать, но заболела, вирус подцепила. Свалилась с температурой сорок. Мое алиби легко проверить, я «Скорую» вызвала, так плохо было. На работу не пошла, звякнула Ускову, он трубку не снял. А потом мне врачи укол вкатили, и я до вечера четверга продрыхла. Очнулась — на мобильном сто звонков, все от Зинки. Набрала ее и новость узнала: умерли Усков с Кирилловой. Я только сегодня выползла на улицу и сразу решила квартиру Осипова обшарить. Где-то же гад компромат хранил!

— Усков умер, больше он никому не навредит, — промямлила я.

— Вдруг у него друг есть? Или Николашка не один в деле? — вздрогнула Полина. — Мне необходимо найти бумаги. Я хочу вернуться на телевидение и забыть этот кошмар. Навсегда. И не смотри на меня так!

В моем кармане затрещал мобильный.

— Искала меня? — спросил Юра.

— Записывай адрес и немедленно приезжай, — обрадовалась я. — Лучше один!

Шумаков примчался через полчаса. Полине пришлось повторить рассказ.

— Я не подсыпала в коньяк отраву, — плакала Касаткина, — честное слово! Это Антонина.

— Маловероятно, — не согласился Шумаков. — Из вашего рассказа понятно: Кириллова не знала, что Сергей Сергеевич и Николай Ефимович — один человек, двуликий Янус. Она хотела выяснить у директора правду, ей тот требовался живым.

— Это не я! — затряслась Полина.

Я тронула Юру за плечо.

— Касаткина тут ни при чем. Меня никогда не подводит интуиция. Проверь ее алиби. И если «Скорая» подтвердит грипп и укол...

Шумаков взялся за телефон. Через четверть часа Полина была оправдана. К ней действительно в среду в десять утра приезжала бригада врачей, диагностировала грипп и ввела больной несколько лекарств, среди которых был димедрол, вызывающий сильную сонливость.

— Сейчас отвезем тебя домой, — распорядился Шумаков. — Сиди тихо, не бузи и в квартиру Осипова больше не ходи. Я сам решу твою проблему, о'кей? Выспись от души, а завтра к полудню приезжай ко мне на службу. Вот визитка, позвони снизу, я спущусь. Надо записать твои показания.

Когда Полина скрылась за дверью своей квартиры, я обняла Юру.

— Спасибо. Ты хороший. Кстати, я поняла, что произошло с Никой.

— Ты знаешь, кто ее убил? — воскликнул Шумаков.

— Никто ее не убивал, — вздохнула я. — Все намного проще. Эксперт Николай убежден, что никакого насилия в случае с Никой не было. Мы теперь знаем, что Усков, загримировавшись под

Сергея Сергеевича, передал Никите бутылку отравленного коньяка. Директор считал Никиту алчной тварью, решил, что тот ненавидит мать и легко согласится на убийство. Парень получит квартиру, машину, деньги, избавится от докучливой мамаши, а Николай Ефимович через годик напомнит юноше о его преступлении и заимеет нового сотрудника, очередную свою игрушку. Тем более что ничего особого от сыночка бухгалтера не требовалось — всего-то подменить коньяк в буфете. Поставить бутылку с ядом вместо той, из которой попивала его мать. Думаю, добрый директор снабжал Антонину Михайловну выпивкой, дарил ей коньячок — хороший алкоголь на ее зарплату не купишь. Ласковый, интеллигентный мямля Усков, директор игрушечной фабрики, владел по совместительству бизнесом по убийству и шантажу людей. Вот только с Никитой у него не сработало. Парень покончил с собой. Но мы забыли про одну очень важную деталь — про бутылку с отравой. Судя по всему, Никита оставил ее матери, Антонина засунула коньяк в буфет. Мы не знаем, что она хотела с ним делать, может, думала покончить с собой или собиралась как-то разыскать Сергея Сергеевича и отравить его. В среду Кириллова умирает, в квартиру нагло вселяется Ника. У Малышевой эйфория. Она считает двушку своей, ее взяли на работу в стрипклуб, где Ника получила в первый же вечер невероятную в ее понимании сумму: целых двести евро. Девчонка решает отметить удачу — она раскладывает деньги веером, обмахивает их одной купюрой и выпивает рюмку коньяка. Ника нашла его в буфете Антонины Михайловны. Там было две емкости, одна початая, из которой бухгалтер наливала себе «лекарство» для сна, другая полная. Ника схватила вторую. Почему она не воспользовалась начатой? Вопрос остается без ответа. Как, впрочем, и многие остальные. Почему Вероника не вспомнила, что Антонину Михайловну намеревались отравить? Отчего не засомневалась в коньяке? Ведь вроде знала, что именно так хотел наказать мать Никита. Могу лишь предположить: наверное, она решила, что парень унес бутылку с собой. А скорее причина ее глупого поведения — характер Малышевой. Стриптизерша Марина упоминала о частой смене ее настроений. То она любит мать и тащит алкоголичку домой, то проклинает ее; хочет отпраздновать с Мариной свой первый заработок и откладывает праздник, так как встретила «олигарха»; вместо того чтобы поехать с мужчиной, возвращается в двушку Кирилловой... Ника была непредсказуема, жила по принципу «хочу и делаю». Решила выпить — схватилась за коньяк. И в тот момент ни о чем не думала — устала от танцев, радовалась чаевым, ликовала от мысли, что у нее есть квартира. Хочу и делаю. Хочу выпить и пью. Ее не собирались убивать. Это глупая случайность.

— Сегодня эксперт-токсиколог сообщил: яд в коньяке, найденном дома у Кирилловой, идентичен тому, от которого умерли Усков и Антонина Михайловна, — сказал Юра. — Отрава, образно говоря, происходит из одной пачки. А еще полностью соответствует гадости, которой наполнена коробочка с якобы пастилками. Но!

— Но? — повторила я.

Шумаков сказал:

— Всегда найдется «но». В бутылке из офиса еще обнаружено малое количество так называемых вспомогательных веществ, из которых делают оболочку пилюль. Получается, что в коньяке для Кирилловой яд без примесей, а на фабрике кто-то взял пилюлю и кинул в бутылку. Усков химик, думаю, он сам таблетировал вещество, что нетрудно, если обладаешь специальными навыками.

— Николай Ефимович панически боялся, что его отравят, и принимал мини-дозы яда, чтобы приучить свой организм сопротивляться, — пробормотала я. — И если ел в присутствии посторонних, то запивал трапезу наикрепчайшим чаем. Экперт Николай обронил фразу: «Есть мнение, что чифир — противоядие». В день смерти Усков попросил Ольгу сделать черную заварку.

— Но он ничего не ел, — напомнил Шумаков, — только выпил стопку. На столе был лишь лимон. Пиццу, за которой послали Коврову, никто не тронул. Когда Ольга вернулась с ней, начальник и бухгалтер были уже мертвы.

— Не принимал пищу, но пил чифир... — протянула я, — к нему приходил человек-пудель...

Так, разговаривая, мы спустились вниз, вышли из подъезда. У тротуара притормозил джип, оттуда выбросили на дорогу мешок с мусором.

— Вот свиньи! — возмутился Шумаков.

— Это еще ничего, — вздохнула я. — В доме, где мы жили с Раисой, на четвертом этаже обитала старушка. Она превратила свою лоджию в склад, собирала какие-то деревяшки и хранила их. Потом запах пошел, вызвали милицию — думали, бабуля померла. Но она-то жива оказалась, а несло с лоджии. Там нашли кучу отходов! Выяснилось, что сосед с пятого этажа, чтобы вниз не бегать, помойное ведро из окна опорожнял, часть отбросов попадала к бабке и...

Я замерла. Куртка, лимон, пицца, за которой

отправили Олю, Антонина, ночевавшая в офисе, смерть Никиты... «Я свободна, я свободна!» — так, кажется, говорила Кириллова Полине. Яд, вспомогательные вещества, чифирь, человек-пудель, очки...

— Что с тобой? — встревожился Шумаков. — Вилка, тебе плохо?

Я встряхнулась.

— Нет, очень даже хорошо. Поехали немедленно в офис Ускова. Кажется, я знаю убийцу.

ЭПИЛОГ

В середине октября мы с Юрой сидели в кафе на первом этаже гигантского торгового центра.

— Ноги отваливаются, — пожаловался Шумаков. — В этих лабиринтах товаров покупателям нужно выдавать велосипеды. И почему комплект постельного белья на стеллаже у входа в пять раз дороже, чем такой же в километре от парадной двери? Какого черта одинаковым по назначению товаром торгуют в разных местах?

— Хозяин очень хитрый, — сказала я, окидывая взглядом три набитые доверху тележки. — Товар подешевле затырил в самый дальний угол, надеясь, что люди пойдут его искать и по дороге прихватят то, что увидят. Могу тебя обрадовать, мы купили все.

Вдруг затрезвонил мобильный Шумакова. Юра выслушал, что ему сказали, и проворчал в трубку:

— Вообще-то у меня выходной, столь малозначительная информация могла и до завтра подождать.

Я моментально заинтересовалась:

— Кто это?

— Лавров, — буркнул Юра. — Ногу ему починили, Мишка снова в строю.

— И что он сообщил? — не успокаивалась я.

— Ольгу Коврову выписали из больницы.

Я вытащила из хлебницы ломтик багета и начала крошить его на скатерть. Потом заметила:

— Никаких компрометирующих ее документов мы не нашли. Ковровой ничего не грозит.

— Если Усков держал ее на фабрике, значит, Ольга была «ангелом смерти», — буркнул Юра.

— Это не доказательство, — пожала я плечами. — О Зинаиде Роминой мы тоже ничего не узнали. Ясное дело, и у нее тоже есть скелет в шкафу, но художница нам о нем не расскажет. Слышал, Полина Касаткина вернулась на телевидение. Надеюсь, она взойдет на вершину славы и больше никогда не станет заниматься порносъемками.

Шумаков молча сгреб крошки и ссыпал их в пустую тарелку из-под салата.

— Вчера обнаружил интересный факт. Помнишь биографию Ускова? Преподавал химию в школе, работал на заводе пластмассовых изделий, стал жертвой ДТП — его, перебегавшего в неположенном месте дорогу, сбила машина. Спутница Николая Ефимовича, Екатерина Огнева, скончалась на месте. Выйдя из клиники, Усков открыл фабрику игрушек «Лохматая обезьяна». Так вот, психологи считают, что люди, побывавшие в ситуации, угрожавшей их жизни, кардинально меняются. — Шумаков, продолжая рассказывать, резал отбивную котлету. — Может, это и так. Но я выяснил небольшую деталь. У Огневой сгорела дача, при пожаре погибли ее муж и свекровь. А незадолго до смерти Екатерина внезапно продала свою квартиру, фактически стала бомжихой, жила у подруги. После кончины Огневой никаких денег не нашли. Куда она их подевала, неизвестно, но ДТП случилось через день после того, как Екатерина получила от покупателя нехилую сумму. Вроде это рядовое происшествие. Пожар тоже посчитали случайным, а продажа жилплощади — обычная вещь. Однако в свете того, что мы теперь знаем про Ускова...

— Вот когда он начал! — перебила я Шумакова. — Сам сделал грязную работу — шантажировал Огневу убийством родных, забрал у нее миллионы, а потом толкнул Екатерину под автомобиль. Да не успел отскочить. Понятно, что ни в чем его не заподозрили. Жертва не преступник, так принято считать. Почему ты мне раньше не рассказал подробности этого дела?

Юра стал оправдываться:

— Я сам узнал только вчера. И когда мы в последний раз разговаривали? Впервые за весь месяц вместе в кафе сидим.

— Верно, — вздохнула я, — времени на общение нет. Говорят, самый лучший муж — это слепоглухонемой капитан дальнего плавания. Могу добавить: самая замечательная жена — писательница. С утра она за запертой дверью строчит романы и не высовывается из норы, вечером носится по теле- и радиопрограммам, а ночью спит кирпичом. Некогда ей супруга пилить!

Юра кашлянул.

— Ты молодец. Я бы не стал смотреть вниз из окна офиса Ускова.

Я приосанилась.

— Понимаешь, меня все время мучил вопрос: зачем нужно было убивать Ускова и Кириллову на работе?

— М-м-м... — протянул Юра, набивая рот жареной картошкой.

Я покосилась на Шумакова. Сто раз уже объясняла ему ход своих мыслей, но сейчас не удержусь и повторю снова. Это мой звездный час: я докопалась до истины, а Юрасик не догадался, кто убил Николая и Антонину.

— Так вот слушай! — приказала я. — Давай вспомним, как в ту среду разворачивались события...

Коврова приходит на работу. Не успевает снять плащ, как в кабинет к Ускову, не поздоровавшись с секретаршей, влетает красная, взлохмаченная Антонина Михайловна. Двери к начальнику звукоизолированы, Ольга не слышит, о чем ведут речь директор и бухгалтер. Потом Антонина выбегает и кричит. «Ровно час! Только час! И будь что будет! Я вернусь через час!» Кириллова — спокойная женщина, и Коврова теряется в догадках, что вывело ее из равновесия. Может, какая-то лажа с документами?

Но теперь-то мы знаем: Кириллова получила предсмертное письмо сына, напилась, заночевала в офисе и с раннего утра кинулась к Ускову. Никита умер, матери больше нечего терять, ее мучает совесть, она не хочет быть игрушкой в преступных руках. Кстати, ты обратил внимание на интересную деталь? Какой был компромат на Полину? Порносъемки. Что ей велел делать директор? Спать с мужчинами, записывая процесс. Антонина убила Эльвиру. Ей приказали лишить жизни Свету. И, вероятно, были еще жертвы-дети, о которых мы не знаем. Косулина отравила директора магазина. Она раздает «конфеты», от которых женщины сходят с ума. Николай Ефимович не только получал деньги за преступления, которые по его велению совершали женщины, он еще и напоминал о первой, как говорила Кириллова, их «ошибке». Усков иезуит, ему нравилось мучить попавших в западню людей. Но вернемся в его офис.

Почему Антонина рано утром поторопилась в кабинет хозяина фабрики игрушек, а не пошла в милицию или в редакцию «Желтухи»? С какой стати бухгалтер решила выяснять с Николаем Ефимовичем отношения? Она не боялась, что начальник попросту убьет ее? Это останется тайной. У директора было всего шестьдесят минут на купирование скандала. Усков более не владел ситуацией, Антонина могла его выдать. И как он поступил? Для начала насыпал в коньяк яд, потом сказал Ольге: «Меня не беспокоить, в кабинет без приглашения не входи. Да, я жду посетителя, сбегай, купи лимон. Принесешь, сиди в приемной, не лезь ко мне!» Коврова послушно помчалась к лотку. Думаю, если б она ответила Ускову: «У нас в холодильнике полно лимонов», — директор нашел бы другой повод отправить секретаршу подальше из приемной.

Зачем Николай Ефимович ее удалил? Все просто. Помнишь, Ольга говорила: «Усков очень аккуратный и никогда не меняет привычек. Всегда носит с собой не портфель, а здоровенную сумку». Зачем ему саквояж для бегемота? Но он с ним не расставался. Когда эксперты осматривали кабинет директора, эту сумку нашли... но пустую. Что там было ранее? Думаю, парики, усы, бороды и разная одежда. Николай Ефимович имел при себе все, чтобы превратиться в Сергея Сергеевича или в кого-то другого. Думаю, он уходил из офиса днем в облике директора, переодевался в машине, искал новых сотрудников, которых потом шантажировал, с кем-то встречался, меняя внешность.

Коврова прибегает назад. Через пару минут в офис входит гость и писклявым голосом говорит: «Я к Ускову».

Оле велено не вмешиваться. Коврова боится ослушаться Николая Ефимовича, всегда досконально исполняет его приказы, поэтому остается за столом.

Незнакомец идет к двери, открывает ее, входит в тамбур и пищит: «Это я». — «Заходи», — говорит Усков своим голосом, и створка захлопывается.

Коврова пребывает в уверенности, что в кабинете два человека. Но там один Николай. Он отправил Коврову за лимоном, чтобы иметь возможность в мгновение ока загримироваться, выскочить из кабинета, а потом войти в него под видом гостя. Во рту у Ускова была специальная пластинка, которая продается в магазинах игрушек. Она служит забавой для подростков — положишь ее на язык, и вместо нормального тембра голоса получается писк. Вот и Усков сначала пищит: «Это я». Потом вынимает пластинку и отвечает: «Заходи!»

Еще через минуту Николай Ефимович, уже в образе директора, сменив одежду и убрав парик-усы-бороду-очки, приказывает секретарше заварить чифир, который, как мы знаем, считается противоядием. И еще. Усков сам берет поднос с чашками, Коврову в кабинет не приглашает. Понятно почему: Оле нельзя видеть директора в одиночестве, она должна считать, что у него посетитель.

Это факты, далее идут исключительно мои догадки. Спешно переодевшись в директора, Николай Ефимович запихнул парик-усы-бороду-костюм в мешок. Он понимал, что вещи не должны оставаться в кабинете, но времени на то, чтобы вынести пакет, у него не было — в дверь уже ломилась Антонина Михайловна. Ну и как поступил директор? Сделал то же, что и грязнуля из джипа! Едва на наших глазах из иномарки выпал пакет с помойкой, у меня в голове словно вспыхнул свет. Я все поняла. Итак, Усков открывает окно и швыряет пластиковую торбу вниз. Окна офиса выходят на улицу, а клерки не особенно аккуратны, многие из них кидают вниз мусор, который падает на козырек подъезда.

Когда я разговаривала с Зинаидой, Ромина начала искать цитрамон. Я же подошла к окну, машинально посмотрела вниз, увидела козырек, заваленный пустыми бумажными стаканчиками, тряпками, пакетами, и подумала: «Здесь работают свиньи. И администратор хорош, ни разу не велел подмести козырек». Ну, а дальше все известно. После того как я рассказала тебе о своей догадке, оперативники пошарили в мусоре, нашли пакет с усами-бородой-париком и шмотками. А экспертиза подтвердила — эти вещи носил Николай Ефимович, на них остались его волосы и кожные частицы.

— Мда, — крякнул Юра, — гениальное озарение. Я тобой горжусь. Может, выпьешь еще кофе?

Но я не собиралась лишать себя удовольствия еще раз рассказать о своих, как правильно заметил Шумаков, гениальных озарениях.

— Через мгновение после прихода Кирилловой начальник приказал Ольге: «Купи нам пиццу! И сразу, не тормозя, неси в мой кабинет». Коврова спешит в закусочную. Николай что-то обещает бухгалтеру, наверное, врет, что сам пострадал от Сергея Сергеевича, предлагает бороться вместе против гада, отговаривает ее поднимать шум, не советует бежать в милицию. Думаю, Кириллова отвергла все его предложения, и Усков налил ей рюмочку. Понимаю, что возникает вопрос: почему Антонина Михайловна не насторожилась? Ведь Никите предложили отравить мать именно коньяком. Но я абсолютно уверена, что Усков наполнил стопки и сказал: «Тоня, выбирай любую». Кириллова успокаивается и хватает одну, Усков вторую, и оба опустошают их. Но Кириллова не знает, что Усков приучал себя к яду.

Помнишь, в самом начале расследования ты обронил фразу: «Если сам яд в бутылку подмешал, то коньяк пить не станешь». На то и был расчет. Усков был уверен, что выживет. Ольга прибежит с пиццей в кабинет и вызовет «Скорую», а доктора сообщат в милицию. Коврова, естественно, расскажет о посетителе, который ушел из офиса, пока она гоняла за пиццей. Что подумают менты? Начальника и бухгалтера отравили. Жертва не может быть преступником. Но яд оказался слишком силен. У Ускова хватило сил выпить чаю, однако заварка — не лучшее противоядие. Николай Ефимович угодил в собственную западню, у него было мало времени на обдумывание плана. Наверное, он неправильно рассчитал дозу, насыпал в бутылку слишком много яда. Шантажисты, как правило, трусы, и Усков не исключение. Поняв, что Кириллова может его сдать, он перепугался. Все не такие, какими хотели казаться: Оля Коврова — отнюдь не милая, чуть глуповатая девушка, Кириллова — не до отвращения правильная женщина, Ника Малышева на самом деле не любила Никиту. Не хочу продолжать список, ты его сам знаешь. Фирма с нелепым и, на мой взгляд, смешным названием «Лохматая обезьяна» в действительности занималась совсем не смешными делами.

— Приданое лохматой обезьяны, — вздохнул Юра.

— Ты о чем? — удивилась я.

Юра указал рукой в сторону газетного ларька, который расположился рядом с кафе.

— Журналисты активно пишут об Ускове, информация просочилась наружу. Глянцевый журнал напечатал статью с названием «Приданое лохматой обезьяны», а вчера звонили телевизионщики, хотят снять сюжет с тем же заглавием.

Я вздохнула:

— Не лучшая идея. Да и приданое у лохматой обезьяны страшное, оно состоит из чужих, отвратительных тайн. Очень хочется верить, что твоя история с Ковровой не стала достоянием прессы.

— Нет, — ответил Юра, — мои отношения с Ольгой остались за кадром. Надеюсь, больше никогда не увижу Коврову.

Я ткнула пальцем в тележки, забитые пакетами с надписями «Надувные матрасы».

— Зато завтра увидишь кучу другого народа!

— Не напоминай... — простонал Шумаков. — У меня от одной мысли про то, что нас ждет, в зубах аппендицит начинается.

Я рассмеялась.

— Юра, ты мастер художественного слова! Надо же, аппендицит в зубах... Поехали домой. Ой!

— Что? — безнадежно спросил Шумаков.

— Забыли купить полотенца, — вздохнула я. — Надо вернуться назад. Видела на полках упаковки из пяти штук по цене трех.

Вам, наверное, интересно, почему мы закупаем надувные матрасы, постельное белье, подушки и пледы? Отвечаю. Никогда не радуйтесь, если долго гостившие у вас родственники наконец-то отбыли домой. Очень плохая примета плясать джигу, едва докучливые люди вошли в лифт.

Я, например, в день отъезда родичей Юры начала скакать от счастья и повторять:

— Слава богу, теперь никого из посторонних нет в квартире! Ура! Я опять могу ходить в одной майке! Вот здорово! Буду в полный голос обсуждать с мужем наши дела!

От полноты чувств я даже поцеловала Варвару Михайловну, Нину и Гену на перроне. Из моих глаз покатились искренние слезы, когда троица, погрузив в вагон свадебные покупки, поехала назад в свое Бортниково. Как вы догадываетесь, рыдала я отнюдь не от горя. И радостно махала рукой вслед уходящему составу, крича высунувшейся из окна Варваре:

— Приезжайте еще, будем рады!

Вот только не надо упрекать меня в лицемерии — я всего лишь продемонстрировала хорошее воспитание. Вы сами-то что говорите докучливым гостям? Наверняка не высказываетесь с откровенной простотой: «Как здорово, что вы наконец-то решили отвалить и оставить нас в покое! Надоели нам хуже налогового инспектора, из-за вас мы потратили слишком много денег. Никогда не возвращайтесь!» На что угодно спорю, из ваших сахарных уст звучит иной текст.

Но я, похоже, перестаралась. Три дня назад Варвара Михайловна позвонила из Бортникова и в свойственной ей категоричной манере заявила:

— Вилка! Хочу сделать вам приятный сюрприз!

Если я слышу от кого-нибудь подобную фразу,

мне сразу становится плохо, поэтому я осторожно спросила:

— Что нужно делать?

— Свадьбу играем в Москве! — гаркнула Варвара. — Гуляем субботу-воскресенье в ресторане «Пьяный пингвин». Слышала о таком?

— Нет, — пробормотала я.

— Не беда! — сказала тетка. — Автобус с гостями приедет в пятницу вечером, в нем будет двадцать человек. Остальные на своих машинах. Запаркуются они в вашем дворе и ночевать будут в автомобилях. Не тратиться же им на гостиницу! А вот те, кто из автобуса, лягут у вас в квартире. Площадь большая, все поместятся. Всего-то на три ночки. В понедельник утром назад двинем. Ничего особенного от тебя не требуется. Значит, так: мебель из гостиной убрать, пропылесосить, полы помыть, купить матрасы, постельное белье, окна протереть, занавески постирать, начистить серебро в буфете, приобрести чашки-тарелки в необходимом количестве, вилки-ложки... Да! Туалетная бумага только трехслойная! И мыло не куском, а в бутылке!

— Не лучше ли приводить в порядок квартиру после отъезда гостей? — только и смогла вымолвить я. — И дорогая туалетная бумага им ни к чему.

— С ума сошла? — возмутилась Варвара. — Мне перед людьми стыдно будет. Все вылизать! И покупать только самое лучшее! Три ночи — это не долго, автобус с ними уедет, мы останемся своей семьей.

— Своей семьей? — в ужасе повторила я. — Что вы имеете в виду?

Варвара Михайловна затарахтела, словно автомат Калашникова:

— Нинка с Генкой у вас медовый месяц проведут, нечего им зря деньги тратить. Погуляют по столице, посетят музеи-достопримечательности. Ну пока, мобильная связь денег стоит. Если хочешь еще поболтать, сама мне позвони.

Вот так мы с Шумаковым и очутились в шумном магазине.

— Не падай духом, — сказал Юра, — я вижу впереди километр стеллажей с полотенцами.

Я остановилась и обняла Шумакова.

— Милый, мне следовало честно сказать Варваре: «Не хочу делать из своей квартиры гостиницу, спите в автобусе». Но вместо этого я пробормотала: «Буду очень рада, жду вас с нетерпением». Ну почему я такая врунья?

Юра засмеялся.

— Таракашечка, ты нормальная. Хорошее воспитание — это в том числе и умение лгать по любому поводу, скрывать свои мысли и делать то, чего не хочешь. Воспитанный человек очень удобен для окружающих и весьма неудобен для себя. Мне тоже хочется послать тетку, но ведь я прикидываюсь почтительным племянником! Посмотри вокруг. Как ты полагаешь, вон тот мужик, что толкает тележку с кастрюлями, мечтал провести выходной в безумном хозяйственном магазине? Наверняка ему больше по душе пить в гараже с приятелями пиво. Но он потащился с женой за покупками и теперь мучается из-за своей мягкотелости.

Я повернула голову, увидела красного потного дядьку и чересчур светловолосую бабу, которая, бросая в тележку очередную коробку, радостно говорила:

— Здесь намного дешевле. Теперь пошли в пластмассу! Эй, ты чем-то недоволен?

— Все отлично, — тут же соврал муж, — прекрасный магазин.

Пара двинулась дальше, а мы пошли к полотенцам.

Если не хочешь дополнительных забот, научись честно разговаривать с родственниками. Да только у людей, как правило, на уме одно, а на языке совсем другое. Впрочем, может, это к лучшему? Лично я не хочу знать, что на самом деле люди думают о Виоле Таракановой и Арине Виоловой. Пожалуйста, соврите, что вы меня очень любите, и я непременно поверю!

Литературно-художественное издание

ИРОНИЧЕСКИЙ ДЕТЕКТИВ

Донцова Дарья Аркадьевна

ПРИДАНОЕ ЛОХМАТОЙ ОБЕЗЬЯНЫ

Ответственный редактор *О. Рубис*
Редакторы *В. Калмыкова, Т. Семенова, И. Шведова*
Художественный редактор *В. Щербаков*
Технический редактор *Н. Носова*
Компьютерная верстка *А. Пучкова*
Корректор *Е. Варфоломеева*

ООО «Издательство «Эксмо»
127299, Москва, ул. Клары Цеткин, д. 18/5. Тел. 411-68-86, 956-39-21.
Home page: **www.eksmo.ru** E-mail: **info@eksmo.ru**

Подписано в печать 19.11.2010.
Формат 70x90 1/32. Гарнитура «Таймс».
Печать офсетная. Усл. печ. л. 14,0.
Тираж 250 000 экз. Заказ № 1048

Отпечатано с электронных носителей издательства.
ОАО "Тверской полиграфический комбинат". 170024, г. Тверь, пр-т Ленина, 5.
Телефон: (4822) 44-52-03, 44-50-34, Телефон/факс: (4822)44-42-15
Home page - www.tverpk.ru Электронная почта (E-mail) - sales@tverpk.ru

ISBN 978-5-699-46646-7

9 785699 466467 >